新潮文庫

用心棒日月抄

藤沢周平著

目次

用心棒日月抄

犬を飼う女

一

大家《おおや》の六兵衛に聞いた家は、きてみると古びたしもた屋だった。諸職口入れと小さな看板が下がっていなければ、うっかり見過ごすところだった。隣が騒々しく竹を切ったり、裂いたりしている竹屋で、右側は小間物屋である。家はその間にはさまってひっそりと戸を閉じていてひと気もない。

――留守か。

と青江又八郎は思った。

しかし試みに格子戸《こうしど》を引いてみると、戸は難なく開いて、正面に坐《すわ》ってこちらを向いている男とばったり顔が合った。丸顔で五十ぐらいの年配にみえる色の黒い男である。一瞬又八郎は、男の顔から狸《たぬき》を連想した。狸に似た男は、上り框《かまち》に続く部屋の閾《しきい》ぎわに粗末な机を構え、その向うに坐っている。そばには机よりも高く帳面のようなものが積み重ねてあり、机の上には筆と硯《すずり》が乗っている。男は又八郎をみると、頬杖《ほおづえ》の腕をはずした。

春の日射《ひざ》しが溢《あふ》れている外から入ったせいか、男の背後の部屋が殊更《ことさら》暗く見えた。調度の品も少なく、どことなく寒ざむしい。男のほかに人の気配はなかった。

様子ではあまりはやっていそうもないな、と思いながら、又八郎は声をかけた。

「ご主人か」

「さようでございます」

男はむっつりした表情で答えた。相手が侍だからと、とくに改まった様子が見えないのは、又八郎のような浪人者を扱い馴《な》れているのだろう。

「じつはそれがし、鳥越《とりごえ》の寿松院裏にある嘉右衛門店《だな》に住まっている青江と申す者だが、手頃な職がないかと思って探しておる」

「……………」

「そこで大家の六兵衛どのに相談したら、こちらへ行けと申されての。それでうかがったわけじゃが……」

「どうぞ、そこへおかけください」

と男が言った。そことというのは板敷の上り框のことである。べつに敷物も置いてない。腰をおろすと、たちまち尻《しり》の下から冷えが立ちのぼってきた。

なんとなくみじめな気がしたが、仕事の世話を受けるのだから仕方なかった。客で来たわけではない。国元を出奔するとき持ってきた金は、あらまし底をついて、今日明日というほどではないが間もなくして文無しになる。早急に身過ぎの手段を講じる必要があった。

「ご浪人さんですな」

「さよう」

「どちらにお勤めでございました？」

「北の方のさる藩じゃが、わけあって申しかねる」

男はうなずいた。みると机の上に半紙をひろげて、筆でなにか書きつける構えである。

「禄《ろく》を離れられて、どのくらい経《た》ちますすか」

「さよう。およそ三月《みつき》半か」

答えながら、あれからそんなになるかと又八郎は思った。

男は鑑定するように、じろじろと又八郎の姿を眺めている。男は六兵衛の話によると吉蔵《きちぞう》という名である。吉蔵の眼には、品物を値踏みするようないろがあった。無礼な男だ、と又八郎は思ったが、吉蔵にしてみれば人間の世話をするのだから、人体《にんてい》を見さだめる必要があるかも知れなかった。

家族はあるか、身体《からだ》は丈夫か、また江戸に知り合いはいるかなどと吉蔵は聞き、又八郎が答えると、それをいちいち書きとめる。そしてこう言った。

「それで、お望みは？」

「高い望みは持っておらん。いま申したとおり、妻子がおるわけではなし、糊口《ここう》をしのげば足りるが……」

又八郎がそう言ったとき、勢いよく戸が開いて人が入ってきた。雲つくように身体が大きく、頬髭《ほおひげ》をたくわえた浪人風の武士だった。

「相模《さがみ》屋《や》」

浪人は土間に立ちはだかったまま、嚙《か》みつくような声で怒鳴った。

「話が違うぞ、話が。貴様のおかげでひどいめにあったわ」

「どうなされました？　細谷さま」

吉蔵は少しも動じなかった。狸のようなとぼけた表情で浪人を眺めている。

「人足《にんそく》を監視する役目だと、貴様確かにそう申したろうが……」

「さようですが」

「ところが大違いだ。行ってみると監視する人間はちゃんといて、わしにも働けと申す。いまさら引っ返しもならんから、人足と一緒に力仕事をして参ったが、いまだに腰が痛む」

「おや、どこで手違いがありましたかな」

「ちゃんと調べろ、ちゃんと。無責任きわまる」

「しかしお手当ては悪くなかったはずですが」

「あたりまえだ。それで手当てが悪かったら、ただでは済まさん。それでだ。ほかになにかいい仕事は入っとらんか。今度はいい仕事を回せ」

「お待ちくださいまし。こちらの方を済ませまして、それからご相談しましょう」

吉蔵が言うと、細谷という浪人は漸《ようや》く又八郎の後の方に腰をおろした。上り框の板敷がぎちっと鳴ったほど、大きな身体だった。

「そうですな」

吉蔵は又八郎に顔を戻した。

「さるお旗本から中間《ちゅうげん》が一人欲しいと、また但馬《たじま》の出石《いずし》藩から足軽というご注文を頂いておりますが、青江さまのように、前のお勤めを隠されては無理でございます。この土地に知り合いがあれば別ですが……」

「いや、勤めは望まんのだ。もそっと手軽な仕事がないかの」

「あとは、と……」

吉蔵は帳面をとりあげて、ぺらぺらとめくった。指でさしながら読みあげる。

「番町の斎藤さま。これはお旗本の斎藤さまですが、お屋敷の普請《ふしん》手伝いというのがありますな。これは細谷さまのようなぐあいになりますかな」

「……………」

「神田永富町の本田さま。ここは道場稽古《げいこ》のお手伝いですな。一刀流の腕に覚えのある方……」

「親爺《おやじ》。その口をおれがもらおう」

不意に細谷という浪人者が言った。もう立ち上がっている。又八郎も唖然《あぜん》としたが、吉蔵も渋い顔をした。

「しかし……」

「しかしもへちまもあるか」

細谷は乱暴な口をきいた。

「前には土方人足の口を回した。今度はきちんとした仕事をよこすべきだ。ともかく行ってみる。雇われると決まったらまた来る。永富町の本田と申したな」

細谷はそう言うと、勢いよく戸を開けたてして出て行った。

「攫《さら》われたな」

と又八郎は言った。道場の手伝いならうってつけの仕事だと思ったのだが、髭男が横どりして行った。さすがに江戸は油断出来ない土地だと思った。

「青江さまは、こちらは相当おやりで？」

吉蔵は丸く太った指をかざして、撃剣の真似《まね》をして見せた。

「自信はある。これは帳面につけておいてもらおう」

「それは惜しゅうございましたな」

と吉蔵は言った。

「本田さまのところは、時どき頼まれますがお手当てがなかなかいいのですよ。しかしさっきの細谷さまは、お子が五人もおられましてな」

「…………」

「それにご新造さまと、六人の口を養うわけですから、大変でございますすな。それであのように大わらわで働いておられるわけで」

「さようか」

又八郎は、風を巻いて出て行った細谷の、雲つくほどの巨体を思い返していた。

「それでは止《や》むを得んな」

「しかし、どうなさいます？」

吉蔵の声が、又八郎の一瞬の感傷を吹きとばすように、無慈悲にひびいた。

「あとは犬の番しか残っていませんが」

二

又八郎が町を歩いて行く。月代《さかやき》がのび、衣服また少々垢《あか》じみて、浪人暮らしに幾分人体が悴《やつ》れてきた感じだが、そういう又八郎を擦《す》れ違う女が時どき振りかえる。

振りむくのは、垢じみている衣服を憐《あわ》れむわけではないだろう。又八郎は長身で、彫りが深い男くさい顔をしている。瘦《や》せて見えるが、肩幅は十分に広く精悍《せいかん》な身体《からだ》つきだった。そのうえ人を斬《き》って国元を出奔し、世を忍んできた月日が、二十六歳の風《ふう》貌《ぼう》に若干の苦味をつけ加えている。女たちが振り返るのは、そういう又八郎にまつわりついている一種憂鬱《ゆううつ》げなかげりに気をひかれるのかも知れなかった。

だが又八郎が、やや下うつむいて歩いているのは、憂愁を気取っているわけではむろんない。行先に気がすすまないのである。吉蔵が斡旋《あっせん》した先は、さる町人の妾宅《しょうたく》で、仕事はそこで飼っている犬の用心棒である。犬になぜ用心棒がいるのかは、行ってみないとわからないが、いずれにしろぱっとした仕事とは言えない。それぐらいなら細谷のように、人足にまじって力仕事でもした方がましか、と思うほどだった。

だが、ぜいたくは言えないという気もした。吉蔵の話ぶり、仕事の口を横取りして行った細谷のやりくちを考えると、手頃な仕事の口などというものが、そうざらにあるわけでないとわかる。一介の浪人にとって、身過ぎの途《みち》は意外に厳しいようだった。

又八郎は両国橋を渡った。行先は回向院《えこういん》裏の本所一ツ目である。そこまでくると、又八郎は、吉蔵にもらった図面を頼りに小路に入った。

江戸詰《づめ》の経験がない又八郎は、いたって地理に昧《くら》い。そういうと、吉蔵がさらさらと半紙に図面を書いてくれたのだが、その図面はおそろしく正確で、又八郎は小路一本間違えることなく、塀《へい》で囲まれた一軒の家の前に立った。あたりは似たようなしもた屋が多く、一帯はひっそりしている。

潜《くぐ》り戸を入って玄関に行くと、玄関脇《わき》に茶色のあまり大きくない犬が寝そべっていた。これが警護すべき相手かと、又八郎はあまりかわい気もない茶色の犬を眺めたが、犬の方は半眼で又八郎をちょっと見ただけで、また眼をつぶってしまった。前にのばした両足に頭をのせて、身じろぎもせず春の光を浴びている。覇気《はき》のない犬だった。

又八郎が案内を乞《こ》うと、はじめに肥《ふと》った婆《ばあ》さんが出てきて用件を聞き、婆さんがひっこむと、次に二十《はたち》ほどの、目立つほどきれいな女が出てきた。これが吉蔵が言った、両国米沢町《よねざわちょう》の雪駄《せった》問屋田倉屋の妾《めかけ》およよという女らしかった。

又八郎をみると、女は板敷に膝《ひざ》を落として大げさに両手で胸を抱いた。

「まあ、よかったこと。なかなかいらっしゃらないから、今日あたり相模屋さんに催促の使いをやろうかと思っていましたのよ」

女は首をかしげてにっこり笑った。

「さ、どうぞお上がり下さいまし」

なにやら期待されている感じに、又八郎はまんざらでもない気分で上にあがり、茶の間に通った。

「およしさーん」

長火鉢の向うに坐《すわ》ると、女は細く透《とお》る、甘えたような声で呼んだ。するとさっきの婆さんが、心得たふうに茶道具を運んできて去った。女は茶を出して又八郎にすすめ、自分は莨《たばこ》道具を引き寄せて、細い煙管《きせる》に莨をつめた。

「莨はお喫《す》いになりませんの？」

一服つけ、恰好《かっこう》よく煙を吐き出してから女が言った。

「いや、それがしは不調法でござる」

「そうね。真面目《まじめ》そうなお方ですものね」

女は口に細い指をあててくつくつ笑った。色が白い。白いだけでなく、肌に磨きあげた光がある。珍しく二重瞼《ふたえまぶた》のはっきりした眼をもち、やや受け口の小さい唇をしている。なかなかの美人だった。

――ふむ。お妾となると、よく手入れが行きとどいているものだの。

又八郎は感心して女を眺めた。住んでいる裏店《うらだな》の、真黒な顔をした女房たちを思い出したのである。裏店の女房たちは、内職をし、亭主と一緒に日雇いに出かけ、井戸端談議に身が入ったあげく女同士で摑《つか》み合いの喧嘩《けんか》をし、甲斐性《かいしょう》のない亭主の尻《しり》を叩《たた》き、言うことをきかない子は殴りつけ、精気に溢《あふ》れているが肌の手入れまでは手が回らない。

しかし裏店のかみさん連中にしろ、この女にしろ、こちらが武家だからと悪く遠慮する様子が見えないのは気持よかった。裏店でも、入った当座こそ毛色が変った人間がきたといった顔で、遠くから眺める様子だったが、ひと月経《た》ち、ひと月半経ち、そこに居つく気配が知れると、隣の家で漬物をくれたり、反対側の隣が米を借りにきたり、どこかお参りに行ってきたという向いの家の女房が、土産物を持ってきたりするようになった。裏店では、又八郎は旦那《だんな》などと呼ばれている。

国元ではこんな具合にはいかない。もっとも国元では浪人という中途半端《ちゅうとはんぱ》な身分の者は、どこからか来て、また去って行く渡りの浪人をのぞけばあまり見かけない。たとえ致仕した者でも、しっかりと身分に繋《つな》がれていて窮屈きわまりない仕組みになっている。

又八郎は、眼の前でやや横坐りになって莨を喫っているお妾に、心がくつろぐのを感じる。あの無愛想な吉蔵が、なかなか味な仕事を世話してくれたものだという気もしてくる。ところで、仕事の中味をまだ聞いていない。

「さて、おかみ。いや……」

「あたしおとよと言うんですよ。そう呼んでくださいな」

おとよは言って、不意にはじけるように笑った。白いこまかな歯が見えた。なるほど人妻ではない。

「旦那、おひとが悪い。聞いてらしたんでしょ、相模屋さんに。あたしはおかみじゃなくて囲われているんですよ。お妾」

おとよはちろりと舌を出した。妾だが、明朗な人物らしい、と又八郎は鑑定した。おとよにはじめついたところがない。

「うむ、失礼した。そこでそれがしの仕事だが、なにをやればいいのかな」

「犬を見ました？　茶色い犬」

入口の脇に寝そべっていた、あの覇気のない犬のことだ。

「うむ、見た」

「変な話なんですよ。ちょっと」

おとよは声をひそめると、又八郎を蓮《はす》っ葉《ぱ》に手まねきした。又八郎が火鉢によると、おとよは自分も火鉢の上に身を乗り出した。

眼の前に、上蔟《じょうぞく》直前の蚕のようにすべすべしたおとよの顔が迫り、いい匂《にお》いがした。こういうところを、田倉屋の主人とやらに見られたら問題ではあるまいか、と又八郎は思ったが耳を傾けた。

「あの犬を、まるって言うんですけどね。まるを狙《ねら》っているひとがいるんですよ」

「狙う、というと？　盗みでもするつもりかな」

「盗もうとしたり、殺そうとしたり……」

おとよは又八郎の顔をじっと見つめた。黒い眼だけが動く。こんなふうに女と近ぢかと顔をつき合わせたのははじめてだった。又八郎は少し顔を引いた。

「ふむ」

「おわかりでしょ？　それがどんなにこわいことか」

おとよは真面目な顔になって言った。なるほど、それで用心棒か、と又八郎は思った。

ある光景を、又八郎は思い出していた。二月《ふたつき》ほど前の、ある寒い夕方。又八郎は路地にひびくただならない叫びを聞いて外に飛び出した。

あちこちから人が飛び出して、路地は裏店の人間で一ぱいになった。垣を作った人びとの間を、白い大きな犬が一匹、ゆっくり歩いていた。犬はあきらかに弱っていた。立ちどまって喘息《ぜんそく》持ちのような咳《せき》を二、三度し、人びとの顔を見上げると、またよたよたと前に歩いた。そしてついに地べたにごろりと横になった。

するとそれまで静まり返っていた人びとが、蜂《はち》の巣をつついたように騒ぎはじめた。源七の家の土間に厚い藁床《わらどこ》を作る。四、五人の男たちが、宝物でも運ぶような手つき、腰つきで犬を藁床まで運ぶ。その間に一人、矢のように木戸の外に走って行ったのは、そのことを大家の六兵衛に告げに行ったのだと後でわかった。

その犬は次の日の朝、裏店の者がさし出した餌《えさ》をたらふく喰うと、のっそり立ち上がり、つつがなく木戸を出て行った。要するに寒空に腹を空《す》かせて裏店に迷いこんできたものらしかった。犬は元気になったが、一晩寝ずに犬を見まもったまかいしょの源七は風邪をひきこみ、三日ほど商売を休んだのであった。

「すべて人宿あるひは牛馬宿その外も、生類《しようるい》重くなやめば、いまだ死せざる中に捨るよしほぼ聞えたり。さるひが事ふるまふ者あらば、きびしくとがめらるべし。ひそかにかかる事なすものあらば、うたへ出《いづ》べし。党与たりともその罪をゆるし、褒賜《ほうし》あるべし」

この最初の「生類憐《あわれ》みの令」が出されたのは、十四年前の貞享《じようきよう》四年正月二十八日のことだった。この布令は、為政者の一時の思いつきから出たものでなく、その後十四年間にわたって、文章を変え、中味を加え、微に入り細を穿《うが》って規制を強めて今日に至っている。哀憐《あいれん》保護さるべき生類は、牛馬から禽獣《きんじゆう》、生魚、蛇、鼠《ねずみ》の類《たぐ》いにまでおよび、昨年七月末に出た禁令によって、江戸市民は鰻《うなぎ》、鰌《どじよう》を喰うことも禁じられていた。

なかでも犬の保護哀憐にかかわる布告は、もっとも頻繁《ひんぱん》に出された。飼犬の毛色を帳簿に記載させたのをはじめに、主なき犬、病犬、子犬の保護をたびたび命じ、喧嘩している犬を見たら「すみやかに水にても灑《そそ》ぎて、引分しむべし」、傷ついた場合は、その毛色、傷の模様を記し、切通しの犬医者五郎兵衛に調薬させて養えと言い、犬を疵《きず》つける者があれば見のがさず捕えよ、「このごろ毀傷《きしよう》せし犬しばしば見ゆ。いとひがごとなり。いまよりのち傷損せしもの知りながら隠しおき、他より発顕せばその町中の過失なるべし」と、厳しかった。

この布令に抵触《ていしょく》して罪され、遠島、追放、入牢《じゅろう》の処分に逢《あ》った者は、これまで数知れない。生類憐みの令は、又八郎の国元にも伝えられ布令が出ているが、将軍お膝元のような厳格さはない。幾らも抜け道があった。その布令の厳しさを、又八郎は裏店に白い痩せ犬が迷い込んできたとき、初めて知ったと言ってもよい。

おとよが言うことは難なく理解できた。まるというあの犬が不意に姿を消したり、殺されたりして、犯人がわからなければ、災いは飼主である田倉屋徳兵衛におよぶ。こじれれば遠島処分にもなりかねない。

「殺そうとしたというのは？」

「石見《いわみ》銀山を仕こんだ毒餌《どくえ》を庭に投げこんだひとがいるんですよ。すぐに気づいたからよかったけど」

「心あたりは？」

「あるもんですか」

おとよは投げやりに言って、また莨を喫いつけた。

「うちの旦那はね。同業の何とかいう店の仕業《しわざ》だろうって言うんですよ。旦那も商売の上じゃ結構敵が多いんですから。鎬《しのぎ》をけずっていますからね。だからここに来ても、くたびれちまって、あっちの方が役に立たないことだってあるんですよ」

　おとよはお妾らしいことを言った。又八郎はむっつりした顔で聞いている。

「あら、あたし何か言ったかしら。ごめんなさい。それで、うちの旦那ったら、まるを捨てちまえって言うんですよ」

「なるほど、そう言うだろうな」

「でもそれは駄目。下手に捨てたりすると、これですからね」

　おとよは手を後ろに回した。

「あたしはまるがかわいいから、そう言って旦那を脅《おど》すわけ。それで来てもらったんですよ。こんな立派な方がきて下さるとは思わなかったんですけど」

「立派でもないが、それではあのまるという犬が殺されないよう、見張るわけかな」

「はい。それで出来たら犯人を捕えてもらいたいって、旦那はそう言ってるんです」

「なるほど」

　ただ漫然と犬を見張って、それでお手当てをもらうということではないらしかった。

「当分は夜も泊ってもらえって言うんですけど、いかがですか」

「それがしは構わん。一人住まいだから、飯を喰わせてもらうとなれば、大きに助かる」

「でも、こちらのように姿のいいお侍さんだとわかったら、うちの旦那《だんな》どういうかしら。焼もちやきなんですよ、年寄のくせに」

おとよはまたちろりと舌を出し、首をすくめて笑った。

三

又八郎は退屈して、畳の上に寝ころんでいた。おとよが、面白いから読めと「吉原丸裸」「七人比丘尼《びくに》」という古い本、それから上方《かみがた》の俳句宗匠で井原西鶴《さいかく》という男が書いた、「好色一代男」という仮名草紙などを貸してくれたが、ざっと読んだところあまり面白いものではなかった。枕もとにそういう本を積んでひっくり返っていると、ここ三月《みつき》ほどの間に、自分がひどく堕落したような気もしてくる。

田倉屋の妾宅《しょうたく》に寝泊りするようになって、七日経《た》ったが、何ごとも起こらなかった。その間又八郎は、朝と夕方の二度、犬を回向院《えこういん》の境内まで連れ出し、散歩させている。それだけの仕事だった。

回向院は総敷地五千百一坪。七月七日の大施餓鬼《おおせがき》、また境内を借りてする諸寺の開帳には、ごった返すほど人が集まるが、ふだんは広い寺域はひっそりしている。犬の散歩は丈六の唐金《からかね》の坐像《ざぞう》がある本堂前から、本堂の後ろに回り、三仏堂に出て蓮池脇《はすいけわき》の楠の木まで来る。そして池をひと回りして帰るのである。その間、怪しげな素ぶりの者に会うということもなかった。

おとよの旦那である田倉屋徳兵衛とも顔をあわせ、改めて念入りに犬の監視を頼まれたが、こう何ごともないと、顎《あご》つき屋根つきで与えられたひと間にごろごろしているのが、なんとなくうしろめたい気もしてくる。

家の中はひっそりしている。おとよは、女中のおよしを連れて湯屋に出かけた。それで今夜は田倉屋がくるのだ、と又八郎にもわかるようになってきている。二人は出かけると一刻《いっとき》近くも帰らない。そして戻ってきたときには、二人とものぼせたような顔をしているのだ。

犬も静かだった。こそとも音がしないのは、例によって前肢《まえあし》に顎をのせて居眠りをしているに違いなかった。みていると、日が移って、いる場所が建物の陰に入ると、のっそり立って日向《ひなた》まで出ていく。そしてやおら身づくろいして、前と寸分違《たが》わない恰好《かっこう》に寝そべるのだ。自分の意志で動くのは、そのときと餌《えさ》が出されたときだけである。又八郎が散歩に連れて行っても、どことなく迷惑げで、折角広いところに出してやっているのに、犬らしく飛び回るということもない。横着な犬だった。その犬のどこがかわいいか、と又八郎は思うが、さしあたっての飯の種だから、口に出したことはない。

　犬のことを考えているうちに、又八郎は釣りこまれたようにうとうとと眠くなった。いい陽気で、暑くも寒くもない。そういう季節に、することもなければ犬も人も眠くなるのである。犬を笑えぬな、と又八郎が思ったとき、その犬が物凄《ものすご》い声を出した。

　一挙動で刀を摑《つか》み、はねおきると又八郎は部屋を走り出た。みると潜《くぐ》り戸に近い地面に犬がへたりこんでいる。犬の首に荒縄が巻きつけてあり、潜り戸が少し開いているのを、又八郎は一瞬のうちに見た。うとうとした間に誰かが忍びこんだらしい。

　又八郎は走り寄ると犬から縄をはずし、潜り戸から首を突き出して外を見た。道には、もの憂《う》いような日暮れの光が漂っているばかりで、人影は見えなかった。おそらく犯人は、女達が湯屋に出かけるのを見とどけ、留守だと思って入りこんだが、人が飛び出してくる気配に驚いて逃げ去ったものらしかった。犬の番が、はじめて役に立ったわけである。

「だいじょうぶか？」

　珍しく心細げにからだを擦りよせてくる犬に、又八郎は声をかけて首を撫《な》でた。すると犬は思い出したように、二、三度咳《せき》をした。見たところ傷もなく、それほど弱ったところも見えないが、忍びこんだ者は犬をしめ殺そうとした形跡があった。

荒縄は、端がしまるように輪に作ってあり、又八郎が見たとき、それは三重に犬の首に巻きついていたのである。

——すばやい奴《やつ》だ。

又八郎は犬を玄関脇に連れてくると、自分もそばにある石に腰をおろして腕を組んだ。外をのぞいたときには、もう姿が見えなかった犯人のことを考えたのである。

犬を見ると、犬も又八郎を見ていた。横着げな犬だが、さすがに居眠りどころではないらしい。又八郎を見て、喉《のど》の奥に微《かす》かに甘えるような声を立てた。

このとき潜り戸が開いて、田倉屋徳兵衛が入ってきた。半白の髪をした五十半ばの男で、背は低いが小肥《こぶと》りに肥っている。

「青江さま。お聞きになりましたか」

田倉屋はそばにくると、立ち上がった又八郎を見上げ、息をはずませて言った。だいぶ急いできた様子だった。眼を丸くしているのは、何かびっくりするようなことを聞きこんで来たらしい。

「何でござる」

「はあ？　まだお聞きになっていらっしゃらない？　今日、大変なことがございました」

「………」

「呉服橋の吉良《きら》さまのお殿さまが、殿中で斬《き》り合いをなされて怪我《けが》をされましてな」

「ほう」

と言ったが、又八郎には吉良さまというのが何者かわからなかった。

「お相手は浅野さまと申されましてな。播州赤穂《ばんしゅうあこう》のお殿さまだそうで。お城で斬り合いをなさったということでございますから、喧嘩《けんか》両成敗で双方のお殿さまが腹を切られるんじゃないかと、大へんな噂《うわさ》でございましてな。それで……」

田倉屋は、塀の方を指さした。

「いま表であちこち人がかたまって、その話でざわめいておりますよ。行ってごらんになりませんか」

だが江戸の事情にうとい又八郎には、田倉屋が興奮しているほどには、その話に興味をそそられなかった。江戸城内で斬り合ったとしたら、あとが大変だろうなとちらと思っただけである。

それよりも、目下は用心棒の勤めから言って犬のことが気になる。

「じつはご主人。さきほど例の犬殺しが入りこんできてな」

「え？　来ましたか」

田倉屋はもう一度眼をむいた。それでどうなさいました。犬殺しは捕まえましたかとせわしなく聞いた。

又八郎はくわしく事情を話した。捕えられなかったのは不覚だが、喰って寝ているだけでなく、一応は犬の用心棒として役立った旨《むね》を売り込む必要がある。又八郎の話を聞くと、田倉屋はみるみる険悪な顔になった。

「やっぱりあいつです。磐見屋《いわみや》ですよ。あたしを陥《おとし》れようとしているんだ」

田倉屋は憎にくしい眼で、犬を見た。

「まったく迷惑な犬だ。おとよがこの芸もない駄犬を貰《もら》ってきたのが、そもそもの間違いです」

犬は田倉屋の眼にも駄犬と映るらしい。犬は田倉屋の剣幕がわかるかして、おびえた眼で二人を交互に眺めていた。

「磐見屋というそのご同業の仕業だと、なにか証拠でもありますかな」

「証拠などありゃしません。でもあたしには勘でわかります。ほかにそんな悪辣《あくらつ》なことを考えそうな奴は心当たりがありませんからな」

田倉屋は憤懣《ふんまん》をぶちまけるように言った。

「磐見屋はあんた、いや青江さま。これまでことごとにあたしの商売の邪魔をしてきた男です。うちが雪駄《せった》の緒に柄物を使うことを発明しましてな。職人に作らせてみると評判がいい。するとものの ひと月も経たないうちに真似《まね》する。うちで五分下りの雪駄を売り出したときもそうでした」

「………」

「磐見屋はそうしてうちの客を喰い齧《かじ》って、大きくなった店です。それで下手《したで》に出るようならまだかわいげがあるというものです。ところがあの男はそうじゃありません。ふんぞり返っていますよ、若僧のくせに」

田倉屋は、口の端に泡《あわ》をためて言い募った。

「これじゃ仲よく商売するというわけに参りません。仲間の寄合いがあっても、あたしら口もききませんが、これは当然のことです」

「しかしご主人。証拠がなくては磐見屋とやらがやったとは言えんな」

「ひと月ほど前、あたしは寄合いの席であの男と喧嘩してます。大勢の前で恥をかかせてやりました。おとよが犬がどうの、こうのと言いはじめたのはそれからのことです」

「ほう」

「捕えて下さいまし、そのろくでもない犬殺しを。きっと磐見屋の筋の者に違いありませんよ。そうしたら今度こそ、あたしはあの男をぐうの音《ね》も出ないほど、とっちめてやります」

四

——およよは、いかんな。

回向院《えこういん》の境内に入りながら、又八郎はそう思っていた。犬の紐《ひも》を引いているが、夕方の散歩がいつもより早い。あの男が来たからだった。

男は田倉屋の手代で、名前は利吉。婆《ばあ》さん女中のおよしが、聞きもしないのにそう教えてくれたのだが、来ると利吉は半刻《はんとき》以上も奥にいて、帰って行く。

奥でおよよと何をしているかは、利吉が来るとおよしにせつかれて犬の散歩に出るから、又八郎にはわからないが、およその察しはつく。およよが田倉屋の使用人と火遊びをしているのは明らかだった。利吉がきて、又八郎が家を追い出されるのは、これで三度目である。

——ああいうことでは、長くは続かん。

妾奉公《めかけ》が長く続いていいかどうかは、別の論議になるが、又八郎はとりあえずそう思うのだ。

あの家にきて半月になる。その間同じ屋根の下に寝起きし、一緒に飯を喰い、およし婆さんに下着の洗濯までしてもらっていると、なんとなくその人間に情が移ったあんばいだった。おとよは妾にしては気取りのない、気性の明るい女だし、雇主の田倉屋も悪い人間には思えない。焼きもちやきだ、などとおとよは言ったが、夜も泊る又八郎を、べつに変に勘ぐる様子もなく、いずれ犬殺しを捕えてくれるものと全幅の信頼をおいている様子がわかる。

おとよの浮気は、無事平穏な妾宅《しょうたく》に、いらざる波風を立てる危険なものと、又八郎の眼には映るのだ。

「おい、こら」

又八郎はあわてて紐をひっぱった。それまで、べつに嬉《うれ》しげもなく後についてきていたまるが、猛然と前に走り出したのである。横を走り抜けた一頭の野犬に、珍しく気を惹《ひ》かれたらしかった。

紐がのび切ると、きゃんきゃん喚《わめ》いて前に出ようと足掻《あが》くのは、くだんの野犬が牝《めす》犬なのかも知れなかった。野犬は、まるを一瞥《いちべつ》して走り去っただけなのに、まるは足をふんばり、首を前にのびるだけのばし、又八郎をそっちの方に引っぱって行こうとする。ひどく張切っている。

──飼主が飼主なら、犬も犬だ。

又八郎は舌打ちした。だが、野犬は間もなく本堂の左手にある方丈の裏手に姿を消した。まるは立ちどまって、悲痛な長い声を張ったが、それが済むと、またもとの駄犬に戻った。地面を嗅《か》ぎ回りながら、のそのそ又八郎の後からついてくる。

又八郎は、茶屋の前を通りすぎて、本堂の横手の方に回った。葭簀《よしず》張りの茶屋には、五、六人の人しか見えず、本堂の前も閑散としている。

本堂の裏から三仏堂裏にかけて、そこは雑木林になっている。ところどころに松、杉の巨木が、林を抜いて空にのびているが、その下には西空に傾いた日射《ひざ》しに、和毛《にこげ》を光らせている新葉の雑木が続いていた。道はその間を縫っていて、本堂脇《わき》の広場から入りこむと、幾分暗かった。

「……？」

林の間に三仏堂の建物が見えるところまで来たとき、又八郎はふと耳を澄ませる表情になった。次に何気なく刀の鯉口《こいぐち》を切った。林の少し奥まった場所を、何者かが又八郎の動きにあわせるように、足音を忍ばせて移動する気配を摑《つか》んでいる。

ゆっくり歩きながら、又八郎はその気配を探った。動くものは又八郎の左後方にいる。又八郎の顔に、緊張がみなぎった。微《かす》かな動きは、確かにつかず離れず、又八郎の動きを追っていた。

　――犬。

　犬が邪魔だと思った。又八郎の脳裏には、国元から来るかも知れない襲撃者の姿が浮かんでいる。それは、いつか必ず又八郎の前に現われるはずだった。そう思うと同時に、用心棒としての気持が働いていた。

　又八郎が、犬を繋《つな》いだ紐を立木に巻きつけようとしたとき、鋭い矢唸《やうな》りがした。立木を縫って飛んできたものを、又八郎は身をひねって斬《き》り落とした。

　雑木の陰に、ちらと動いた人影にむかって、又八郎は殺到した。人影は林の奥にむかって逃げようとしている。じきにその後姿が見えてきた。職人風の身なりをした男だった。姿は見えているが、細い立木が邪魔になって、なかなか追いつけない。

　すると、そのとき又八郎の横をすり抜けて、まるが勢いよく前に飛び出して行った。紐は十分に巻きつけるまでにいかなかったので、すぐに解けたらしい。

「こら、まて」

　又八郎は犬にむかって怒鳴った。そのときには、逃げて行く男の正体を、ほぼ摑んでいた。五、六間先を、うろうろと逃げ惑っている男が、ほかならぬ犬殺しなのだ。身ごなしが、心得ある者の走りようではなかった。手に後生大事に半弓と思われるものを握っているのが見える。

――どじな犬だ。

又八郎は心の中で罵《ののし》った。前には石見《いわみ》銀山入りの餌《えさ》を喰わせようとし、先日は荒縄で首を締めにかかり、今日は矢を射かけてきた当の犬殺し目がけて、まるは嬉々《きき》として飛んで行く。用心棒としては、手に汗を握らざるを得ない。

男がつまずいて転んだ。追いついたまるが男の回りを飛びはね、からだをぶっつけてじゃれかかった。すると不思議なことが起こった。身体《からだ》を起こした男は、それ以上立って逃げようとはせず、地面に坐《すわ》りこんだまま、まるに手をさしのべたのである。

又八郎が追いついたとき、男はまるを抱きしめ、犬は犬でふだんとは打って変った積極的なそぶりで、男の顔や首をなめていた。

「まる。悪かった。許してくれ」

手製と見える粗末な弓を、まだ手に握っている男は、犬に顔をくっつけて涙をこぼしている。又八郎はあっけにとられて言った。

「知り合いか」

男は又八郎を見上げ、はいと言った。浅黒い顔をし、気弱そうな細い眼をもつ若い男だった。

「なに者だ、お主」

と又八郎は言った。この気の弱そうな、身体の細い若者が、田倉屋が言うような同業からの回し者とは思われなかった。

五

犬を連れて、又八郎が家に戻ると、ちょうど玄関から利吉が出てきたところだった。色白で、鼻筋がとおり、女のように小さい口をしている男である。身ごなしも柔らかく、いかにもお店《たな》の切れものといった印象を与える。又八郎は、まだ口をきいたことはなかった。

又八郎がじろりと顔を眺めると、利吉は小腰をかがめ、顔をそむけて擦れ違った。

――あれはいかん。

又八郎は、犬の首から紐《ひも》をはずしてやりながらそう思った。あの男につき合っていると、いまにおとよに破滅がくるという気がした。いい気分で浮気を楽しんでいるようだが、利吉が、本気で女に惚《ほ》れているわけではあるまいと又八郎は思う。そう思わせるのは、男が身にまとっている、ある種の冷たさだった。おとよは捨てられるか、騙《だま》されるか、いずれろくな結末にはなるまい。田倉屋に浮気が露顕した場合にも、大損するのはおとよで、あの男は巧妙に逃げるに違いないという気もする。

又八郎が茶の間に行くと、おとよは細い煙管《きせる》でぼんやり莨《たばこ》を喫《す》っていたが、あわてて、

「ごくろうさまでした。犬の散歩」

と言った。少しきまり悪そうな顔をしている。こういうところが、この女の正直なところだ、と又八郎は思った。

「いま、利吉さんに聞いたことなんですけど」

おとよは、又八郎に新しい茶を淹《い》れながら言った。

「こないだの吉良さまの斬《き》り合いのお話。大変だったらしいですよ。浅野の殿さまというひとは、その日のうちに腹を切らされたんですってね。五万何千石とかいうお家は、それでお取り潰《つぶ》しだそうですから、ご家来衆がかわいそうだって、みんな言ってるらしいのね」

「…………」

「おかしなことがあるんだそうですよ」

おとよは膝《ひざ》をすすめて、火鉢の上に身体《からだ》を乗り出した。

「片一方の吉良さま。こちらは何のお咎《とが》めもないんですって。浅野という殿さまが斬

りつけたとき、刀を抜かなかったのがよかったらしいのね。でも喧嘩《けんか》両成敗って言うんだから、片方が腹を切らされたのに、片方がけろりとしているのは、少しおかしいんじゃないかって、利吉さん言ってましたわ」

「利吉さんもいいが、あんたは新吉というひとを知ってるかね」

と又八郎が言った。おとよは口を噤《つぐ》み、びっくりした顔になって又八郎を見つめた。

「知っておるかな。矢師の新吉を」

「ええ」

おとよはうなずいた。顔が少し赤くなったようだった。

「新吉さんが、どうかしたんですか？」

「この間からまるを狙《ねら》っていた犬殺しというのは、じつは新吉なのだな」

「どうして？」

おとよは叫ぶように言った。

「そんなわけ、あるはずないでしょ、旦那《だんな》。まるは新吉さんにもらった犬なんですよ」

「そういう話だな。まあ聞きなさい。いま、その新吉に会ってきたところだ」

又八郎が、回向院の本堂裏でつかまえた新吉に聞いたのは、次のような話だった。

新吉とおとよは恋仲だった。二人は同じ裏店に育ち、新吉は浅草の矢師に奉公に出、おとよは米沢町の田倉屋に女中に行ったが、いずれは夫婦になるつもりでいた。めったに会うことも出来なかったが、新吉の奉公が明けたら、所帯を持つという約束まで交わしていたのだ。

おとよの家の方が貧しかった。おとよが、田倉屋の主人徳兵衛の世話を受けるようになったのは、弟妹が大きくなったり、家の中に病人が出たり、どうしても金のいることが出来たためだった。おとよは、岡場所や吉原《よしわら》に売られるよりはいいと思って、徳兵衛に囲われたのである。

そのときは新吉も納得して別れたのだった。おとよの家の事情を、新吉はよく知っていた。おとよは新吉が飼っていたまるをもらい、その犬を抱いて、田倉屋の妾宅《しょうたく》に来た。二年前のことである。

だが、新吉は結局あきらめ切れなかったのである。一年前に年期が明け、まわりから嫁をすすめられたりすると、かえっておとよに対する思慕が募った。その後、おとよの母親の病気も直り、おとよの仕送りで一家が不足もなさそうに暮らしているのを見ると、新吉は理由のはっきりしない焦燥にとりつかれるようだった。

結局おとよはみんなに騙されているのだという気がした。家の者みんなにも、田倉屋にも騙され、塀の高い別宅に閉じこめられているように見えた。

新吉は、おとよの家の者にも、田倉屋にも反感を持った。反感がおとよに会えない焦燥に結びついたとき、新吉は犬を襲うことを思いついたのである。殺すつもりはなかった。傷つけるだけで、田倉屋をお上《かみ》の咎めにみちびくことが出来ると考えた。おとよたちが恐れた石見《いわみ》銀山も少ししか使っていない。

田倉屋が咎められれば、妾《めかけ》を囲うどころではあるまい。そうなれば、おとよが帰ってくる。新吉が考えたのは、それだけだった。

「ま、浅はかといえば浅はかだが、気持はわからんでもない」

「…………」

「新吉は、いまは腕のいい一人前の矢師でな。立派に妻子を養うだけのものを貰《もら》っているそうだ。まるを狙ったことは謝る。だからお妾はやめて帰ってくれないだろうかと言っていたぞ」

「…………」

「実家の方は、もう立ち直って仕送りもいらんそうではないか」

「ええ。おっかさんが働いていますし、弟が奉公に出ましたから」

「そのようだの。犬の用心棒が口はばったいことを申すようではあるが、やり直すならいまのうちだと思うがの。田倉屋は悪い人間じゃなさそうだが、利吉のような男にかかわり合っていてはろくなことにならんぞ。断言してもいいが、あの男はあんたを不しあわせにするぞ」

「わかっているんですよ、旦那」

おとよは伏せていた顔をあげた。眼に暗い光があった。

「でもあたしにやり直せるわけがないじゃありませんか。もうお妾商売に骨の髄まで染まっちゃって、あたしは新吉さんが考えるような女じゃなくなったんですよ」

「それはどうかな」

又八郎は微笑した。

「人間、変ったつもりでも案外変っていないということがあるからの。それはともかく、その気があるなら、一度新吉に会ってみることだな」

「新吉さんにですか」

「回向院の境内で、あんたを待っているんだが……」

「いまですか。新吉さんあたしを待っているんですか」

おとよの顔にみるみる紅味《あかみ》がさした。おとよは胸を喘《あえ》がせ、うろたえた眼で又八郎を見た。その前に、又八郎は手を出した。

「さて、お手当てを頂戴《ちょうだい》しようか。犬の番人も今日で終ったのでな」

六

又八郎が、しばらくぶりに住む町の近くまで帰ってきたとき、町は白っぽいたそがれ色に染まっていた。蔵前《くらまえ》で、千住《せんじゅ》通りから左に入ると、そこにはもう歩いている人間も見当らず、仄暗《ほのぐら》い道が続いていた。

綿をまるめたような、丸味のある大きな雲がひとつ、町の上にじっととどまっている。両国橋を渡るころに、まだ夕映えの赤味をとどめていた雲は、ほとんど白っぽく変っている。

——おとよは寺に行ったかな。

ふっとそう思ったが、そこから先は又八郎の関知すべきことではなかった。ただそうなればいいとちらと思っただけである。

又八郎は新堀川にかかる一ノ橋の小橋を渡った。渡ったとき、左手の白川神職の拝領地になっている塀ぞいに、人が歩いてくるのが見えた。白装束で頭にも白い頭巾《ずきん》をかぶっている。よくみると頭巾ではなく、白木綿で頭を覆《おお》い、両耳の上に輪をつくり、その余りは下に垂らしていた。背負っているのは三色に染めわけた猿の作り物だろうと思われた。裏店《うらだな》の源七と同じまかしょである。

——源七の同業だな。

そう思ったとき、男がぴたりと足をとめた。ほとんど同時に、又八郎も立ち止まっていた。相手は物貰《もら》いのまかしょではなかった。立ちどまった男からは、すさまじい殺気が寄せてくる。

「青江又八郎だな」

「おお」

又八郎の表情が一変し、ためらいなく刀を抜いた。男も背中の作り物の猿を投げ出し、仕込み杖《づえ》を抜いていた。そのまま刀身を直線に構えて殺到してくる。又八郎も前に走った。

擦れ違いざまの一撃で、又八郎は軽く脇腹《わきばら》をかすられたが、相手の腕のあたりを斬《き》った手応《てごた》えを感じた。立ちどまってすばやく振りむいた相手が、無言のまま再び猛然と突っこんでくる。やや背が低く固肥《かたぶと》りの体軀《たいく》が、そのまま一本の剣のように見える攻撃的な男だった。

又八郎は今度は動かずに、足を踏み固めて待った。胸先にきた剣をはねあげる。そして一撃を送り、それをかわして横に飛んだ相手に吸いつくように身体《からだ》を寄せた。引きさがるようにして八双から斬り下げる。重い手応えがあった。斬られながら、男も鋭く刀を突き出したが、その剣先は又八郎の袖《そで》を切り裂いただけだった。男は崩れるように膝《ひざ》をつき、それから徐々に身体を傾けて、横転した。ひと言も口をきかなかった。

男の身体を痙攣《けいれん》が通りすぎるのを見送ってから、又八郎は膝をついて男の顔をのぞいた。髭面《ひげづら》の四十ぐらいの男だったが、見覚えのない顔だった。

――しかし、家中の者には違いない。

と思った。その男が、家老大富丹後が放った刺客だということは明らかだった。相手は又八郎を知っていたのである。

去年の暮近いころ、又八郎は宿直《とのい》で城中にいて、偶然にある密談を聞いた。一室から洩《も》れる人声に聞き耳を立てる気になったのは、声の主が、とうに城を下がったと思っていた筆頭家老の大富だったからである。密談の相手は藩主壱岐守《いきのかみ》の侍医村島宗順だった。やがて又八郎は、足音を忍ばせてその場を離れた。壱岐守は二年ほど前から病床についている。大富は宗順に、壱岐守の病状を尋ねていた。そして、宗順が用いているある種の毒の使用をふやすよう命じていたのである。

翌日又八郎は、徒目付《かちめつけ》の平沼喜左衛門を訪ねた。平沼の娘由亀《ゆき》が又八郎の許婚《いいなずけ》だった。又八郎は、昨夜城中で聞いた藩主毒殺の陰謀を平沼に打ち明けた。

平沼ははじめ笑いながら聞いていた。何かの聞き違いだろうと言った。しかし又八郎が激しく言い募ると、それでは大目付に言ってひそかに調べてみると約束した。だが又八郎が帰るために部屋を出ようとしたとき、背後からいきなり平沼が斬りかかったのである。反射的に、又八郎は平沼を斬っていた。そしてその夜、ただ一人の身よりである祖母を残して城下を出奔したのである。

そのあとがどうなったかは、又八郎は知らない。わかっているのは、一見平穏な城中で、藩主毒殺の陰謀がすすめられ、平沼までその一味だったことである。平沼に与えた傷は致命傷だった。恐らく死んだものと思われた。だが死ぬ前に平沼は、又八郎のことを何か言い遺《のこ》したかも知れない。そうなれば討手がくる。脱藩者を討つという名目で、大富丹後は次つぎと刺客を向けることが出来る。

――この男がそれだ。

と又八郎は思った。男が、まかしょに身をやつして来たのは、どのような手段を使ってでも又八郎の口を封じようとする、大富の意志のあらわれとみることも出来た。この男を斃《たお》しても、刺客はまた現われるだろう。それは国元を脱《ぬ》け出したときから、覚悟を決めていたことだった。

——だが、あのひとが来るまでは……。

死ぬわけにいかん、と又八郎は思った。

平沼の刀をかわし、振り向きざまに斬ったとき、又八郎は廊下に物の砕ける音を聞いた。運んできた酒肴《しゅこう》の支度を廊下に取り落とした由亀の、茫然《ぼうぜん》とした顔が眼に残っている。

——いずれ、あのひとがやってくるだろう。

又八郎は、そう思いながら、立ち上がると膝の埃《ほこり》を払い落とし、足早にそこを離れた。

娘が消えた

一

神田駿河町《するがちょう》に清水屋という油屋がある。そこで娘のつきそいに屈強の男衆を欲しがっているから、どうかと口入れの吉蔵《きちぞう》は言った。

「娘のつきそいというと、その娘が外に出るときにお供をするわけかの？」

「行ってごらんになればわかります」

吉蔵はそっけない口調で言った。一体に無愛想な男である。

「つまりは、また用心棒といった仕事らしいの」

青江又八郎の声が、やや憮然《ぶぜん》としたひびきを帯びたのは、又八郎が職の斡旋《あっせん》を切り出すや否《いな》や、吉蔵がろくに帳面も見ずにそう言い出したからである。吉蔵の口ぶりには、あたかもこちらの適職は用心棒と決めている気配さえ窺《うかが》える。

仕事に不服を言うわけではないが、もう少しましな口がありはしないか、と又八郎はそばで煙管《きせる》の煙をくゆらしている細谷源太夫《げんだゆう》の髭面《ひげづら》をちらと見た。

細谷は、又八郎が入ってきたとき、用件の方は済んだらしく、吉蔵と雑談していたが、すぐに帰るでもなく、満ち足りた表情で一服しているところをみると、よほどいい仕事にありついたに違いなかった。

又八郎の視線を感じとったらしく、細谷は又八郎をみてにやりと笑うと、煙を吐き出した。

「お気に召しませんか」

と吉蔵が言った。

「いや気に入らんということではないが、なにかもそっと、侍に似合いの仕事がありそうなものだが」

言いながら、又八郎はまた細谷を見たが、今度は細谷はそ知らぬふりをして、あさっての方角に煙を吹きあげた。

「さきほど、細谷さまもそのようなことを申されましてな。それでほかのお仕事をお世話しましたが、じつを申しますと、この仕事を断わるのはもったいないのでございますよ」

「…………」

「大そうお手当てがようございますので。清水屋さんのお仕事は」

「ほう」

又八郎が眼を瞠《みは》ると、細谷も煙管を口から離して、吉蔵をじっとみた。又八郎は、そんな細谷を牽制《けんせい》するように、いそいで訊《き》いた。

「いかほどに相なるな？」

「三日で一両と申されています」

一両で大体米一石《こく》が買える。当分喰いぱぐれはないな、と又八郎はすばやく計算した。

「おやじ」

怒気を含んだ声で細谷が言った。

「清水屋の手間が、そんなにいいとは、おれは聞いていないぞ」

「おや、これは異なことをおっしゃいます」

吉蔵は顎《あご》をひいて背筋を立てた。

「さきほどお話を出しましたとき、両刀をたばさむ者が、女子風情《ふぜい》のお守が出来るかと、悪態をつかれたではありませんか。だからお手当てがどうこうということまでは、申し上げませんでした、はい」

「一応は言ってみるものだ。貴様も商売なら、そのぐらいの親切があってもよかろうに」

細谷は未練そうに言ったが、語気はぐっと弱まっている。又八郎をながし目に見て、天井に煙草《たばこ》の煙を吹きあげていた得意げな表情は消えて、どことなく気落ちしたふうに見えるのは、細谷が摑《つか》んだ仕事が、清水屋の話ほどには手当てがよくないのだろう。もっとも三日で一両というのは、法外な手当てである。

どんな仕事で、そんな金を出すのか、と又八郎はちらと考えたが、とりあえず清水屋に行ってみると言った。

又八郎が出ると、細谷も一緒に吉蔵の家を出た。それでなんとなく二人で連れ立って歩く形になった。すれ違う人間が、二人をじろじろ見るのは、二人とも上背があり、堂々とした身体《からだ》つきをしているからかも知れないが、ことに細谷の髭面が気になるのであろう。

細谷は大手を振り、そういう人間を睥睨《へいげい》して歩く。だが言うことはみみっちかった。愚痴を言った。

「相模屋《さがみや》め。口の短いおやじだ。手当てのことを申せば断わりはせんものを」

又八郎は黙った。この前、永富町の剣術道場の手伝いというういい話を、細谷に横あいからさらわれた苦い記憶がある。細谷の愚痴が聞こえないふりをしたのは、その警戒心からだが、大きななりをして、まだ愚痴を言っている細谷を、みっともないとも思っていた。

「や、つまらん愚痴を申した」

又八郎が話に乗って来そうもなく、もはや脈はないと判断したか、細谷は不意に人なつっこい表情になって言った。

「それがし、細谷源太夫と申す。かようにたびたび顔が合うのも、何かの縁。以後昵《じっ》懇《こん》に願いたい」

「いや、ご挨拶《あいさつ》で痛みいる」

又八郎も姓名を名乗った。

「わけあって生国《しょうごく》は申しかねるが、ごかんべん頂きたい」

「浪人して長いか」

名乗りあうと、細谷は急に親しみをみせて肩を寄せてきた。

「さよう、そろそろ半年に相なる」

「それがしは作州《さくしゅう》津山の森家に仕えておったが、藩が潰《つぶ》れたで、浪人して四年になる。貴公妻子は？」

「まだひとり身でござる」

「ひとりとな？　それはまたうらやましい」

細谷は喚《わめ》いた。

「それがしは子どもが五人じゃ。それに家内がおる。むろん家内も必死と内職をやっておるが、暮らして行くには骨が折れる」

「なるほど、大変でござろうな」

細谷が五人の子持ちだということは、この前吉蔵の口から聞いている。子沢山は本人の責任だが、改めて当の細谷の口でそう嘆かれると、又八郎は少し同情の気持が動くのを感じた。

子沢山の家の暮らしがどんなものかは、裏店《うらだな》の連中の暮らしをみていればわかる。親は真黒になって働いているが、それでも子供は襤褸《ぼろ》を下げ、細い脛《すね》も露《あらわ》に、ろくに草履《ぞうり》もはかず飛び回っている。半年の裏店暮らしの間に、江戸は国元と違って物の値段が格段に高直《こうじき》なことも身にしみていた。

細谷を、さっきはみっともないと思ったが、手当てのいい仕事にこだわる気持はわからないでもないと思った。

「貴公の仕事は何でござったな？」

「夜回りじゃ」

と細谷は言った。

「呉服橋の蜂須賀《はちすか》の屋敷で、夜分に屋敷を見回る人数をもとめていての」

ほほう、大名家の用心棒かと又八郎が思ったとき、細谷が立止り、不意に髭面を寄せて声をひそめた。

「噂《うわさ》を聞いておらんか。浅野の浪人連中が、吉良《きら》の屋敷に切りこむとかいう噂じゃが……」

「いや、それは聞いておらんな」

と又八郎は言った。

播州赤穂《ばんしゅうあこう》の藩主浅野内匠頭長矩《たくみのかみながのり》が、江戸城中で高家《こうけ》吉良上野介義央《こうずけのすけよしなか》に刃傷《にんじょう》をはかったのは三月十四日である。朝廷から勅使として伝奏柳原前大納言資廉《さきのだいなごんすけかど》、高野前中納言保春、また仙洞御所の院使清閑寺前大納言熙定《ひろさだ》を迎え、勅使接伴《せっぱん》役浅野内匠頭、院使接伴役伊達《だて》左京亮《すけ》村豊が饗応《きようおう》係を勤めている最中の出来事だった。又八郎はその話を、犬の番人に雇われた田倉屋の妾宅《しょうたく》で聞いている。

この事件に対する幕府の処分執行は、驚くほどすばやいものだった。刃傷があったのが、およそ巳《み》の上刻（午前九時過ぎ）、夕方になって月番老中土屋相模守《さがみのかみ》は、役宅に浅野家の親戚《しんせき》である美濃《みの》大垣の城主戸田采女正《うねめのしょう》氏定と浅野家の分家浅野美濃守長恒を呼び出し、赤穂城と浅野家江戸屋敷の引き渡しを、親戚一同が相談して、無事に済ませるように命じた。そしてその夜酉《とり》の上刻（午後五時）過ぎ、内匠頭は預けられた芝の田村右京太夫《たゆう》邸で切腹している。

そして翌十五日、幕府評定所において内匠頭の弟浅野大学長広に対して、大目付《おおめつけ》から閉門の申し渡しがあり、またこのあと浅野家の親戚戸田采女正以下六家に対し遠慮の申し渡し、播州竜野の城主脇坂淡路守《あわじのかみ》安照、備中足守《びっちゅうあしもり》の城主木下肥後守《ひごのかみ》公定に対し、赤穂城受取りの命令が下された。刃傷事件があってから、たった二日の間のことである。この間浅野家の鉄砲洲《てっぽうず》の江戸屋敷、赤坂南部坂の下屋敷からは、陸続と藩士が退散し、十六日にはそれも済んで、普請《ふしん》奉行に対して引き渡しが行なわれた。内匠頭夫人安久利《あぐり》も、十五日明け方に、麻布《あざぶ》今井町にある実家、浅野土佐守《とさのかみ》邸に引きとられて行った。

一方刃傷の相手方吉良上野介に対する処分は構いなしだった。しかも申し渡しは、傷の養生をし、平癒《へいゆ》次第に役を勤めるようにとねんごろだったので、浅野の処分の苛《か》酷《こく》さと照らしあわせて、そこに奇異な感じを抱いた者もいた。

城中をかえりみずに刃傷に及んだからには、必ず仔細《しさい》があるはずで、切腹を執行する前にいま一度の詮議《せんぎ》があってしかるべきだ、と主張した幕府目付御門《おかど》伝八郎の意見は、もっとも早くこの一方的処断の奇異を嗅《か》ぎつけたものと言えるが、御門が感じたような不審は、江戸城の内外に静かに波及し、浅野家に対する同情、吉良家に対する反感を形づくって行ったのである。

三月十九日に至って、幕府が内匠頭切腹の際の正使である大目付荘田下総守《しもうさのかみ》を罷免《ひめん》し、また二十六日さきに御役ご免を願い出た吉良上野介を高家筆頭の地位からはずし、非役としたのは、急ぎ過ぎた浅野処分に対する世間の疑惑から身をかわそうとしたものとも言えた。

しかし世間には依然として浅野家に対する同情論があり、一方吉良上野介については、欲が深く金に汚ない、内匠頭刃傷の原因も、さだめし賄賂《わいろ》が絡《から》んだ話だろうと、江戸の町の隅に行くほどに、口さがない噂が囁《ささや》かれていた。

赤穂城は、四月十九日幕府目付荒木十左衛門、榊原采女《さかきばら》、受取りの脇坂、木下両家の人数を迎えて行なわれたが、それ以前に、赤穂では遺臣が籠城《ろうじょう》して、城受取りの人数を迎えて一戦する覚悟らしいという噂があったのを、青江又八郎も耳にしている。

蜂須賀家が、浅野家の浪人の騒擾《そうじょう》にそなえて、屋敷の見回りを厳重にし、げんにこうして細谷が雇われに行くところをみると、裏店の噂も、噂だけではないのかと又八郎は思った。裏店でも、まかしょの源七や左官の手間取りをしている弥五兵衛などが、仕事にあぶれた自分のことは棚にあげて、浅野浪人の仇討《あだう》ちなどということを、口に泡《あわ》をためて喋《しゃべ》っていることがある。

「蜂須賀さまの屋敷と申すのは、すると吉良家の近所かの？」

「隣じゃ」

と細谷は言った。

「隣じゃから、蜂須賀では大そう迷惑がっておると申す。いっそ吉良をどこぞに屋敷替えしてもらいたいと、城中のしかるべき筋に願ったということを聞いたが、ま、こういうことは早急には運ぶまい」

細谷はなかなか事情に通じていた。

「もっとも早急に運ばんから、こうしてわしにも仕事が回ってくるわけでの」

細谷は突然髭に覆《おお》われた口をあけて、かっかっと笑った。しかし、もしも噂のようなことがあれば、笑いごとでは済むまい、と又八郎は細谷の顔をみながら思った。騒ぎに巻きこまれて、怪我《けが》でもすれば、細谷本人をふくめて七人の顎が干上《ひあ》がってしまうだろう。

「その夜回りの口、それがしが代ろうか」

と又八郎は言った。

「そういう危ない仕事は、独り者に似合いそうじゃ」

「いやいや」

細谷は手を振った。大男だが鈍なたちではないらしい。

「ご好意はかたじけないが、どうということはない。糊口《ここう》をしのぐためには、これまでずいぶんと危ない橋も渡っておる。お気にかけられるな」

ではここで別れようと細谷は言った。朝から雨雲めいた厚い雲が江戸の町の上を覆っていたが、細谷がそう言って立ちどまったとき、西の方の雲が割れて、町に日が射《さ》し込んだ。その日射しにむかって細谷は歩きかけたが、ふと振返って笑った。

「それに、わしが頼まれたお守じゃと乗りこんで行ったら、その清水屋とやらの娘っ子が胆《きも》をつぶすかも知れぬでの」

二

店とは別棟で母屋《おもや》があって、清水屋は造作も広さも予想以上に大きい家だった。磨いたような廊下を女中に案内されて、又八郎は座敷に通された。別の女中がすぐにお茶と菓子を運んできた。

座敷の障子が開けはなってあって、庭がみえる。築山《つきやま》があり、泉水がある広い庭だった。きれいに刈りこまれた松や黄楊《つげ》が、黄ばんだ日射《ひざ》しを浴びて光っている。空はさっき日がのぞいてから、そのまま晴れるらしかった。

「お待たせいたしました」

中背のやや肥《ふと》り気味の男が、小腰をかがめながら入ってきてそう言った。後から小柄で痩《や》せているが、品のいい女が続いて入ってきたが、この二人が清水屋の主人夫婦らしかった。

「てまえが主《あるじ》の嘉右衛門でございます。またこれは女房のつるでございます」

嘉右衛門は律儀《りちぎ》にそう言い、茶をすすめた。又八郎が姓名を名のり、相模屋から回されてきた旨《むね》を告げると、二人は何度もうなずき、嘉右衛門は住居《すまい》はどこか、大家は誰か、浪人なされてどれぐらいにおなりなさるなどと訊《き》いた。

一種の人物鑑定のようなものだな、と又八郎は思ったが、考えてみれば大事な娘を預けるわけだから、そのぐらいの念押しは当然とも言えた。又八郎は丁寧に答えた。するとと夫婦は、それにもいちいちうなずき、その間にしげしげと又八郎を眺め、二人で顔を見合わせてうなずき合ったりした。

「いかがでござろう。お雇い頂けますかな」

しびれを切らして又八郎は言った。国元にいたときは百石。境遇が変って浪人暮しにもやや馴《な》れ、喰いつなぐためには用心棒はおろか土方人足も厭《いと》うところでないと割り切っているつもりだが、こうして品定めという形でじっくりと眺められると、さすがに心の底に羞恥心《しゅうちしん》のようなものが動く。

又八郎は居心地悪かった。清水屋の手当ては十分に魅力あるものだが、卑屈に頼みこむつもりはない。すると、又八郎のそういう気分を察したように、嘉右衛門があわてて笑顔を作った。

「むろんでございます、青江さま」

「さようか。それはありがたい」

「いや、じつを申しますと、相模屋からいらしたのがお武家さまとうかがって驚きましてな。たかが小娘の付きそいに、お武家さまを煩《わずら》わすのもいかがかと、ちと迷いましたのですが……」

「しかし相模屋に出されたご注文は、腕っぷしの強い男衆ということのようにうかがったが」

「いかにも、そのように申しました」

「それなら、それがしを雇って頂こう。腕っ節なら少々自信がござる」

「もったいのうございますが、そのようにさせて頂きましょう」

嘉右衛門が言うと、女房も頭を下げた。

「いやいやそちらは雇主。遠慮なくこき使って頂こう。で、仕事と申すのは、どのような……」

「それが……」

嘉右衛門は、また女房と顔を見合わせた。

「娘が日本橋の左内町まで稽古事《けいこごと》に通っておりましてな。その送り迎えをお願いしたいわけでして……」

「なるほど」

又八郎はやや憮然《ぶぜん》とした表情になった。

「稽古事に通っておいでだと。それに、それがしが付き添うわけでござるな」

「さようでございます。やはりお気に召しませんか」

「いやいや」

又八郎はあわてて手を振った。

「付き添い、結構でござる。若い娘ごの付き添いなどは願ってもないことじゃ。いやそう申しても、それがし身持は堅い方で、そのあたりは心配ございませんぞ」

「それはもう、先刻から拝見して十分わかっております」

「しかし、なにかわけがござるかの」

と又八郎は言った。

「女中で間に合いそうなところを、男を付き添わせるというのは、わけがあることのように思われるがの」

「ございます」

と嘉右衛門は言った。

嘉右衛門夫婦には、子供が三人いる。一番上の娘は上野の同業に嫁いで、子供が一人いる。末は佐太郎という男の子で十五。これは跡取りで、いま店を手伝っている。左内町の芳之助という師匠に三味線と小唄《こうた》を習いに通っているのは、二番目のおようという娘で、十七になる。

「おようには、お末という女中がついて行っておりましたが、お末は嫁に行くことになりまして、半月ほど前に店をやめ、いまは浅草六軒町にある親元に帰っています」

「ほう」

「ところがですな」

嘉右衛門はここで困惑したような表情をみせた。

「やめる間ぎわに、この子が妙なことを申しましてな」

「………」

「おようのともをして通っている間に、誰かしらに二、三度後を跟《つ》けられたと申しました」

「娘ごは美人かの？」

「ええ、まあ。親がそう申してはなんでございますが、ご近所ではそんなふうにおっしゃってくださるようでございますが」

「それでは若い男の一人や二人、後を跟けてきても不思議はないの」

「むろん、私もそう思いました。ところがお末はそれとは違うと申すのでございますな」

「………」

「確かに跟けられている気がしたが、その跟けてきた者がどこにいるか、注意して見てもわからなかった。非常に気味が悪かった、とそう申しました」

「ふうむ」

又八郎は腕を組んだ。

又八郎がこのときちらと思いうかべたのは、国元の藩が抱えている嗅足《かぎあし》と呼ばれる男たちのことだった。彼らは深夜足音を立てず、姿も見せず城下を歩き回り、時には夜盗のように家の奥深く忍び入って、藩士の非違を探ると言われていた。

誰が嗅足で、その組を誰が握っているのかもわからなかったが、ただあるとき突然に、思いがけない人物が、明白な証拠をそろえられて断罪され、ふだんは忘れている嗅足組という名を思い出させるのである。

だがその連想は、嘉右衛門のやや大げさな物言いから思いついただけで、実際にはそんな怪しげな者が女たちを跟けたりしたわけではあるまいと思った。誰かが後を跟けたかも知れないが、女中のお末はその男を見落としたにすぎないだろう。

「そう言われると、私も気味が悪うございましてな。ことに娘は、近く高家《こうけ》衆の吉良さまにご奉公に上がることになっておりますもので、変なことがあってはならないと存じまして、このところお稽古も休ませております」

ほほう、また吉良が出てきたか、と思ったが又八郎は黙っていた。げんにさっき細谷源太夫から物騒な噂《うわさ》も聞いているが、用心棒の役目は、当面娘の身柄を護《まも》ればいいので、先のことまでは考えなくともよい。

「そのお女中の申したことが、気のせいでなく事実だとしたら、なるほど用心するに越したことはなさそうじゃの。ご安心頂きたい。それがしが付きそうからには、娘ごを危ない目にあわすようなことはせぬ」

「なにぶんよろしくお願い申しまする」

嘉右衛門はほっとしたように言った。

「いっそ稽古事など、これまでにしてやめればよろしいのですが……」

「私もそう言ったのでございますよ」

と女房のつるが口を添えた。

「ところがお屋敷にご奉公に上がるまでに、どうしてもいま習っているところを済ませてしまいたいと、我がままなことを言いまして。しまいには一人でも行くなどと言い張るものですから」

「世間のこわさをまだ知らないのでございますよ」

嘉右衛門は愚痴めいた口調になったが、ふと思いついたように女房に言った。

「ようを連れてきなさい。青江さまにお引きあわせしよう」

三

「連れ立って歩いては、いかにも人眼を惹《ひ》こう。そこで、それがしは少し離れてついて行く。よろしいか。安心して行くがよい」

　おようはうなずいて「はい」と言った。ほっそりした身体《からだ》つきだが、胸にも腰にも女らしい稔《みの》りが感じられる。昨日家の中で引きあわされたときにも美人だと思ったが、こうして日の光の下でみると、肌に陶器のような艶《つや》があり、これでは若い男の眼を惹かずにいまいと又八郎は思った。

　おようを先に歩かせ、振りむくと店先に母親のつるが立っていた。心配そうなその顔に、又八郎は軽く手を挙げてから歩き出した。

　——気楽な仕事だな。

　前を行くおようから、眼を離さずについて行きながら、又八郎はそう思った。駿河町《するがちょう》から日本橋通りに出ると、人通りは混雑したが、おようを見失うほどではない。昼さがりの日射《ひざ》しが、まぶしいほど照る下を、人びとはいそがしげに歩いていた。胡乱《うろん》な人間はいないかと気をつけてみているが、そういう気配はなかった。すれ違いざまに、おようを見返る男たちはいたが、むろんそれでどうということはなかった。

　歩きながら、おようは時どき又八郎を振返った。用心棒が間違いなくついてきているかどうかを確かめたわけだろうが、そのしぐさにおようの稚《おさな》さがあらわれているようだった。

誰かに跟《つ》けられていたということに、おようは自身は気づかなかったらしいが、いきさつを聞かされ、用心棒までつくと、さすがに娘らしく心細い気持になっているらしかった。

だが、二人は無事に左内町の師匠の家についた。なるほどしもた屋造りのその家の中から、昼日中というのに三味線の音が洩《も》れ、男の声で何やらの節を唸《うな》っている声が聞こえてきた。

家の前で立ちどまると、おようは活《い》きいきした表情で、近づく又八郎に言った。

「ここですの」

「なるほど。それで稽古《けいこ》にはどのぐらいかかるかの」

「一刻半《いっとき》」

と言って、おようは思案するように首をかしげた。額ぎわのあたりに、うっすらと汗をかき、肌は上気して少し色っぽくみえる。

「中でお待ちになりますか」

「いや、そのあたりをぶらぶらして、時分にまたここに参るとしよう」

と又八郎は言った。そこは通りから少しひっこんだ静かな小路だったが、通りすぎる人が物珍しそうに二人を見て通る。このうえ家の中に入って、中にいる人間に不審そうな眼で眺められたりするのは気がすすまなかった。

その日又八郎はお濠《ほり》に出、呉服橋から山下御門のあたりまでぶらぶら歩き、途中書肆《しょし》に立ち寄ったりして時刻をつぶし、また左内町に戻った。かなり退屈したが、それも仕事のうちだった。

左内町の小唄《こうた》師匠の家の前でもしばらく待ったが、申《さる》の刻（午後四時）が過ぎるころ、戸が開いておようが出てきた。

「お待ちになりました？」

「いや、待つのも仕事での。気にすることはない」

「済みません。では帰りましょうか」

とおようは言った。少し浮き浮きしているように見えた。

来たときと同じように、又八郎はおようを先に歩かせて、後からついて行った。日が傾いて家いえの影が濃くなっている。幾分緊張しながら、又八郎は歩いた。後を跟けられたとお末が言ったのは、帰り道のことだろうと思っていた。

夕刻のせいで、町は来るときよりもかなり人が混んでいる。おようの姿が、時どき人混みに紛れそうになるので、そのたびに又八郎は足をいそがせて、おようのすぐ後ろまで接近した。通りから駿河町の方に室町《むろまち》の角を曲ると、歩いている人の数は急に少なくなる。

駿河町にさしかかると、おようが振りむいて笑った。又八郎も笑いを返し、大股《おおまた》に近づいて肩をならべた。

「なに事もなかったようだの」

「あんなこと、お末の勘違いじゃないかしら」

「しかし四、五日は様子をみよう。万一のことがあってはいけない」

「はい」

「それに、それがしにとっては大事な仕事でな。ここでやめると、また別の仕事を探さねばならぬ」

おようが笑い声を立てた。ころころと響く屈託のない笑い声だった。

「青江さまさえご迷惑でございませんでしたら、ずっと付きそって頂きますわ」

「ずっとというわけにもいかんだろう。それに、来月には吉良さまにご奉公に上がるそうだな」

「はい」

と言ったが、不意におようは下をむき、歩みを落とした。

「どうしたな？　お屋敷奉公は気に入らんのかな？」

「ほんと言うと、あまり気がすすまないんです」

「それなら親御にそう言ったらよろしかろう。嫁入り前に行儀作法を身につけさせたいという親心だろうが、無理に行けとは言うまい」

「でも吉良さまには、長いこと品物をおさめて、ごひいきにして頂いておりますから」

「…………」

「このお話は、吉良さまから言われたことですから、お断わり出来ないんです」

まさかお妾《めかけ》というわけではあるまいな、と又八郎はちらと思った。その考えには、時おり耳にしている吉良の評判の悪さが作用していたが、おようがいかにもしおれているように見えたせいでもあった。

だが、おようがそう言ったとき、清水屋の店先が見えてきた。店先に、小肥《こぶと》りの男が立っている。主《あるじ》の嘉右衛門に違いなかった。娘の身を案じて、外に出て待っていたというふうに見えた。

「あら、おとっつぁんですわ」

おようは呟《つぶや》いて、くすりと笑った。屈託なげな十七の娘の表情を取り戻していた。

四

その日はお稽古《けいこ》が終るのが遅れていた。

又八郎は芝垣の外を行ったり来たりしながら、出てくるおようを待った。おように付きそって、この家に通うようになってから、十日目になっていた。中一日休んだだけで、おようは毎日来ている。

——だが、そろそろ終りにしなければなるまい。

と又八郎は思っていた。何事も起こらなかった。初めの日にそうしたように、又八郎はおようを先に歩かせ、自分は連れとは知られない距離を置いて歩いている。お末が言うようなことがあったのなら、ひとり歩きのおようをみて、怪しげな者が蠢動《しゅんどう》しそうなものである。だがそういう気配は一切なかった。

結局お末が言ったことは、おようも言ったように勘違いだったのだろうと又八郎は思いはじめていた。それに大事な娘を案じる親心が、お末の勘違いを誇張して受け取ったことも考えられた。

そのために望外の手当てをもらう仕事にありついたのはもうけものだったが、それをいいことにいつまでも小娘の尻《しり》にくっついて江戸の町を往復するのは憚《はばか》られる。今日帰ったら、ありのままを述べ、この割のいい仕事を終りにすべきだろう、と又八郎は思った。

「青江さま」

不意に声がして、路上におようが立っていた。

「何を考えていらしたんですか」

「やあ、遅かったではないか」

「ごめんなさい。手間どっちゃって」

およう は親しげに身体《からだ》を寄せてきた。十日も顔つき合わせている間に、およう はすっかり又八郎に馴染《なじ》んだようだった。初めて会ったころの硬い物言いがほぐれ、よく笑う。いまもおようは謝りながら眼で笑っていた。

——おや。

又八郎は、ふと眼を細めておようを見た。昼過ぎここまで来たときのおようと、どこか違っているという感じがあった。どこが違っているかまではわからない。そういう感じがしたことは今日に限ったことでなく、前にも二度ばかりあった。

お稽古事で、気分が昂《たかぶ》っているせいだろうとそのときは思ったのだが、今日はそれだけではないような気がした。声音にも表情にも艶《つや》があって、十七の娘とは思えないほどだった。

「顔に、何かついていますか」

およう は言ったが、自分でそう言っておいて、なぜかさっと顔を赤らめた。

「いや。べつに」

さあ帰ろうか。少しいそがないと暗くなる、とおようを促しながら、又八郎はふとさっきの疑問に、ひとつの答えを見つけたような気がした。

おようには、男がいるのではないか。歩き出したおようの後から、ゆっくり足を運びながら、又八郎は小唄《こうた》師匠の家を振返った。閉ざされた戸の奥で、なんとも艶のある男の唄い声と、低い三味線の音が続いていた。

その妙な気配に気づいたのは、まだ大通りにいるうちだった。日が落ちたらしく、あたりの風景は白っぽく変っていたが、数歩先を歩くおようの姿ははっきり見えている。そして自分が歩いている。又八郎が感じたのは、この二人のほかに、誰かが同じ方角に歩いている気配だった。

むろん通りには、まだ人が大勢歩いていた。同じ方角に行く人間もいる。だが、そのもう一人は、大勢の人間とはべつに、おようと又八郎の足の速さにあわせて移動していた。そして、そこからある視線がとどいてくるのを感じる。

――ほう、やはりいたか。

お末の勘は当たっていたのだ、と又八郎は緊張がこみ上げてくるのを感じながら思った。それとなく左右に眼を配ったが、雑然と人間が歩いているだけで、気配はむしろ消えそうになる。

大通りから、横に入ればどんな奴《やつ》かわかるだろう、と又八郎は思った。そこでは人通りはぐっと少なくなる。

おようが角を曲った。その後に続く者がいないのを確かめてから、又八郎も角を曲った。数歩先をおようが行く。通りは人気《ひとけ》が少なく、幾分薄暗くなっている。商家はもう戸を閉めていた。

又八郎が、足をはやめておように追いつこうとしたとき、右手の商家の軒先から、ゆっくり路上に出てきた男がいた。瘦身《そうしん》の浪人ふうの男だった。

「青江又八郎か」

そう言ったとき、男の右手はもう刀の柄《つか》にかかっていた。

「あ、待て」

思わず又八郎は言った。前に立ち塞《ふさ》がった男が、藩が向けてきた刺客だとわかっていたが、又八郎の意識は、背後から来る者との間に裂かれていた。

だが男は無言で笑っただけだった。抜き打ちに斬《き》りこんできた。居合の修練を積んだとわかる速い一撃で、飛び退《さ》がって抜き合わせたものの、又八郎は右肘《ひじ》を浅く斬られた。

影のようなものが、斬り合っている二人の脇《わき》をすり抜けて行ったと思った。それが大通りで又八郎とおようを跟《つ》けてきた人間であることは明らかだった。だが男か女かもわからなかった。薄闇《うすやみ》の中を、何かが視野をかすめて行き過ぎただけである。

――おようが危ない。

又八郎は反撃した。だが撃ち込みは、いつもの冷静さを欠き、むしろ相手に押された。国元の家老大富丹後が選んで放った刺客だけあって、男はかなりの遣い手だった。大富は藩主壱岐守《いきのかみ》に毒をすすめている疑いがある。偶然にその秘事を悟ったことから、又八郎は人を斬り、江戸に遁《のが》れてきたが、大富が次つぎに刺客をさしむけてくることは覚悟していた。眼の前の男もその一人だった。見覚えのない男だったが、男の全身に殺気が溢《あふ》れ、剣は尋常でない鋭さを秘めていた。痩身を鞭《むち》のように撓《しな》わせて鋭い剣で斬り込んでくる。

又八郎は手傷を負った。右肘と肩先の傷は浅かったが、左手首の傷はやや深かった。

その痛みと、滴《したた》り落ちる血の気配が、又八郎に漸《ようや》く冷静さをもたらした。

——このままでは、やられる。

構えを緊《し》め直して、相手を窺《うかが》った。

又八郎は城下の淵上道場で高弟の筆頭に挙げられ、師範代も勤めたが、師の淵上市郎右衛門は、又八郎のどのような苦しい態勢に追いこまれても辛抱し、そこからじりじりと盛り返して、自分得意の態勢に持ちこむ粘っこい剣を賞《ほ》めた。それは又八郎の性得の剣癖だったが、手傷を負ってからそれが甦《よみがえ》ってきたようだった。

又八郎の剣が、踏み込んで来た相手を躱《かわ》しざま肩先を斬り裂いた。かなりの深傷《ふかで》だと思われたが、相手はすばやく剣をひいた。そのまま、四、五歩後にさがる。又八郎は追わなかった。逃げるつもりなら逃がしてもいい、そう思ったとき、薄闇の中に相手の身体が躍った。

遠い間合から、すさまじい速業をのせて、殺到してきたのだった。又八郎の身体が僅《わず》かに沈んで、右に飛んだ。又八郎は鬢《びん》をかすられたが、同時に相手の片腕を切り落としていた。剣を握った片腕が空に舞い上がり、相手の身体が地響き立てて、傍の土《ど》塀《べい》に当たって落ちるのを見ながら、又八郎はすばやく剣を納め、ふりむきもせず仄暗《ほのぐら》い道を走った。

思ったとおり、どこにもおようの姿は見えなかった。家に帰っていればよい、と又八郎は祈った。

清水屋では、まだ店の戸を二枚ほど閉め残していたが、店先はがらんとしている。又八郎が飛び込むと、帳場に一人で坐《すわ》っていた嘉右衛門が、手燭《てしょく》を片手に出てきて驚きの声をあげた。

「どうなされました、青江さま」

「およどのは帰られたか」

と又八郎は言った。

「いえ、まだですが」

と言ったが、嘉右衛門の顔色がさっと動いた。

「おようがどうかしましたか」

「攫《さら》われたらしい。いま、取戻してくる」

又八郎が踵《きびす》を返すと、嘉右衛門は大声で呼びとめた。又八郎が傷を負っているのに気づいたようだった。

「青江さま。手傷を負われたようですな。まず血止めをなさいまし」

「薬はいらん。なにか余り布でも頂こうか」

又八郎は嘉右衛門が店の奥から持ち出してきた、木綿風呂敷《ふろしき》を引き裂き、手首に巻きつけながら言った。

「心配いらぬぞご主人。それがしも手当てを頂いて雇われた用心棒じゃ。かならず無傷のまま連れ戻るゆえ、お待ちあれ」

青ざめて立ちすくんでいる嘉右衛門を残して、又八郎は外に飛び出した。外は、幾分闇《やみ》が濃さを増していた。道を走り戻ると、前方に人のざわめきが聞こえた。さっき斬り合った男を発見して、町の者が騒ぎはじめたに違いなかった。

又八郎は横丁に曲り、暗く細い道を疾駆した。

五

小唄《こうた》師匠芳之助の家の前に戻ると、又八郎は、しばらく闇の中に立って、中の気配を聞いた。

障子に灯明りが射《さ》して、中から静かな三味線の音と、心に沁《し》みるような唄の声が聞こえてくる。ほかに人声はしなかった。

又八郎が格子戸《こうしど》を開けると、唄声がぴたりとやんだ。続いて渋い男の声がした。

「どなたですかな」

「青江と申す者だが、ちとものを訊《たず》ねたい」

　すると、部屋の障子が静かに開いて、そこに坐っている男が、土間に身体《からだ》をむけた。

「お言葉のご様子ではお武家さまのようでございますな。はて、お訊ねごとは何でございましょう」

「清水屋の娘、おようどののことで、ちとお訊ねしたいことがござる」

　男は沈黙した。行燈《あんどん》の光を背負っていて、男の顔は影のように暗くて見えないが、肩がいかつくそびえ、小さな髷《まげ》をのせた頭も大きかった。

　男は小首をかしげるようにして訊《き》いた。

「失礼ながら、吉良さまのお屋敷の方でございますかな」

「いや違う。清水屋に雇われた者じゃ。上にあがらせて頂いてよろしいか」

「どうぞ」

　と言って、男は道をあけるように膝《ひざ》で後に下がった。

「や、お眼が不自由か」

　坐るとすぐに、又八郎は言った。向い合っている男は、四十半ばの大柄な男だった。肩幅が広く、厚い胸をしている。顔は、頬骨が張り、引きむすんだ口は大きく、眼はくぼんだ眼窩《がんか》の奥深く閉じられているので、険しい容貌《ようぼう》にみえた。

又八郎は念を押した。

「失礼だが、おてまえが主《あるじ》の芳之助どのですな」

「さようでございます」

――はて。

又八郎は自分の推察が間違っていたのを感じた。

小唄師匠芳之助という名前と、このところ連日障子越しながら耳にしている艶《つや》のある唄声から、又八郎は声の主をもっと垢《あか》抜けした人物だと思いこんでいたのである。たとえば磨いたような声と容貌をもち、話しぶりも巧みで女弟子に人気がある師匠。小唄師匠とはそうしたものだと考えていた。

今日、この家を出てきたときの、およウの上気したようだった、物腰顔色をみたとき、又八郎は師匠と美しい女弟子との艶《なま》めかしいつながりを垣間《かいま》みた気さえしたのである。又八郎の乏しい経験に照らしても、およウの背後に男の影が射していることは疑いなかったのだ。

だから、およウが拐《かどわか》され、何者かに連れ去られたと知ったとき、又八郎は真直《まっすぐ》この家に駆け戻ってきたのである。この拐しには裏があり、裏の事情は左内町のこの家につながっているという確信があった。およう の背後には、必ず男がいる。

だがその確信ははずれたようだった。少なくともその男が、この芳之助だとは思われなかった。芳之助からは女っ気はまるで匂《にお》って来ない。身にまとっているのは、孤独な影だけだった。

——落ちつけ。

芽生えようとする焦《あせ》りを、又八郎は押さえつけた。

「この家に、たった一人でお住まいかの？」

「いえ。ごらんのとおり眼が見えませんから、手伝いの婆《ばあ》さんを雇っておりますが、いまは外に使いに出して留守でございます。それで何のおもてなしも出来ません」

芳之助の言葉に嘘《うそ》はないようだった。家の中はしんとして、ほかに人の気配はなかった。

「ところで、お訊ねごとというのは、どんなことでござりましょう」

「さよう」

無駄だとは思ったが、又八郎は訊ねた。

「ここへ、おようどのが戻っては来なかったかの」

「いいえ」

芳之助は首を振った。

「稽古《けいこ》を済ませて夕方に帰り、それきりでございます。何かございましたか」

「拐された。ついさっきのことだ」

芳之助は顔をあげた。眼は閉じられているのに、眼を瞠《みは》ったような表情があらわれた。

「何か心当たりはないかの」

又八郎は注意深く芳之助の顔を見まもりながら言った。

「何者が、どういうわけでおようどのを攫《さら》ったか、皆目謎《なぞ》じゃ。だがおようどのは、前にもここへ往き帰りする間、何者かに跟《つ》けられている。師匠もご存じと思うが、お末という清水屋の女中がそう申したそうじゃ」

「…………」

「男が絡《から》んでいるのではないかと、そう推察もしてみたが、見渡したところこの家には……」

と言って、又八郎は不意に気づいた。

「師匠、ここには男の弟子も参るか。そうだな」

「男弟子は三人おります」

芳之助はむっつりした口調で言った。

「だが、そのような大それたことをする者はおりません。みな素姓がわかっている者ばかりでございますよ」

「いや、聞きたいのはその中におようと心を通わせている者がいるかということじゃ」

「…………」

「その男がおようどのを攫ったとは申さんが、何かのつながりがあろうという気がいたす」

「…………」

「どうじゃな。そういう男がいたら教えてはくれぬか。げんにおようどのは行方知れずになっておる。娘が戻らねば、今夜親は眠れぬだろう」

「わかりました。それでは申し上げましょう」

と芳之助は言った。

「あの子は、やはりここに来ている喜八と好き合っておりました」

「喜八？　それは何者じゃな」

「経師屋《きょうじや》を営んでおります若者です」

「住まいはどこじゃの？」

「川向うの坂本町です。なに、ここからひとまたぎのところでございますよ」

「かたじけない。よく教えてくれた」

又八郎が立とうとすると、芳之助は手をあげてとめた。

「お話をうかがっていて思いついたことですが、あの子は拐されたのではなく、自分から身を隠して喜八のところに行ったのかも知れません」

「ほう」

又八郎は坐り直した。もしそうであれば、いそぐ必要はなかった。又八郎は、この家を出てきたときの、光りかがやくようだったおようの顔を思い出していた。

だがそれなら後を跟けてきたのは喜八なのか。その男が、おようを自分の家に連れて行くのに、そんな面倒な手順を踏む必要があるのかという疑問はあったが、芳之助の見方にも一理あるようだった。

「よほど深い仲だったらしいの、二人は」

「私は若いころ道楽をつくした報いで、このように生まれもつかぬ盲目になりましたが、眼はつぶれても、男と女の心の動きはよくわかります。むしろ眼あきのころより、よくわかるようになりました」

「……………」

「あの子と喜八は、はじめて会ったその日から、お互いに好き合いました。喜八は気性も腕もしっかりし、男ぶりのよい職人ですから、以前にもここにくる女子《おなご》が誘いをかけることがありましたが、心を動かしはしませなんだ」

「…………」

「それがおようをひと眼みて、惚《ほ》れこみました。あの子も同様でございました。古い隆達節《りゅうたつぶし》に、生《うま》るるも育ちも知らぬ人の子を、いとおしいは何の因果その、などと唱《うた》っておりますが、二人はそのようでございましたな」

「…………」

「若い者が人を恋うて身をこがす様子は美しいものでございます。おようは稽古に事よせて、喜八に逢《あ》いにくるようなものでございましたな。お末という女中をここにおいて、何度か喜八の家にも参ったようですが、私は知らぬふりをしました」

「仔細《しさい》は相わかった。なるほど師匠の言われるように、およぅどのは自分で、その喜八とやらいう男の家に行ったかも知れんな」

「私がそう思うのは、ただそれだけのいきさつからではございません」

「と申すと？」

「あの子が、吉良さまのお屋敷にご奉公に行くことが決まって、あの二人は大そう困惑しておりました」

「なるほど、それで家出したかの」

「青江さまとおっしゃいますか。ただいま喜八の家をお教えしますが、決して手荒なことをなさいませんよう、お願いいたします」

「手荒なことなどせぬ。それがしは、かの娘ごを警護するために雇われただけの人間でな。二人によく説き聞かせて、一たんおようどのを家へ連れ帰れば役目は済む」

「お願いいたしますよ。これは私の勘にすぎませんが……」

芳之助は又八郎を見据えるように、真直盲目の顔をむけた。

「あの子は身籠《みごも》っているかも知れません」

又八郎は胸を搏《う》たれたように感じた。用心棒には重すぎる秘密を打ち明けられたようだった。

六

油断があったのは、芳之助という小唄《こうた》師匠の言葉が、十中八九まず間違いあるまいと考えたせいである。芳之助はそこまで言わなかったが、おようが自分の意志で喜八という職人のところに走ったのであれば、駆落ちとか悪くすると心中ということまで考えられた。

——厄介なことになった。

厄介ではあるが、用心棒の責任はまぬがれない。国元からきた刺客との死闘は、いわば私用で何の言訳にもならなかった。

教えられた喜八の家の窓の下に忍び寄ったとき、又八郎はそういうことを考えていたのである。

気づいたとき、脇腹《わきばら》に匕首《あいくち》が突きつけられていた。敵は背後にぴったり寄りそっていて、又八郎は身動きが出来なかった。不覚というほかはなかった。

それにしても、男がどこから現われたのかわからなかった。又八郎が軒下に歩み寄ったとき、敵は足音もなく近づいたようだった。

——この男に違いない。

背後から、脇腹を裂く位置に匕首を突きつけている男が、日暮れの町で二人を跟《つ》けてきた人間だ、と思った。

明るい月が出ていて、羽目板の上に自分の影に重なったもうひとつの影が映っている。その男が、喜八なのか。

「喜八か」

と又八郎は言った。後ろの男は低く笑っただけだった。

「喜八なら危ないものを引け。話がある」

「とんだ勘違《かんちげ》えだぜ」

男が嘲《あざけ》るように言った。ぞっとするほど冷たい声だった。

「喜八は中にいるぜ。おめえが探してる女もな」

「………」

「動くな」

匕首が着物に触れる音がした。

「いま兄貴がくる。おめえも一緒に始末してもらうんだな」

刀をよこせ、と男は言った。又八郎は大刀を腰からはずして男に渡した。

「後ろをふり向くな。そのままで渡せ。もう一本もだ」

後ろ手に渡した大刀を男が摑《つか》んだ瞬間、又八郎は横ざまに地面に身体《からだ》を投げ出した。同時に小刀を抜いていた。

「野郎」

刀を投げ出した男が、猛然と襲いかかってきた。男の匕首の突きは、恐るべき速業を秘めていた。又八郎は仰向《あおむ》けのまま、男の足を払ったが、男の身体は鳥のように又八郎の上を飛び過ぎて、膝《ひざ》を起こしたときは三間ほど先の路地を曲る黒い背を認めただけだった。

――まるで猿だ。

又八郎は埃《ほこり》をはらい、落ちている刀を拾って腰に戻した。格子戸《こうしど》を開ける。逃げた男は、兄貴という男を迎えに行ったような気がした。連中がくる前に、二人をここから連れ出す方がよいと思っていた。

又八郎は土間に踏みこんだ。すると中から障子が開いて、男が一人出てきた。

「どうしたい、せんざい」

男がそう言ったとき、又八郎は腰から抜き上げた刀の柄《つか》で、その男の顎《あご》を突き上げていた。悶絶《もんぜつ》の声をあげて、男は後ろに倒れると、そのまま気を失ったようだった。

上に上がると、茶の間の隅におようと若い男が縛られていた。手足を縛り、厳重に猿ぐつわを噛《か》ませてある。

荒縄をとき、猿ぐつわをはずすと、おようが激しく泣き出した。若い男が、その肩を抱いて慰めている。その男が喜八に違いなかった。

二人を縛っていた荒縄で、長ながとのびている人相の悪い男を縛りあげながら、又八郎は訊いた。

「この連中は何者だ？」

「人殺しの仲間のようです」

と喜八が言った。青ざめてはいるが、口調はしっかりしていた。

「人殺し？」

「あるところで、この人と一緒のとき、人が殺されるのを見ました」

二月ほど前のある口暮れに、二人は小さな稲荷《いなり》社の境内で逢引《あいび》きをしていた。すると、すぐ眼の前で人が殺されたのである。喜八はとっさに物陰におようを引きこんで隠れたが、恐怖のあまりに、おようが叫び声をあげてしまった。

すさまじい形相《ぎょうそう》で、人殺しが殺到してきた。中年の痩《や》せた男だったが、草原を飛びこえて二人に迫ってきたときの顔は悪鬼のようだった。女連れの喜八が、どうにか逃げられたのは、血に濡《ぬ》れた匕首《あいくち》をかざした男が二間まで迫ったとき、殺されたと思った男が立ち上がって人を呼んだからである。人殺しは、ためらいなく二人を捨てて、走り戻って行った。

「そのとき殺されたのは、若松町に住む惣兵衛《そうべえ》という金貸しだと、後で聞きました。私たちはそのことを誰にも喋《しゃべ》るつもりはありませんでしたが、先方では私たちを探していたものと見えます」

「顔を見られたからだの」

おい、と言って又八郎は縛られたまま、まだ気を失っている男の頰を、ぴしゃぴしゃと叩《たた》いた。気づいた男ははね起きようとしたが、手足を縛られているので身体が反り返っただけだった。

「兄貴とやらいう男は、ここへ来るつもりなのだな」

男は答えなかった。肥《ふと》っているが、肌の色艶《いろつや》の悪いのが、行燈《あんどん》の光でもわかる。陰《いん》鬱《うつ》な眼で又八郎を見返した。

「答えろ」

又八郎はさっき痛めつけた顎を殴りつけた。男は顔をしかめて、痛みをこらえる表情になった。

「来るさ」

男はふてぶてしい声を出した。

「てめえらを、一人残らず始末しにな」

「なるほど、人殺しだ」

又八郎は呟《つぶや》いた。

「お前がいう兄貴というのは、どこに住まっている？　名は何という奴《やつ》だ？」

「そんなことは聞くことはねえぜ」

男は口をゆがめてせせら笑った。

「兄貴なら、もうそのへんまで来ていらあ」

「そうか。わかった」

又八郎は膝をつくと、抜き上げた柄頭《つかがしら》で今度は男の鳩尾《みぞおち》を突いた。ぐっと呻《うめ》いて、男はまた長ながと横倒しになった。浪人暮らしで品下って、おれも少々やり方が荒っぽくなったようだ、と又八郎は自戒したが、相手は獣のような男たちだった。容赦してはいられなかった。

——さて。

又八郎は二人を振り返った。二人をここから逃がして、やってくる男たちを待ちうけ、けりをつけることも考えたが、不安そうな眼で又八郎を見まもっているおようと喜八をみると、夜の町に二人だけで出してやることは出来なかった。

もしもやってくる連中と途中でぶつかればおしまいなのだ。それに彼らが、どの方角から来るかもわからなかった。

「とりあえずここを抜け出そう。おようどのの家へ参る」

「こわい」

とおようが呟いた。男たちにここまで連れこまれ、縛りあげられた恐怖が、まだおようを強く支配しているようだった。

「なに、心配ござらん。それがしがついており申す」

又八郎は微笑してみせたが、決して楽観しているわけではなかった。さっき匕首を突きつけてきた男の、ただ者でない身ごなしを思い出していた。

──こうなると娘のお守とも言えないな。

そう思ったのは、いまごろ蜂須賀家の屋敷の塀外を歩いているかも知れない細谷源太夫のことが、ちらと頭に浮かんだせいだった。

外に出ると、昼のように月が明るかった。静まり返った町を、三人は楓《かえで》川の河岸伝いに、橋の方に歩いた。おようと喜八は、ぴったりと又八郎の後についてくる。

「そう恐《こわ》がらんでもよい」

又八郎は苦笑した。だがその笑いは、すぐに険しい顔に変った。

三人は橋にさしかかっていた。そして橋の向うに男が立っている。振り向くと橋の後ろにも男がいた。それはさっき喜八の家の前で、又八郎を襲った若い男に間違いなかったが、その男が、いつ退路をふさぐように後ろに現われたのかわからなかった。

三人が立ち止ったのをみると、橋の向う側にいた男が、ゆっくり橋に踏みこんできた。中年の瘦せた男だった。細面《ほそおもて》で、肩が尖《とが》っているのが見える。
三間ほどの距離を置いて、男は立ち止った。そのまま黙って三人を見ている。
「あの男か」
又八郎は囁《ささや》いた。喜八がはい、と言った。喜八の歯がかちかちと鳴っている。およ
うは喜八の胸に顔を伏せたままだった。
又八郎は二人を欄干に押しつけると、橋の真中に出て刀の鍔《つば》を押し上げた。すると、
後ろにいた若い方の男も橋に歩み入ってきた。男は右手に匕首を構えている。二人が
侍をまったく恐れていないのが感じられた。無気味だった。
——人殺しを生業《なりわい》とする者でもあるか。
と又八郎は思った。そういう男たちがいることを、江戸に来てから一度だけ耳にし
たことがある。二人はそういう男たちかも知れなかった。二人を橋の上に誘いこみ、
前後から挾撃《きょうげき》する形にした手口にも、彼らの態度にもどこか物馴《ものな》れた感じがあった。
おようと喜八。この二人を消すのが彼らの狙《ねら》いである。そしていま、二人を一番守
りにくい場所に誘いこまれたのを又八郎は感じた。狭い橋の上では、思い切って刀を
ふるえない。しかし、二人から離れて闘えば、その間に二人が凶刃《きょうじん》を浴びる隙《すき》が出来
るかも知れなかった。

又八郎は小刀を抜いた。すると後ろにつむじ風が起こった。躱《かわ》して斬《き》ったが、相手は逃げた。又八郎の刀を、やすやすと躱したように見えた。息つくひまもなく、右手から痩せた男が斬りつけてきた。鋭い身ごなしで、匕首は真直《まっすぐ》、又八郎の胸元を突いてくる。

悪夢のような死闘が続いた。彼らは低く声をかけ合い、欄干に飛び上がって、そこから飛びおりざまに斬りかけてきたり、逃げるとみせてすぐに反転して鋭く匕首を突きかけてきたりする。目まぐるしく飛び交う彼らの動きに眩惑《げんわく》されて、又八郎の刀は何度か空を斬った。

若い男が、また欄干に飛び上がった。眼の端でその動きをとらえると、又八郎は向き合っている痩せた男を捨てて欄干に駆け寄った。若い男は鳥のように欄干の上を走った。又八郎も走る。そして足を薙《な》ぎ払った。男の身体が少し傾いて橋に飛びおりた場所に、又八郎は一瞬早く殺到すると頭上から斬りさげた。

すさまじい悲鳴をあげると、男の身体は一回転して橋板に倒れた。又八郎の刀から逃げようと身体を傾けた、その首すじを切先が切り裂いたのだった。

又八郎が向き直ったのと、もう一人の男が身をぶちあてるように飛びこんでくるのが、ほとんど同時だった。刀を構えるひまもなく、又八郎は左の二の腕を刺されていた。そのまま男の腕を右手で抱えこみ、男に背を向けた姿勢のまま満身の力をこめて逆手に絞りあげる。ぼきっと腕が折れる音がした。

だが男は声をあげなかった。刀を持ち直して、又八郎は男の脇腹を後ろ手に刺し、抉《えぐ》った。男は膝を折り、又八郎が腕を離して刀を引きぬくと、ゆっくり倒れた。最後まで苦痛の声をあげなかった。又八郎は、蛇を殺したような気がした。

——今日は、満身創痍《そうい》だ。

思いながら、又八郎は思わず橋の上に膝をついた。そのときになって、眼がくらむほどの疲労が全身を包んでいるのを知った。身体が石のように重く、それでいてどこかに頼りなく浮揚して行くような感覚があった。

「大丈夫ですか、青江さま」

駆け寄ってきた喜八がそう言い、又八郎の脇の下に身体を入れて立たせた。するとおようもう一方の脇の下にもぐりこみ、又八郎の腕を肩にかけた。そうしながら、およはまだ泣きじゃくっている。十七の小娘の顔になっていた。

——そういえば、飯を喰っていなかった。

それにしては働きが過ぎた。用心棒としてはやや不甲斐《ふがい》ない姿勢で、二人に助けられて歩きながら、又八郎はそう思った。

「しかしおようどのは、すでに身籠《みごも》っておられる。芳之助師匠がそう申した。一緒にするのが娘ごのしあわせというものではござらんかの」

又八郎のそのひと言で、清水屋の夫婦は折れた。夫婦は、およう を喜八に添わせる方がいい、という又八郎の意見を、はじめはさも迷惑気に聞いていたのだが、決心がつくと、又八郎を丁重にもてなした。祝言《しゅうげん》のときは来て頂きたい、などと言った。

喜八の家に残してきた男も奉行所にひき渡し、全部始末がついて三日目の夕刻だった。又八郎は多少酒を頂き、手当てを懐《ふところ》にして清水屋の店を出た。

「青江さま」

呼ばれて振りむくと、およう がにこにこして立っていた。

「いろいろと有難うございました。あたしほんとうに嬉《うれ》しくて」

「なに、当然の始末をつけただけでな。礼などいらんぞ」

「いえ、おかげさまです。でも……」

およう はさっと顔を赤らめた。

「あたし身籠ってなど、おりませんのよ」

あ、と又八郎は口を開いた。顔を赤くしながら、それでも喜びを押さえ切れないというふうに、にこにこ笑い続けているおようを、しばらく見まもった。
——芳之助師匠はいい人間だが、言うことはあまり当たっていなかったな。
と思った。

梶《かじ》川《かわ》の姪《めい》

一

背が低く、狸《たぬき》に似た顔の男がくると思ったら口入れの吉蔵《きちぞう》だった。先方も又八郎の姿を認めたらしく、手を挙げるようなしぐさをした。

「旦那《だんな》、どちらへお出かけで」

顔をあわせると、吉蔵は道脇《わき》に人通りを避けながら言った。背が低いので、吉蔵は又八郎を見上げるような姿勢になる。

「そなたこそ、どちらに参るな?」

「じつは、旦那の家を訪ねるつもりで、出かけて来ましたところで」

「それは好都合だった。それがしもそなたを訪ねるところだった」

「それはそれは」

吉蔵は手をこすり合わせた。

「それはちょうどよござんした。で？　またお仕事の話で？」

吉蔵は上眼《うわめ》づかいに探るように又八郎をみた。

「むろん仕事を世話してもらおうと思ってな。出かけてきたところだ」

「あたしも仕事をお世話したいと存じましてな。出てきましたような次第で」

吉蔵は笑いもしないでそう言うと、旦那、道ばたでは何でございますから、店までいらして頂けますか、と言った。

二人は連れ立って、浅草御門の近くから吉蔵の家がある橋本町の方に歩き出した。空は晴れ上がって、まぶしい日射《ひざ》しが町と人通りを照らしている。まぶしいが日射しを流れ、まぶしいが日射しはそれほど暑くなかった。どこかにひと筋ひややかな気配が流れ、建物も道を行く人も白っぽい感じがする。夏が終り、江戸の町を秋が包みこもうとしているようだった。

「わざわざ迎えに来たところをみると、また用心棒の口が出来たかの」

又八郎は言った。最初に吉蔵からもらった仕事が犬の番で、次は油屋の娘の用心棒だったのでそう言ったのだが、吉蔵はむつかしい顔をして首をひねった。

「さあ、それがよくわかりませんので」

「わからん？　わからんとはどういうことだ？」

「はい。ただいまお話いたします」

そう言われてみると、そこは吉蔵の家の近くだった。

吉蔵は、いつも自分が坐《すわ》っている薄暗い茶の間に又八郎を上げた。そしてお茶まで出した。吉蔵が呼ぶと、奥から身体《からだ》つきのぽっちゃりした十六、七と思われる娘が出てきて、お茶の支度をした。もの静かで、顔立ちのきれいな娘だったが、様子からみて、吉蔵の娘に違いないと思われた。又八郎は意外な気がした。

「はじめてみるが、娘ごか」

お茶を出して、無口そうな娘が奥にひっこむと、又八郎はそっと聞いた。

「さようでございます」

「かわいい娘ごじゃな」

「なに、それほどでもございません」

吉蔵は、べつに嬉《うれ》しそうな顔もせずそう言った。吉蔵にはいくらか人と変ったところがある。

「ところで、さきほどのお話ですが……」

「おう、それを承ろう。いい口があったかの」

「柳沢さまから人を頼まれました」

「柳沢というと？　あの柳沢さまかの」

柳沢と言われて思いあたるのは、三年前に大老格に補され、幕政を切り回している柳沢出羽守保明《でわのかみやすあきら》しかいない。又八郎は半信半疑でそう言ったが、吉蔵は平気な顔でさようでございます。ご大老の柳沢さまですと言った。

「ほう」

と言ったが、又八郎は眉《まゆ》に唾《つば》をつける気持になっていた。口入れ屋にも格というものがあるだろうが、吉蔵一人が机の向うであくびをしているようなこの店と、今をときめく天下の大老柳沢出羽守はどう首をひねっても結びつかない。

「柳沢さまも、とんとん拍子のご出世でございましてな」

又八郎の顔色を読んだらしく、吉蔵は言った。

「いまはご大老で天下を切り回しておいでですが、お大名になられたのは十年ほど前で。その時分にご用を伺ったりしたことがございますもので、はい」

「なるほど」

まだしっくり納得いかない気持が残ったが、又八郎はそう言った。

「それで、柳沢さまのご用というのは？」

「それが、さっき申し上げましたように、まだはっきりしませんのですが……」

「…………」

「ただ、腕が立って、人柄のよい浪人がいたら、二人ばかり世話しろ、というお話を承りましてな」

「すると、やはり用心棒じゃな」

「そのようなことではないかと思います。それでとりあえず細谷さまにお話しました」

「髭《ひげ》か」

「さようでございます。おや、これは失礼。お手当てがよろしいので、細谷さまは大そう喜んでおられましたな。それでいまおひとりは青江さまを、と思いまして」

「それでわざわざ足を運んでくれたか。いや、それはかたじけない」

「すると、お引受けになりますか」

「むろんだ。この腕を買ってくれようというところがあれば、どこまでも参るぞ。すると何か。これからでも、すぐに柳沢さまのお屋敷に参ればよいかの」

「いえ、それが……」

吉蔵は、すぐにも立ち上がりそうな又八郎を手まねで押さえた。

「細谷さまにもそう申しましたが、ご承知ならば、明日柳沢さまのご家来で、佐瀬さまというお方にお会い頂きます。段取りはあたしがつけますが、お屋敷ではなく、外でお会い頂くようになると思います」

吉蔵の言うことは、どこかもったいぶって、奥歯に物のはさまったようなところもあったが、又八郎にはべつに不満はなかった。間違いなく柳沢家の仕事ならば、お手当ての方は保証されている。

「それでは明日の申《さる》の刻（午後四時）ごろまでに、ここまでおいで頂きましょうか。佐瀬さまにお会い頂くのは日暮れになると思いますが、それまでにあたしの方で時刻と場所の段取りを致しますので」

「会うときは髭も一緒かの」

「さようでございます」

と吉蔵は言った。

二

今川橋から幾らも歩かないところに、その料理屋があった。門口に砂子屋と看板が出ている。玄関に入って佐瀬の名を言うと、女中がすぐに又八郎を案内した。塀《へい》の色など古びて、間口もあまり広くないのに、家の中に入ると薄暗い廊下が幾重にも折れ曲り、大きな料理屋だった。

通りすぎる廊下の左右の部屋から、灯の色と人のざわめきが洩《も》れてくる。繁昌《はんじょう》している料理屋のようだった。先に立った年増《としま》の女中は、渡り廊下に又八郎を導いて離れに入った。とたんに部屋の中から細谷源太夫《げんだゆう》の豪傑笑いが聞こえてきて、又八郎の耳を搏《う》った。

又八郎を部屋に入れると、女中はすぐに熱いお酒をお持ちします、と言って引き返して行った。

「おう、遅かったではないか」

振りむいた細谷が言った。行燈《あんどん》の光に、いつもの髭面《ひげづら》が浮かび上がっている。細谷源太夫は、口入れの吉蔵の店で二、三度顔を合わせただけの人間だが、雲つくような大きな身体《からだ》に似つかわしく、さっぱりした気性の男である。五人の子持ちで、暮らしむきのことをこぼすという難があるが、細谷のこぼしはじめついたところがなく、つねにそのためには土方人足もいとわないという気概にあふれている。そういう細谷に、又八郎はいつの間にか好感のようなものを抱いている。

又八郎は、細谷には軽く会釈《えしゃく》を返し、こちらを見つめている白髪の武士の方に膝《ひざ》をむけると挨拶《あいさつ》した。

「青江又八郎でござる」

「やあ、相模屋《さがみや》から承っておる。こっちへ寄ってくれ」

又八郎が挨拶すると、白髪の武士は気さくに声をかけ、空いている膳《ぜん》を手で示した。吟味するようだった眼の光が消えて、笑顔になっている。

「吉蔵から聞いたと思うが、佐瀬と申す者だ。身分はこの際、略させて頂く。さて、女がおらんで手酌で恐縮だが、ま、一杯やってくれ」

膳の前にすすんで、頂きますと言ったが、又八郎がそれとなくみると、佐瀬はまだ盃《さかずき》に手を触れていないようだった。細谷一人、顔が赤くなっていて、又八郎が佐瀬に挨拶している間も手酌で盃をあけている。

又八郎は細谷の膝をつついた。

「仕事の話はうかがったのか？」

「仕事？」

細谷はきょとんとした顔で又八郎をみた。みると白眼まで酔いに染まっている。

「いや、まだだ」

又八郎は舌打ちしそうになった。佐瀬という老人の話の中味によっては、仕事をことわる場合もあり得る。馳走《ちそう》になってからでは、話はことわりにくくなる。仕事をもとめている浪人といえども、そのぐらいのけじめはあってしかるべきでないかと思ったのだ。

「まず、お話をうかがおうではないか」

「そうか」

細谷は不承ぶしょうにうなずいて、盃を膳に戻した。酒の腰を折られて不満そうにみえた。みると細谷の膳は、あらかた肴《さかな》を喰いつくしている。又八郎を遅いと言ったが、細谷本人はよほど早く来たのかも知れなかった。意地悪く推量すれば、佐瀬との談合の場所が料理屋と聞いて、はじめから飲む気で、いそいそとやって来たとも考えられる。しまりがないと又八郎は思った。

「ご酒《しゅ》を頂戴《ちょうだい》いたす前に」

と又八郎は老人に言った。

「どういうお仕事で、われわれをお雇いになられるのか、お話をうかがいましょうか」

「さよう、さよう」

と細谷も言ったが、その声はおざなりで、眼は膳の上の盃をじっと見つめている。

老人が口を開こうとしたとき、襖《ふすま》の外で女中の声がした。酒を換えて女中が部屋を出て行くまで、三人は口を噤《つぐ》んでいたが、女中の足音が聞こえなくなると、佐瀬は、
それでは早速お話ししようと言った。

「お手前がたのことは、相模屋の方から十分にうかがっておる。細谷どのは森家の旧臣、青江どのは……」

佐瀬は一瞬刺すような眼を、又八郎に向けた。

「生国《しょうごく》を申されぬそうだが、信用のおける人物と、相模屋はかように申しておる。そこでそれがしも、お手前がたを信用してこれから話すわけじゃが、話を聞いて、よしんばこの頼みは受け難いということになっても、それがしが申すことは一切他言無用に願いたい」

「………」

「いかがかな？」

佐瀬は厳しい表情で言った。又八郎と細谷は顔を見合わせた。細谷も幾分酒がさめたような顔をしている。佐瀬がこれから持ち出そうとしている仕事の話は、かなり厄介なものらしいと見当がついたが、聞いてみないことにはわからないことだった。二人は眼でうなずき合い、又八郎が言った。

「お話を受ける受けないにかかわらず、いかにも他言いたしますまい」

「さように願おう」

佐瀬はなおも厳しい眼で、二人を見くらべるように眺めたが、不意に表情を崩して、口調を柔らげた。

「あるお人を、ひそかに警護してもらうというのが、当方の頼みじゃが、そのお人というのは……」

「………」

「旗本の梶川与惣兵衛《かじかわよそべえ》どのじゃ。このご仁《じん》を知っておるかの？」

又八郎は首をかしげた。どこかで以前耳にしたことがある名前だった。その曖昧《あいまい》な記憶は、細谷源太夫の言葉ではっきりした。細谷は佐瀬の問いかけにすぐに答えた。

「存じており申す。去る三月に、殿中で浅野さまの刃傷《にんじょう》事件があり申した節、浅野さまを組みとめて吉良《きら》さまを助けたというお方ですな」

「さよう。よくご存じだ。その梶川どのが、近ごろ命を狙《ねら》われておる」

「何者に？」

「それがじゃ。命を狙っておるのは、浅野家の浪人どもだと申す」

佐瀬は事情を説明した。数日前、神田橋の柳沢邸に、ひそかに旗本の梶川与惣兵衛が訪れてきた。佐瀬が応対し、梶川と主君保明との密談の席にも陪席したが、佐瀬は、梶川がひどく憔悴《しょうすい》している様子なのに驚いた。浅野家の浪人に脅迫を受けていることは、その席で梶川が言ったことである。

梶川は、昨夜屋敷に投げこまれたという脅迫文《ぶみ》を示し、「浅野家の処分は、公儀が裁断したこと。その処分が不服で、恨みを自分に向けてくるというのは筋違いと存ずる。私事とも言えない事柄なので、指図を仰ぎたくまかり越した」と言った。

手紙は柳沢も見、佐瀬も見たが、内匠頭《たくみのかみ》刃傷のとき、梶川が妨害して内匠頭の素志を遂げさせなかった恨みを書きつらね、やがて天誅《てんちゅう》がくだるべく、ご用心なさるべしという無気味な予告で終っていた。

私事とも言えないことだからという言い方で、じつは梶川が庇護《ひご》をもとめてきていることは柳沢にも佐瀬にもわかったが、梶川が言うことには一理があった。

梶川は浅野の刃傷事件があった直後の十九日に、内匠頭長矩《ながのり》を組みとめた働きを賞されて、武蔵足立《むさしあだち》郡に五百石をあたえられ、従来の七百石に加えて千二百石とされている。これは公儀が、梶川の働きを良しとしたわけで、梶川のこのときの行動を恨むということは、公儀の判断に楯《たて》つくことにもなるわけであった。

柳沢は、このことを重く見たようであった。脅迫の手紙には、はたして浅野の浪人がそういう脅《おど》しをかけたのかどうか、不審が残るという言い方をしたが、当分病気を理由に出仕を見合わせるように指示した。つまり様子を見ることにしたのである。

「その脅迫文が、浅野家の浪人が投げ込んだものか、それとも余人の悪さかはわからん。浅野家処分については、いまだに世間の噂《うわさ》がかまびすしいし、われらが屋敷にも、ときどき妙な捨て文が舞いこんだりしておる。梶川どのの屋敷に投げこまれた文も、そうしたたぐいかも知れんのじゃが、打ち捨ててもおけまいというのが殿のお考えじゃ」

「………」

「そこで公《おおやけ》にではなく、ひそかに身辺を護《まも》る者をつけよう、ということになった。お手前がたを呼んだのは、そういう頼みごとだと心得られたい」

「………」

「いかがかな。お引き受け頂けるかな」

又八郎と細谷源太夫は顔を見合わせた。浅野家の浪人が、いずれ何かやるだろうということは、巷間《こうかん》でささやかれていることである。それは刃傷事件をめぐって、浅野家は即座に断絶、一方の吉良は、その後高家筆頭の地位は退いたものの、何の咎《とが》めもなく過ごしていることに対する、世間の割り切れない気持が生み出した噂とも言えた。

だが噂だけなら、主君を失い改易の命令を受けた浅野家が、城受け取りの軍勢を迎えて一戦するらしいということも囁《ささや》かれたのである。だが実際には、国元赤穂《あこう》では穏やかに城を始末して、家臣は散り散りになったと聞いている。考えてみれば、それは当然のことと言えた。幕府は、開府以来多くの大小名家を取り潰《つぶ》し、中には苛《か》酷《こく》と思われる処分も含まれていたにかかわらず、幕命に反抗して兵をあげた者はいない。

梶川が受け取った脅迫文の詳細はわからないが、これまで少なくとも事を構えるような兆候がなかった浅野浪人が、突然にそういう脅迫めいた行動に出たというのは、うなずきにくいところがあった。かりに浅野浪人が亡君の復讐《ふくしゅう》を言うなら、的《まと》は亡君の遺恨が残る吉良上野介《こうずけのすけ》という人物でなければならない。梶川を狙うのは筋が違う。

その脅迫文というのは、佐瀬も推量したように、事件以来浅野をひいきにしてきた者がしかけた、たちのよくない悪戯《いたずら》ではないのかと、又八郎は思った。

そうであれば、この仕事は割がいいと思った。一応梶川を警護するが、何ごとも起こらない見通しが強いのだ。その上柳沢家の依頼となれば、支払いは保証されている上に、はした金は出さないだろう。

又八郎の顔色を読んだらしく、細谷は大きくうなずくと、佐瀬に向き直った。

「お引き受け致そう。で、日にちはいかほど？」

三

佐瀬を残して料理屋を出ると、細谷はきょろきょろと道の左右に眼を走らせた。

「いかが致した？」

「おう、あったぞ」

細谷は弾んだ声で、乞食《こじき》橋の方角を指さした。闇《やみ》の中に一点にじむように赤い提灯《ちょうちん》のあかりがみえている。酒亭のあかりだった。

「まず、あれに寄ろうではないか」

細谷は勢いよく言ったが、いくらか気がさしたとみえ、一緒の仕事となれば、打ち合わせということもある、とつけ足した。

細谷は飲み足りないらしかった。佐瀬との話が済んで、そのあと軽く飲み直したが、雇主と、雇われ用心棒と身分がわかれてしまうと、腰を据えて飲むという気分ではなく、二人はそこそこにして切り上げてきている。

又八郎は細谷の後に随《したが》った。べつにいそいで帰る住居《すまい》があるわけではない。浪人者の一人暮らしの匂《にお》いがしみついた裏店《うらだな》に帰って、寝るだけのことだった。

「今夜はわしが奢《おご》る」

狭苦しい飲み屋に入りこむと、細谷は馴《な》れたしぐさで樽《たる》に腰かけ、元気のいい声で、親爺《おやじ》、酒だと言った。

「ここは前に一度参ったことがある」

細谷は左右を眺め、煤《すす》けた天井を見上げたりしながら言った。店の中は黒く煤け、焼魚の匂いがしみついている。二人から離れた場所に、職人風の中年男が一人、横顔をみせてひっそり飲んでいるだけで、ほかに客はいなかった。

「ところでこの仕事、どう思う？」

小肥《こぶと》りで白髪の店の親爺が酒を運んできて去ると、細谷は大きな手で、手ぎわよく自分のと又八郎の盃《さかずき》に酒をつぎ、さてと言った思い入れでそう言った。

「悪い仕事ではなさそうだ」

と又八郎は答えた。

「悪くない、悪くない。前金も頂いたしな」

細谷は髭面《ひげづら》をほころばせて笑った。佐瀬は、とりあえず半月で五両、半月の様子を見たうえで、後のことは相談しようと言い、今日早速に前渡しとして二両ずつ、金を渡したのである。

「これで浅野の浪人とぶつかったりしなければ、こんな楽な仕事はない」

「その手紙とやらは、浅野の浪人とはかかわりなかろう」

と又八郎は言った。さっきもそう考えたのだが、佐瀬と別れ、時がたつに従って、旗本の梶川の怯《おび》えは、いよいよ根拠がないもののように思われてくる。

「いや、そうとも言えん」

と細谷は言った。その言い方が確信ありげで、又八郎は思わず細谷の顔をのぞいた。するとと細谷はてれたように顔をそむけ、盃をあけると、いやわしも浅野浪人が、梶川の命を狙《ねら》っているとは思わん、と言った。

「そう思うなら、こうして安直に仕事を引きうけたりはせん」

細谷はふと気づいたように、ちっとも飲んでおらんでないかと言った。細谷が酒を注ごうとするのを、又八郎は手で遮《さえぎ》った。

「いや、それがしは結構。勝手に飲まれたらよい」

「酒が、嫌いか」

「いや嫌いではないが、夜は飲まんことにしておる。飲みたいときは昼の間にやる」

「ほう」

細谷は眼をほそめて又八郎を見た。

「おぬし、敵《かたき》持ちか？」

又八郎は首を振った。だが細谷のひと言が、一人の女の顔を思い出させていた。平沼由亀《ゆき》。又八郎の許婚《いいなずけ》だったが、又八郎は藩主毒殺の陰謀を嗅《か》ぎつけたことから、由亀の父平沼喜左衛門を斬《き》って国元を立退《たちの》いてきた。喜左衛門が死んだとすれば、いつかは由亀が父の敵と名乗りかけて、眼の前に現われるだろうと又八郎は思っている。

「ふむ。まあそれはどうでもいいことじゃ。さっきの話だが……」

細谷は、勢いよく盃をあけ、すぐに手酌で盃を満たしながら、話を浅野浪人に戻した。

赤穂《あこう》城の明け渡しは、四月十九日に行なわれたが、その前に城中で三度評定が行なわれている、と細谷は言った。

最初の評定で、赤穂家臣は一部反対はあったが、籠城《ろうじょう》、抗戦を申しあわせた。だが翌日集まってみると、人数は半分以下に減っていた。これでは籠城はむつかしいというので、上使を城に迎えた上で、一同追腹《おいばら》を切ることに決めた。そう決めて、切腹の支度をするために一たん家に帰り、翌日登城することとしたが、申し合わせに従って登城してきた者は、さらに人数が減って五十八人になっていた。最初の総登城のとき家中三百八人だったのが、ほぼ五分の一の人数に減ったわけである。

評定をここまでみちびいて来た家老の大石内蔵助《くらのすけ》は、最後に集まってきた五十八人から、間違いなく切腹する旨《むね》の神文誓詞をとったが、その三月二十九日の最後の評定で、大石は、赤穂に向う幕府目付荒木十左衛門、榊原采女《さかきばらうねめ》あてに陳情書を差し出すことを決め、物頭《ものがしら》の多川九左衛門、月岡治右衛門の二人を、急遽《きゅうきょ》江戸に送ったが、その陳情は失敗に終ったらしい。

「何を陳情したのだ？」

と又八郎は言った。

「それがだ。又聞きだからはっきりしたことはわからんが、刃傷《にんじょう》事件があって、吉良が死んだから内匠頭《たくみのかみ》に切腹の沙汰《さた》があったと思ったが、そうではなく、吉良はつつがないと聞いて、家中の者が動揺している。吉良にお仕置を下されたいということではないが、家中が納得できるような筋をお立てくだされたい。そうした文言だったらしいな」

「で、陳情がうまく行かなかったというのは？」

「多川、月岡が江戸に着いてみると、目付はすでに出発したあとだったと申す。そこで二人は江戸家老の安井たちと相談して、親戚《しんせき》の戸田采女正《うねめのしょう》に陳情書を持ちこんだら、戸田は驚いてそれを握りつぶしてしまったという話だ」

「くわしいの、おぬし」

又八郎は思わず言った。細谷の浅野処分についての知識は、市中の噂《うわさ》話の域を超えている。

「いや、こういう話は、以前呉服橋の蜂須賀《はちすか》の屋敷に、夜回りに雇われたとき仕入れた話でな。あのあたりでは、もっと物騒な話が出ていた。蜂須賀では、本気で浅野浪人が吉良家に斬り込んでくると考えていたようだぞ」

「ほう」

「家中の者が腰抜けで、主君の仇《あだ》も討てぬようなら、内匠頭の弟の大学が吉良屋敷に踏みこむだろうなどと、あのあたりの大名家、旗本屋敷では責任のない噂をしておったようだ。ま、それは噂として、さっきの陳情の跡始末だが……」

「…………」

「陳情がうまく行かず、残った五十八人が腹を切ったかというと、それが切っておらん。城を渡して散り散りになってしまった。そのあたりが、おかしいとは思わんか」

「なるほど。神文誓詞まで差し出した連中が、一人も腹を切っていないのは妙だの」

「な？　連中が何を考えて籠城だ、切腹だと騒いだかということは、陳情の文句の中にはっきり謳《うた》っておる。吉良がつつがないままでは家中が納得しがたい、ということだ」

「…………」

「それが納得いかぬままに、四散したというのが、くさいとも言えるわけだ。つまりだ……」

細谷は酒くさい髭面を、ぐっと又八郎に寄せて声をひそめた。

「大石という家老が集めた神文誓詞はどうなったか、という気もするわけよ。誓詞がまだ生きている、ということも考えられないわけではなかろう」

「なにか、それらしい動きがあるのか」

「いや」

細谷は、不意に額を叩《たた》き、のけぞって笑った。

「そこまではわからん。実を申すと、浅野には、わしと一緒に森家を浪人した者が、何人か抱えられていたはずじゃ。それでつい、浅野浪人に肩入れしてしまう気味がある」

「…………」

「ま、梶川の口は、恐らく浅野浪人とはかかわりあるまいて。悪戯《いたずら》じゃろう。これが吉良ということなら、話は別だが……」

細谷は、さっき又八郎が考えたようなことを言った。

細谷は酒好きとみえて、いっこうに腰を上げる様子がなかったが、又八郎にうながされて漸《ようや》く立ち上がった。

「また、子供が生まれる」

外へ出ると、細谷は大きな声で言った。飲み屋で過ごした刻《とき》が意外に長かったらしく、道は人通りがとだえて、暗かった。

「これで六人目じゃ」

「それはめでたい」

「めでたいなどと言ってくれるな」

と細谷は喚《わめ》いた。

「喰う口がひとつふえるだけのことじゃ。子供はもう倦《あ》きあきした」

「…………」

自業自得《じごうじとく》ではないか、と又八郎は思った。子供の方で、生んでくれと頼んだわけではあるまい。

「しかし喰わさんわけにはいかぬからな。こうなれば、梶川どころか、吉良の用心棒でも引きうけるぞ」

と細谷は言った。

四

神田川の岸に舟が停《とま》っていて、揚げ場人足《にんそく》がいそがしく立ち働いている。

又八郎はその様子を見ながら、ゆっくり牛込御門《うしごめ》の方に歩いて行った。時刻は申《さる》の上刻（午後四時過ぎ）で、日が暮れるまで、まだ間があった。梶川の屋敷には、日暮れまでに行けばよい。

細谷と二人、日暮れに梶川の屋敷に入り、一晩警護して翌朝家に戻る。そういう暮らしが続いて、今日が八日目だったが、その間何事も起こらなかった。最初の二、三日は、夜中も屋敷の外に出て、念入りに警戒したが、怪しげな気配は何もなく、二人はいまでは屋敷の中に与えられたひと間にごろごろしている。

こんな仕事なら、もっと先にのびてくれればいいと思うぐらいだった。又八郎はのんびりした足どりで揚げ場を通りすぎた。神田川を遡《さかのぼ》る船はここまでで、ここで陸上げされた品物は、奥の屋敷町に入る。

活気のある掛け声や、人を呼ぶ声が少し遠ざかったと思ったとき、不意に横から名前を呼ばれた。

女が二人立っている。一人は梶川の姪《めい》で、千加という女だった。後にいるのは、おなつという下婢《かひ》で、又八郎たちの部屋を掃いたり、夜食の世話をしたりする娘である。

「やあ」

と又八郎は言った。千加は二十《はたち》近いだろう。色白で、無口そうな女である。梶川の屋敷は、旗本と言っても大身《たいしん》というわけではなく、加増後も以前の七百石の暮らしを続けている様子で、女たちも時おり表や庭に姿を見せる。千加とは話したことがないが、姿は時どき見かけていた。千加という名前で、梶川の姪だということは、おなつから聞いたことである。

「どこぞへ、お出かけでござったか」

又八郎は、二人のどちらにともなく言った。二人は軽子坂の方から河岸に出てきたのである。

「はい。親戚《しんせき》の家に行って参りました」

そう答えたのは千加だった。そして千加はおなつを振りむくと、意外なことを言った。

「私はこの方とご一緒に帰りますから、先に帰っていなさい」

おなつは、はいと言って人なつっこい眼で又八郎に挨拶《あいさつ》し、すぐに離れて行った。十六だというが、後姿はもっと子供っぽく見える。

「ご迷惑でしたか」

と千加が言った。又八郎はいや、と言ったが、少し気づまりな気がした。千加を見かけると、なかなか美人ではないか、などと細谷は囁《ささや》き、又八郎もそれに異存はなかったが、それ以上の関心を持ったことはない。二人で並んで歩いても、格別の話があるわけではなかった。

千加も黙って歩いている。女が、なぜ一緒に帰ろうなどと考えたのか、又八郎はその気持をはかりかねた。

「いかがですか」

不意に千加が又八郎の顔をのぞくようにして言った。

「何か、変ったことがございますか」

「いや、それが何もござらんのですな」

又八郎は思わず頸《くび》の後ろに手をやって言った。何もなくて結構なわけであるが、雇主の方である千加にそう訊《き》かれると、なんとなく無駄飯を喰わせてもらっているようでもあり、用心棒としては間が悪かった。

「どうもその手紙とやらは……」

又八郎は正直に言った。

「たちのよくない悪戯《いたずら》かも知れませんな」

「でも、伯父は一度危ない目にあっていますのよ」

「ほう」

又八郎は立ち止って千加の顔を見た。千加も立ち止った。二人は牛込御門前の橋にかかったところで、言い合わせたように橋の欄干に身体《からだ》を寄せた。その二人を、通りすがりの者がちらちら見て行く。

「その話を、少しくわしくうかがおうか」

はい、と言って千加は、神田川の流れに眼を落としながら、次のような話をした。

脅《おど》し文《ぶみ》が投げこまれて三日ほど経《た》った非番の日、梶川は足立《あだち》郡の新しい知行地に出かけた。新しい知行地には、古くから村境の争いがあって、梶川の知行が決まると、また争いが再燃した。梶川は用人の田代惣助《たしろそうすけ》をやって調べさせたが埒《らち》があかず、名主に乞《こ》われるまま、その日争いになっている境界を見に行ったのである。

帰りは遅くなった。千住街道から神田川沿いに帰ってきて、江戸川の落ち口である蚊《か》屋《や》ヶ淵《ふち》まできたとき、日がとっぷりと暮れた。供をしていた中間《ちゅうげん》の友之助が、橋を渡ったところで、村で借りてきた提灯《ちょうちん》に灯を入れた。そこを何者かに襲われたのである。

その日梶川の供をしていたのは、家士の藤井新五郎と友之助の二人だった。藤井は神田の町道場に通って目録を受けており、友之助も剣術の心得があったので、すぐに応戦し、大声で梶川に逃げるように言った。

梶川は馬を飛ばして屋敷に戻ると、息子の酒之丞に、残っている家士二人と中間をつけ、蚊屋ヶ淵に走らせた。だが、藤井は死に、友之助は息があったが重傷を負っていた。梶川が柳沢の屋敷を訪れたのは、その翌日である。

「襲ってきたのが、浅野浪人だと、梶川さまは考えたわけですな」

「そう言っておりました。でも、襲われたことは柳沢さまには申しあげなかったそうです」

「ふむ」

それは言えまい、と又八郎は思った。自分は馬で逃げ、家臣を死なせたとは、梶川としては言いにくかったに違いない。

「人数は？」

「は？」

「いや、襲ってきた人数だが……」

「それが……」

千加はふと口籠《くちごも》った。それから顔をあげて真直《まっすぐ》又八郎を見た。千加は瞳《ひとみ》が黒ぐろと冴《さ》え、口もとが小さく美貌《びぼう》だが、どこか表情にとぼしいところがある。その顔に、いま微《かす》かな動揺のようなものが現われている。瞳が落ちつきなく動いた。漸《ようや》く千加が言った。

「一人だったそうでございます」

「ほう」

又八郎は、千加の顔をじっとみた。千加の表情に現われた動揺のようなものに、心を惹《ひ》かれていた。千加はこの事件について、もっと何か話したいことがあって、それを言おうか言うまいかと迷ったようにも見えた。それが何なのかは、むろん又八郎にはわからない。

——一人か。

そのことも、又八郎は釈然としなかった。城明け渡しの上使を迎えて、大手前で腹を切ると誓った者は六十人近くもいたのだ。その浅野浪人が、本気で梶川を襲うなら、少なくとも数人がかりでやりそうなものである。一人だったということは、浅野浪人は四散し、その中の一匹狼《おおかみ》のような男が、亡君の恨みを心の中に抱いて、梶川を襲ってきたということだろうか。

「一人でござるか」

「はい」

「梶川さまは、その男をごらんになったかな?」

「背が高く、痩《や》せていたそうでございます。顔は、頭巾《ずきん》で隠して見えなかったと申しておりました」

「…………」

「申しあげたかったのは、このことでございます」

不意に千加は、又八郎から視線をはずすと、そっけない口調で言った。

「では、お先に参ります」

「よいことを聞かせて頂いた。われらも油断なく見張ることと致そう」

又八郎は用心棒らしい挨拶をした。千加は軽くうなずくと、すぐ背を向けた。細腰の、形のいい後姿が遠ざかるのを、しばらくぼんやり見送ってから、又八郎は歩き出した。

——叱《しか》られたか。

千加は、柳沢から回されてきた用心棒二人が、あたえられた一間でごろごろしているのをみて、手紙はただの脅しではないのだと警告したのかも知れなかった。

事実、千加の話したことが本当なら、細谷の勤めぶりなどは以《もつ》てのほかというしかない。細谷はいつも時刻に遅れて来、来るやいなやあくびを連発し、しまいには横になって臆面《おくめん》もなくいびきをかいたりする。何も起こるはずがないと太平楽を決めこんでいる。

——危ないところだった。

と又八郎は思った。最初のころこそ、そういう細谷をたしなめたりしたが、又八郎にしても近ごろは似たようなものである。寝そべって勝蔵という中間から借りた草双紙をめくったりして、夜を過ごしているのだ。

二人が、いまのように油断していて、そのために梶川の身の上に凶事が起こったりすれば、まず柳沢の後金《あときん》がフイになるだろう。吉蔵も、ろくでもない用心棒を世話したというわけで柳沢の信用を失うだろうし、そうなれば吉蔵は、今後二人にましな仕事を世話するはずがない。そうなると喰って行くことが難かしくなる。子供の多い細谷など、早速泣かなければならないのだ。

牛込御門を入って、塀をならべている武家屋敷の方に歩きながら、又八郎は表情をひきしめた。

「カツを入れねばならんな」

ひとり言は、細谷ののんきそうな髭面《ひげづら》を思い浮かべながら洩《も》らしたのだが、半ばは自戒も含んでいた。

だが、又八郎はひとりごちながら、もう一度首をひねった。千加の警告は適切だったが、千加がそのことを又八郎に告げたのは、警告するためばかりでなかったような気が、さっきからしている。

その気がかりは、梶川が襲われた話をしながら、千加が示した、ためらうような表情からきていたが、千加がなぜそんな話をしたかはわからなかった。

「よいか、閉めるぞ」

潜《くぐ》り戸の中で、細谷が言った。又八郎がよいというと、戸が内側から閉まり、中で閂《かんぬき》をかける音がした。

五

閉め出された又八郎は、しばらく門の前に立って、あたりの様子をうかがった。時刻は亥《い》の中刻（午後十時過ぎ）ごろで、細い上弦の月が、微《かす》かに屋敷町を照らしている。道には何の気配もなかった。冷えた夜気の中を、又八郎は足音を忍ばせて、御役屋敷の方に歩いた。

千加に言われたからというわけでなく、又八郎と細谷源太夫は、用心棒の本来に戻って、日が暮れてから床につくまで、二、三度梶川屋敷の表と裏を確かめることにした。今夜は三晩目だった。

御役屋敷の塀にそって、裏四番町の通りに出ると、又八郎は右に曲った。道は幾分下りになっている。左右に旗本屋敷が続いているが、灯の色も見えず、人声もしなかった。

道の途中まで来たとき、又八郎はふと吸いつくように塀に身体《からだ》を寄せた。これから曲ろうとする酒井下総守《しもうさのかみ》の屋敷の角から、不意に人影が出てきたのである。人影は道に出ると左右を確かめるふうもなく、又八郎とは反対の方に折れて行った。そして間もなく道からその人影が消えた。

——女だ。

足音を殺して、又八郎は小走りに走った。この深夜に町に出てきた女の正体を確かめるつもりになっていた。女が出てきた道に、梶川の裏口があるのが気になっている。このあたり酒井屋敷と背中合わせに馬場があって、その前は広い空地になっている。このあたりで蛙原《かわず》と呼ぶ原っぱである。

又八郎は物陰を伝って空地の方に進んだ。空地に接している旗本屋敷の前の天水桶《てんすいおけ》の陰から、そろりと空地に滑り込んだとき、すぐ近くで人声がした。又八郎は芒《すすき》の影に身をひそめた。

「ひでを脅して手紙を持たせたそうですね」

女の声を聞いて、又八郎はあっと思った。声は千加だった。ひでというのは、梶川の屋敷の婢《はしため》である。

「どういうおつもりですか。こんなことが伯父に知れたら、あなたさまもただでは済みませんよ」

「おれを脅すつもりか」

低い男の声がした。二人は空地に二間ほど踏みこんだところにある松の木の陰にいる。姿は地に垂れさがった枝に隠れて、見えなかった。

「そんなつもりはございません。でもあなたさまが何をなさったか、私存じておりますよ」

「おれが何をしたというのだ」

「おとぼけになっても無駄でございます」

千加の声はひややかで、相手を恐れていなかった。

「浅野の浪人の名前で、手紙を投げこんだのはあなたさまでございましょ？　それに蚊屋《かや》ヶ淵《ふち》で、伯父を襲ったのもあなたさまと、私にはわかっております」

「…………」

男の答えはなく、低い含み笑いが聞こえた。又八郎は中腰の姿勢から、片膝《かたひざ》を地面についていつでも飛び出せる恰好《かっこう》に、身体を動かした。緊張感にとらえられていた。千加は無造作にあんなことを言っているが、千加の述べていることが本当なら、相手はかなり凶暴な男なのだ。何者だろうと又八郎は思った。

「でも、そのことは伯父には言っておりませんからご心配なく。ただ今度のように手紙でひとを呼び出したりすることは一切やめて頂きます。そういうことをなさると、私もあなたさまのことを伯父に言わなくてはなりませんよ」

「…………」

「しげのじょうさま。あなたさまも情けない方ですのね」

千加は容赦のない口調で言っていた。

「まだおわかりになりませんか。あなたさまと私の縁は、もう切れてしまったのですよ。石黒のお家と梶川の縁も、いまは何のかかわりもありません。いつまでもつきまとうのはおやめなさいまし」

「おれの家が潰《つぶ》れたのは、梶川の指金《さしがね》だ。それにこちらが落ち目になったら、そなたとの縁談をさっさと壊したのも梶川だぞ」

「まだそんな古いことを根に持っていらっしゃるのですか。呆《あき》れたお方ですこと」

「立派な口は叩《たた》かん方がいいぞ、千加どの。そなたにしても一味同体よ。新しい縁談が決まって喜んでいるらしいが、そう思い通りにはさせん」

「どうなさるおつもりですか」

「いよいよとなれば、先方にばらしてやるわ。あれはおれが抱いたことのある女だとな。生娘《きむすめ》づらで嫁に行くつもりらしいが、そうはいかんぞ」

「ならず者のような口をおききになりますのね。呼び出したのは、そんなことをおっしゃるためですか」

「いや、違う」

不意に男の声音《こわね》が変った。聞きとれないほどの低い声で男が何か言い、続いて松の陰で男女が争う激しい息遣いが聞こえてきた。

又八郎が膝を起こしたとき、木陰から千加が走り出た。その手に懐剣が光っているのが見えた。千加はしばらく胸もとに懐剣を構えたままの姿勢で、松の方を見つめたが、男がゆっくり姿を現わすと、懐剣を鞘《さや》に戻し、斬《き》りつけるような声で、

「見下げはてた方ね」

と言った。男は声を立てずに笑ったようだった。

「おれを見くびらぬ方がいい」

男は凄《すご》みのある声で言った。

「いまは家も身よりもない素浪人だ。町の無頼よ。やりたいことをやるぞ」

「…………」

「浅野浪人のことも、おれのつくり事だと思ったら間違いだぞ。梶川は人に憎まれて

おる。用心したらよかろう」

　千加はなおしばらくじっと男を見つめたが、不意に背を向けると、急ぎ足に空地を離れて行った。

　すると男が道に出て、腕組みしてその後姿を見送った。淡い月の光に照らされて、男の全身が見えた。袴《はかま》はつけているが、羽織も着ていない長身の痩《や》せた男だった。頰が抉《えぐ》れたようにくぼんでいる。男は、千加が馬場の先の角を曲ったところまで見送ったらしく、やがて背をむけて、土堤《どて》の方に去った。

　枯草の間から立ち上がりながら、又八郎は梶川が襲われた話をしながら千加が突然にみせた動揺を思い出していた。千加はそのとき、しげのじょうというさっきの男のことを話すつもりだったが、そこまで言うのをためらったのだと思った。そのかわりに、千加は男の外見を正確に語ったのだった。

　——浅野の話は消えたようだな。

と又八郎は思った。梶川を手紙で脅し、また襲撃して従者を殺傷したのは、いまの男に違いないと思われた。

　だが又八郎は、それで安心したわけではなかった。男の、梶川に対する憎悪《ぞうお》がなみのものでないことは、さっきの千加との話でわかる。男が、いつまた梶川を襲ってくるかわからないという気がした。そして千加は正確に襲撃者の外見を描いて見せたが、そのとき言い落としたことがある、と又八郎は思った。

男が松の陰から道に出て来、背を見せて去るのを見送っただけだが、又八郎は男の剣の修練がただものでないのを感じ取っていた。しかも男の五体には殺気が溢《あふ》れ、一本の剣が立っていたように見えたのである。千加が何ごともなく家に帰ることが出来たのは僥倖《ぎょうこう》だという気がした。

六

急に玄関のあたりがざわめいて、男たちの快活な笑い声がした。昼過ぎからきていた客がいま帰るところらしかった。その声を聞いて、おなつが首をすくめた。

「あら、すっかりお喋《しゃべ》りして。早く片づけなくちゃ」

おなつは、又八郎と細谷の膳《ぜん》を下げにきて、二人にいろいろと聞かれるままに、すっかり腰を落ちつけて話しこんでいたのである。おなつは西《にし》ノ久保《くぼ》の町家から行儀見習いのため女中奉公にきている娘だが、まだ子供っぽいところが残っている。十日も経《た》つ間に、二人の用心棒にもすっかり馴染《なじ》んで、無駄話もするようになっていた。

「服部《はっとり》という客が帰るところらしいな」

と細谷が言った。客は服部清次郎という名で、五番町に住む二千石の旗本の総領だった。今日の客が、そういう身分の人物で、千加と縁組が決まった相手だということは、さっきおなつから聞いたばかりである。

「酒之丞さまと兵部さまが、お見送りに出ていらっしゃるようですよ」

とおなつは囁《ささや》いて、すばやく膳を重ねると、立ち上がって部屋の外へ出て行った。

兵部というのは梶川の三男である。さっきの笑い声に若い声がまじっていたのが、兵部らしかった。

「新しい縁組の方はうまく運んでおる様子だが、その石黒滋之丞《しげのじょう》という男がくっついておっては、千加どのも気が晴れまいの」

「くっついておると言っても、梶川ではきっぱり断わって、縁を切った話じゃ。石黒が勝手につきまとっているわけだろう」

又八郎は、なんとなく千加に同情する気持で、そう答えた。

「それでもくっついておることに変りはあるまい。いさぎよくない男だの」

言って細谷は、あわあわと口を手のひらで覆《おお》いながらあくびをした。警戒する相手が、石黒という男一人らしいと見当がついて、二人にはまた怠惰な気分が戻ってきていた。石黒がいくら剣の達者でも、一人でこの屋敷に斬《き》りこんだりはしまい、と二人は思っていた。

石黒の家は六百石の旗本で、滋之丞は梶川の姪《めい》千加と婚約し、届けも済んでいたという。千加は子供の頃肉親に死別して、伯父の梶川に養われて育ったが、嫁入るときは梶川の養女分で行くことも決まっていた。ところが、挙式も間近に迫っていた一年ほど前のころ、一番町で失火があり、その時滋之丞の父藤右衛門が失態を演じて、石黒家はあっという間に士籍を削られてしまったのだった。

失火があった日は、西北から激しい風が吹きまくっていて、江戸城からは少老の井上大和守《やまとのかみ》が目付以下を率いて出動し、消火に勤めた。その最中に、近くに住む藤右衛門が酒気を帯びて現われ、消火を妨げる行為があったというのが処罰の理由だった。

処罰の前に、目付は石黒藤右衛門の日頃の行状、性癖などについて、上役、同僚、親族などに諮問《しもん》した。梶川も諮問を受けた一人だったが、そのとき梶川は、石黒藤右衛門をまったくかばわなかったので、藤右衛門本人のみならず、親族からも恨まれたのである。この話を、又八郎は家士の森谷長蔵から聞いた。

石黒の嫡男《ちやくなん》滋之丞と千加の縁組は、当然ながら破談になった。加えてその後、藤右衛門は市中の借家で病死し、一方梶川は殿中の刃傷《にんじよう》事件に遭遇して、思いがけなく五百石を加増されたという運命の分れも、滋之丞の恨みを深めたようであった。

石黒滋之丞の無念な気持はわからないでもないが、梶川に対して、そこまで恨みを深めるのは筋違いだろうと、又八郎は思っている。ことに梶川の従者を殺傷した事件は、それが石黒の仕業だと証拠があがれば、当然司直の手にゆだねるべきことだが、いまのところは千加の想像にとどまっている。梶川はいまだに、襲ってきたのは浅野家の浪人だと信じているらしかった。

千加の判断は正しい、と又八郎も細谷も考えている。思いつめた石黒滋之丞が、常軌を逸した行動に走っているらしいと見当がつく。だが二人は、そのことを梶川にも、また雇主の柳沢家にも告げるつもりはなかった。用心棒は、要するに定められた日限まで、梶川を危害から守り抜けばいいのである。そうして約束の手当てを頂くのが眼目である。

ご心配の儀は、浅野浪人の仕業ではなく、家を失い、女を失った元旗本の伜《せがれ》の狂気の沙汰《さた》のようです、などと雇主に届け出るのは、この仕事から私どもをおろしてくれと申し出るようなものだった。そんな愚にもつかぬことをするつもりはない。口に出しはしないが、二人ともそう思い、ここ二、三日はあくびを噛《か》み殺していた。

もう一度、顎《あご》がはずれそうな大あくびをした細谷が、ふと思い出したように言った。

「今朝、蜂須賀の屋敷に奉公しているものに出会って聞いた話だが、例の吉良が呉服橋の屋敷を出るらしいの」

「………」

「回向院《えこういん》裏の一ッ目に、旗本の松平登之助の古屋敷があって、近くそこに引き移るらしい。蜂須賀の屋敷では、ほっとしているという話じゃ」

「ほう」

又八郎が気のない返事を返したとき、中間の佐七が顔を出した。殿様が呼んでおられます、と佐七は言った。

廊下を曲った奥の一間に通されると、梶川が一人でいて、らくに致せと言った。梶川は大きな身体《からだ》といかつい容貌《ようぼう》を持っている。しかし寒がりとみえて、膝脇《ひざわき》に小さな手焙《てあぶ》りを置いて手をかざしていた。

二人を案内した佐七が、お茶を運んできて去ると、梶川は身ぶりで二人に茶をすすめ、自分は煙管《きせる》にゆっくり煙草《たばこ》をつめて、一服喫《す》いつけた。

「ごくろうじゃな」

梶川は、身体つきに似合わない、柔らかな口調で言った。二人は頭を下げた。

「ところで、と。何ごとも起こらんようだの」

梶川は微笑した。この屋敷にきて、はじめて挨拶《あいさつ》したとき、梶川は憔悴《しょうすい》してみえたが、いまは頬の肉づきもよく、顔色はつやつやしている。

「は。いまのところは」

と又八郎は答えた。用心棒としては、今日ただいまの安全を保証するとともに、雇主のためにちょっぴり将来の不安を残しておかなければならない。まるっきり心配がないということになれば、用心棒の価値はたちまち下落し、お払い箱になる。

又八郎の控え目な返事の意味を、細谷も感じ取ったらしく、重おもしく補足した。

「さよう、いまのところは何ごともございません。しかし、まだわかりませんぞ」

「いや、その心配はまずあるまい。近ごろ、わしも少々考え過ぎた気がしておる」

と梶川は言った。

「落ちついて考えてみれば、浅野の家臣がわしを恨むのは筋が通らん話でな。あの場に行きあわせれば誰でもやることを、わしもやったに過ぎんのだ」

三月十四日の朝、梶川はいつもより少し早く、辰《たつ》の上刻（午前八時）ごろに登城して、中之間《なかのま》に詰めた。するとそこに勅使、院使から、将軍綱吉の生母桂昌院《けいしょういん》に賜物《たまわりもの》がとどいたので、桂昌院づきの留守居である梶川が、両使にお礼言上に行くことになったのである。

梶川は、その旨《むね》を吉良に届け、お礼言上に行く時刻を決めるために、中之間から勅使、院使が休息している大広間の方に出て行った。しかし吉良の姿が見えなかったので、梶川は大広間そばに控えている浅野内匠頭《たくみのかみ》に、お礼言上に行く旨を挨拶した。梶川がその場を立ち去ろうとしたとき、松之廊下《まつのろうか》を白書院の方から吉良上野介《こうずけのすけ》がやってくるのが見えた。梶川は廊下の途中で吉良をつかまえ、用件を話した。変事はその直後に起こったのである。

内匠頭は、はじめ背後から斬りつけ、次に驚いて振りむいた吉良の額を斬った。吉良が倒れると、内匠頭は、さらに二太刀《たち》ほど斬りおろしたが、このとき背後から梶川が羽がいじめに内匠頭を組みとめたのである。

騒然と人が立ちさわぐ間を、梶川は内匠頭を松之廊下から大広間わき、さらに中庭をへだてて松之廊下の向い側にある、柳之間の溜《たま》り廊下まで引きずって行った。その間かなりの距離があり、膂力《りょりょく》がなくては出来ないことだった。

梶川に引きずられながら、内匠頭は吉良を卑怯《ひきょう》ものと罵《ののし》り、十分に討ちとめなかったのは残念だと繰り返し、またもはや手向いはしないから放してくれと言ったが、梶川は手をゆるめなかった。

そこまで話して、梶川は不意に声をひそめて言った。

「誰でもすることと申したが、事実は誰も手を出せなんだぞ、うん」

ひそめた声とはうらはらに、梶川の顔には誇らしげな表情が浮かんでいた。秘密を打ち明けるような口調で梶川は続けた。

「吉良どのが倒れるのを見ても、誰も駆け寄りもせなんだな。茫然《ぼうぜん》と立って見ておった。人が、わっと寄ってきたのは、わしが内匠頭どのに組みついた後での」

「なるほど。そういうものかも知れませんな。ごりっぱなお働きでございましたな」

細谷が如才なく相槌《あいづち》を打ったが、又八郎は幾分白けた気分になっていた。梶川に、そのときの働きを自慢する気持が残っているなら、それだけで浅野浪人に狙《ねら》われる理由はある、という気がした。

梶川は、又八郎のひややかな表情に気づいたのか、はじめの弁解じみた口調に戻った。

「わしがしたことを、武士の情けを知らぬなどと言う者がおる。だがそういうことは、後でいろいろと事情がわかり、ことにわしが加増を受けたりしたから言うことでの。事は殿中で突然に起きた刃傷沙汰じゃ。刀を抜いたものを押さえるのは当然じゃ。抜いたのが吉良どのだったら、わしは吉良どのを押さえておる」

「…………」

「むろん内匠頭どのがああいうことになり、浅野家が潰《つぶ》れたことは気の毒じゃな。だが申したとおり、わしは徳川家の旗本として狼藉者《ろうぜきもの》を取り押さえただけのことで、どっちにひいきしたというわけのものではない。そこの道理を、浅野の家臣がわからぬわけはないと思うがの」

「………」

「どうじゃな。浅野浪人がわしを狙う理由はあるまい」

梶川は窺《うかが》うように二人をみながら、手さぐりで煙管に煙草をつめた。

「しかし、現に脅迫の手紙を受取っておられる」

「それじゃが……」

梶川は、手焙りから火を吸いつけて、そう言った細谷を見た。

「考え過ぎたというのは、そこじゃな。たとえば浅野の旧家臣が、今度のお上《かみ》の処断に不満があるとしても、腹いせに何かしかけるとなれば、当の相手の吉良どのか、処罰を指図したご大老あたりじゃな」

「………」

「芝居で申せば、わしなどは端役《はやく》。とても花形役者という柄ではない。投げこまれた手紙は、いたずらじゃろう。町には、いまにも浅野の浪人どもが吉良どのの邸《やしき》に踏みこむような噂《うわさ》がある由《よし》だが、そういう噂に乗ったたちの悪いいたずらに過ぎまい。そうでなければ、お手前がたがここに来てから何かがありそうなものだが、何も起こっておらんからの」

「しかし、過日川端で人に襲われたそうではありませんか」

と、又八郎が言った。それはこれまで言わないでいた切札だった。梶川にすっかり安心されては、用心棒の役目がご用済みになる。

梶川は眉《まゆ》をひそめて又八郎を見た。

「お手前は、それを誰から聞いたかの？」

「ご家来衆から、なんとなく」

「そのことは口止めしておったのだが……」

梶川は不満そうに言ったが、すぐに気を取り直したようだった。

「さようか。知っておったか。いや、わしもてっきり浅野の浪人に襲われたと思っての。それでお手前がたにも来てもらったわけじゃが……」

「…………」

「だが、あれは違う」

「なにか、心あたりがございますか」

「そうではないが、襲ってきた男は一人だった。それを浅野と結びつけたのは手紙の一件があったせいでの。いま考えてみると、ただの夜盗だったかも知れんという気がしておる」

梶川は、石黒滋之丞の存在には気づいていないようだった。又八郎は細谷と顔を見合わせた。むろん石黒のことを打明けるつもりはなかった。石黒は、ある意味では、二人の飯の種につながっている。

「ところで、今夜お呼びになったのは、何かお申しつけのことでもございますか」

又八郎が言うと、梶川はおう、それだと言った。

「じつは人に招《よ》ばれておる。五番町の服部という屋敷だが、姪を連れて行かねばならんのじゃ」

「いつ？」

「明後日じゃ。わしもしばらく外に出ておらんので、行ってみたいが、念のために警護してもらえるかの」

七

服部の屋敷では、帰りに駕籠《かご》を呼んでくれた。先頭に又八郎と中間の佐七が立ち、梶川と千加が乗っている二つの駕籠の後に、細谷源太夫と梶川の三男兵部が蹤《つ》いて、途中まで来たとき日が暮れた。

秋の日は、暮れるとたちまちあたりが暗くなる。駕籠かきは、一たん駕籠を地面におろし棒鼻に結んだ提灯《ちょうちん》に灯を入れた。その間に中間の佐七も、持参した提灯に灯をともした。

提灯に灯を入れている間に、駕籠の外に顔を出した梶川が、又八郎に話しかけた。

「少々遅くなったようだの」

「ご心配いりませぬ」

と又八郎は言った。

「間もなく富士見坂でございます」

駕籠は表六番町の通りから左に曲ったところまできていた。真直《まつすぐ》行けば間もなく坂に突きあたる。

また駕籠が上がって、駕籠は人気《ひとけ》のない武家屋敷の間をすすみ、やがて右に折れて坂にかかった。

「待て」

不意に又八郎は、先を行く佐七に声をかけた。又八郎は後に続く駕籠もとめた。

「何かあったか、青江」

後から細谷が声をかけてきた。そのとき又八郎の感覚に触れてきたものが、提灯の光に黒ぐろと立つ人影になった。二つの駕籠は、いつの間にか十人ほどの人間に囲まれていた。人影は、すべて帯刀し、布で顔を包んだ武士だった。

「これは旗本梶川与惣兵衛《よそべえ》の駕籠だが、そこもとらは何者か」

油断なく駕籠をかばって立ちながら、又八郎は言った。

「夜盗とも見えんが、石黒滋之丞にそそのかされた仲間かの？」

「なに、石黒だと？」

又八郎の声を聞いて、梶川が駕籠を出た気配がした。すると、それまで黙もくと一行を押し包んでいた黒い人影が、一斉に間合をはかるようにしりぞいて身構えるのが見えた。

「待て」

思わず又八郎は叫んでいた。驚愕《きょうがく》に包まれていた。眼の前にいる男たちが、浅野の浪人たちかも知れないという、強い疑惑が又八郎を把《と》えている。そう思わせたのは、梶川の姿をみて、一斉に身構えた男たちから押し寄せてくる、すさまじい殺気だった。

噂《うわさ》だけのものと思っていたものを、いきなり目の前に見た驚きが、まだ又八郎を包んでいる。

「待て、はやまるな」

又八郎は、慌《あわただ》しくもう一度男たちに声をかけ、そばに寄ってきた細谷にも、おれに考えがある、手を出すなと言った。振りむくと梶川と千加、兵部それに佐七と駕籠かきたちが、ひとかたまりに駕籠の後に集まっていた。若い兵部は刀を抜いている。又八郎は、それにも刀を納められよ、と声をかけた。

「そこもとたちに、お聞かせしたいことがござる」

又八郎は一歩前にすすみ、男たちに眼を配りながら言った。

「高家の吉良上野介どのは、近く呉服橋の屋敷を立ちのいて、本所一ッ目に移る。そう決まったのは一昨日ということじゃ」

細谷に聞いた話を持ち出したのは、ひとつの賭《かけ》だった。目の前の男たちが浅野浪人でなければ、言ったことは通じない。又八郎は注意深く男たちを見回したが、黒い人影は無言のまま動かなかった。

「言った意味はおわかりのはずだ。ここでいま斬《き》り合うのは、大事の前の小事……」

又八郎がそこまで言ったとき、男たちに動揺が起こった。男たちは刀から手を放し、黒い布で包んだ顔をつき合わせ、緊迫した気配で何か囁《ささや》き合った。時おり刺すような視線を、又八郎に送ってくる。

やがて男たちの中で、細谷にひけをとらないほど大柄な男が高く手を挙げた。それは又八郎に挨拶《あいさつ》を送ったようにも見えたが、その手が合図だったとみえて、男たちは一人ずつ後じさり、やがて足音もなく闇《やみ》に消えた。

一人だけ、最後まで残ってこちらを注視している男がいた。その男は、ほかの者が姿を消したあとも、じっとこちらを窺《うかが》っていたが、やがて聞きとりにくい罵《ののし》るような声を吐き捨てると背をむけた。

その痩《や》せた長身の背に、又八郎がいきなり声を浴びせた。

「うまく連中を抱きこんだようだが、折角のたくらみを邪魔した。悪く思わんでくれ、石黒滋之丞」

その声に、男が足をとめた。振りむいてゆっくり戻ってくると、男は顔を包んでいた布を引きむしるように捨てた。すると、数日前に淡い月明りの下で見た、幽鬼のような石黒の顔が、提灯の光に浮かびあがった。石黒は、足を小幅に開き、無表情に言った。

「正体を知られていたのでは、逃げるわけにいかんな」

「べつに引きとめはせんぞ」

「いや、結着をつけよう」

不意に石黒は歯をむき出して、憎悪《ぞうお》の表情を露《あらわ》にすると、軽く二歩ほどしりぞいて刀の柄《つか》に手をかけた。その前にずいと細谷が立ち塞《ふさ》がった。その後に介添えする形で構えながら、又八郎は言った。

「奴《やつ》は居合を使うぞ。気をつけろ。出来れば殺すな」

「斬って」

又八郎の声を打ち消すように、叫ぶ声がした。振りむくと千加だった。千加は駕籠わきから、身体《からだ》を乗り出すようにして、石黒を指さし、なおも叫んだ。

「そのひとを斬って、お願い」

千加の叫びが、きっかけになった。地を摺《す》るように石黒の身体が走る。細谷も走り寄っていた。擦れ違うとき、二本の白刃が蛇がからみつくように空間で交わり、鏘然《しょうぜん》と鳴った。すぐ二人は身をひるがえし、むき直ると再び斬り合った。ほとんど同時に斬り下げたように見えたが、膝《ひざ》をついたのは石黒だった。石黒の身体はだんだんに傾き、やがて横転した。刀が地に転がる音がした。

「斬らなければ、こちらが斬られていたぞ。凄《すご》い遣い手だ」

戻ってきた細谷は、顔面から首まで汗びっしょりになり、肩で息をしていた。

その肩を叩《たた》いて犒《ねぎら》いながら、又八郎は千加を見た。千加は、石黒の死骸《しがい》が横たわっているあたりに、虚《うつ》ろな視線を投げて立っていた。そのひとを斬ってと叫んだとき、白面の鬼女のようだった表情は消えている。だが又八郎はその顔を正視出来なかった。千加が、さっき人に見せてはならない、女の底深い場所に棲《す》む生きものを、不用意に見せてしまったのを覗《のぞ》き見た気がしている。

牛込御門の外で、梶川を襲ってきた男のことを話したとき、千加は梶川の身の上を心配していたかも知れないが、つきまとって離れない昔の許婚《いいなずけ》を、今日のように用心棒に始末させることも考えていたのではなかったか。

「さて、送らねばな」

又八郎は細谷を促すと、梶川をふりむいて「駕籠にどうぞ」と言った。

駕籠に入りながら、梶川は言った。

「さすがにご大老が選んだ護衛だけはある。大した腕前じゃな」

「恐れ入ります」

「石黒のことは、すぐに届けて始末するが、さっきの仲間が仕返しにくるようなことはあるまいの」

「その心配はございますまい」

又八郎は少しそっけなく答えた。梶川は状況を把握《はあく》していないようだったが、わけを話して聞かせることはない。

——梶川の用心棒は、これで終ったな。

駕籠脇《わき》について歩きながらそう思ったとき、又八郎は不意にさっき闇の中に消えて行った男たちのことを思い出していた。あの精悍《せいかん》な男たちが浅野浪人なら、彼らの仕事はこれからだな、と思った。その感慨には、胸をしめつけてくるようなものが含まれていた。

一瞬の感傷を振りはらうように、又八郎は頭をふり、ついでに後に続く駕籠を見た。駕籠はひっそりと揺れていて、その中の暗やみで千加が何を考えているかはわからなかった。

夜鷹《よたか》斬《ぎ》り

一

橋本町の口入れ屋、吉蔵《きちぞう》の店を出て、青江又八郎が新《あたら》シ橋の近くまで帰ってきたのは酉《とり》の刻（午後六時）過ぎだった。吉蔵と話しこんで、少し遅くなっていた。

腹が空《す》いていた。今日又八郎は、吉蔵に仕事をもらったのだが、雇主と話が折り合わずもどってきた。そういうとき、吉蔵は納めた世話料の半金を返してよこす。

吉蔵は、仕事の話がうまくいかずもどってきた又八郎を気の毒がり、早速べつのいい仕事を探すと言い、お茶や茶菓子を出してもてなしてくれた。だが親切な吉蔵も、そのうえ晩飯まで馳走《ちそう》するとは言わなかったのだ。

鳥越の裏店《うらだな》にもどって、飯を炊《た》かなくてはならないが、そろそろ米が残り少なくなっている。

――粥《かゆ》でも作るか。

又八郎はそう思って、少し憂鬱《ゆううつ》な気分になった。次の仕事にありつき、手間賃が入るまではそうして喰いつなぐしかないようだった。

「ちょいと、旦那《だんな》」

豊島町の角を、俗に柳原と呼ぶ神田川の河岸に出たとき、不意に呼ばれた。

みると、女が一人立っていた。黒っぽい着物に白帯、頭を白手ぬぐいで包んだ女だった。月の光に浮かびあがった顔も真白で、又八郎は一瞬ぎょっとしたが、すぐに女の正体に思いあたった。

――ははあ、これが夜鷹と申す女か。

白塗りの化粧に顔をかくし、手ぬぐいをかぶり手に茣蓙《ござ》を抱えて辻《つじ》に立ち、男の袖《そで》をひく女たちのことは聞いていた。そういう女たちが夜の町にひっそりと立つようになったのは去年あたりからだという。噂《うわさ》には聞いていたが、見るのははじめてだった。

又八郎は苦笑して、ほっそりした身体《からだ》つきの女を眺めながら言った。

「遊んでやりたいが、生憎《あいにく》金の持ちあわせがない。勘弁してもらおう」

「待ってください、旦那」

女はすばやく又八郎にすり寄ってくると、腕にすがって囁《ささや》いた。

「助けてくださいな。変な奴《やつ》に追われているんです」

又八郎は顔をあげて、あたりを見回した。すると五、六間さきの土手の柳の根もとに、男が一人立っているのが見えた。葉が落ちつくした柳の枝が、月に光って白い糸のように男の頭の上まで垂れさがっている。又八郎は、今日は雇主を求めに行ったために袴《はかま》をつけているが、ふだん町を歩くときは着流ししている。男はいつもの又八郎と同じ風体《ふうてい》、つまり着流し姿だった。浪人者のように見えた。腕組みをして、こちらをむいたまま、じっと立っている。男は又八郎に見られても、顔をそむけなかった。

遠く和泉《いずみ》橋の近くに、二、三の人影が黒くみえるほか、近い場所にはその男しか人の姿は見えなかった。

「変な奴と申すのは、あそこにいる浪人者のことか」

「ええ」

女はちらと柳の方をふりむいてうなずいた。

「こないだからずっとあたしを追っかけてきてるんです。あたしこわくて」

「追われるわけでもあるのか」

女は首を振った。その顔を見て、又八郎はおや、と思った。女をどこかで見かけたことがあるような気がしたのである。

「怪《け》しからん男だな。で、どうすればいい？　追っぱらうか」

「いえ、ただ一緒に帰ってもらえばいいんです。裏店まで」

「裏店？　そなたの家か？」

「旦那、あたしがわかりません？　同じところに住んでいるおさきですけど」

女は肩をすぼめてそう言った。そう言われて、女の正体がはっきりした。しばらく空家になっていた一番奥の家に女が越してきたのは、二十前後の若い女一人だけで、又八郎も知っていた。二月ほど前である。越してきたのは、隣の徳蔵の女房が、漬物をくれにきたついでに、「あたしがにらんだところじゃ、浅草あたりの坊主《ぼうず》か物持ちの、コレだね」などと小指を出して見せたりしたのだ。

女はたいてい家の中に籠《こも》っていて、めったに外に出て来なかった。又八郎は、二、三度裏店の井戸端で顔をあわせただけである。細おもてで、身体つきはほっそりしていたが、豊かな腰のふくらみに色気を感じさせる女だった。その程度の記憶しかなかったが、いま助けをもとめてすり寄ってきたのは、その女だったのである。

「これは、おどろいたな」

と又八郎は言った。眼が細く、頬が痩《や》せてむしろ淋《さみ》しそうな顔立ちだった女が、大胆に化粧していた。すぐにわからなかったのは当然だと思った。

「あんたか。これはおどろいた」

又八郎はもう一度言い、じゃ一緒に帰るかと言って歩き出した。女はならんで歩き、時どきうしろをふり返った。

「まだついてくるかの？」

「ええ」

新シ橋を渡ると、右側に酒井左衛門尉《さえもんのじよう》下屋敷の塀《へい》が続いている。その塀に沿って、右に曲るとき、又八郎もうしろをふりむいてみた。腕組みしたまま、ついてくる浪人の姿が見えた。後をつけていることを、べつに隠すわけでもなく、ゆっくりした足どりでついてくる。のびた月代《さかやき》と、落ちくぼんだ頬が見えた。全体に痩せて、背はあまり高くない男だった。小柄な方かも知れなかった。

だが、それだけに無言でつけてくる男の姿には、どこか無気味な感じがあった。

二

「つけられるからには、なにか心あたりがあるだろう」

と又八郎は言った。おさきを家にとどけ、上がれと言われて飯を馳走《ちそう》になったあとだった。億劫《おつくう》だった飯の支度もせずにすみ、腹が満ち足りて、又八郎はゆったりした気分になっていた。

　又八郎が、まだ晩飯を喰っていないと知ると、おさきはかいがいしく台所に立って飯を炊《た》き、漬物をきざみ、買い置きの干物《ひもの》を焼いて喰わせたのだ。夜鷹《よたか》の稼《かせ》ぎをかじるようで、又八郎は少々気がひけたが、飯はうまかった。おさきは案外に家の中のことをまめにやるたちのようだった。部屋の中もきちんと片づいていた。

「それが、さっぱりわからないんですよ」

　おさきは、盆にのせて茶をさし出しながら言った。化粧をおとして、さっぱりした顔になっている。おとなしそうな顔で、さほど美人というわけではないが、おさきの顔にはどこか隠れた色気のようなものがあった。男と寝る商売をしているせいかも知れなかった。

「さっきの男に見おぼえは？」

「べつに」

　おさきはうつむいて自分も茶をすすりながら言った。

「あたしらのような商売をしていると、いろんな人が来ますから。商人《あきんど》も職人さんも。お侍だって来ますし、博奕《ばくち》打ちだなってわかるようなひとも。いちいちおぼえちゃいないんですよ」

「あとをつけられたのは、いつごろからかな」

「十日ほど前なんです」

　と言っておさきは指をくった。

「あたし、いつもは一ツ目の弁天さまのあたりで商売をしてるんです。ところが十日ほど前に、さっきの男が物かげからじっとあたしを見ているのに気づいたんです。商売が終って帰ろうとしたら、またあの男が姿を現わしたもんで、あたしこわくなって、仲のいいお杉さんに頼んで、ここまで一緒に帰ってもらったんです」

「………………」

「その晩はお杉さんにここに泊ってもらいました。両国橋から、鳥越橋まで後をつけられて、そのあとは二人で駆けて戻りましたけど、こわかったんですよ」

「妙だな」

「とにかくそれから毎晩のようにやってくるんで、気味が悪くて。ええ、べつにあたしや、ほかの人と寝ようってわけじゃないんですから、あたしを見張りに来てるんですよ」

「………………」

「それで、昨日から取締りの姐《ねえ》さんに頼んで商売の河岸《かし》を変えてもらったんです。それで昨日はなんともなかったんですが、今夜またやってきたんですよ。ねえ、旦那《だんな》」

おさきは逆に又八郎に聞いた。

「あのひと、なんであたしをつけまわしたりするんでしょ？」

「おまえにわからんものが、おれにわかるわけはない」

又八郎は茶を啜《すす》りながら、そう言った。そうやって、真赤に火がおこっている長火鉢をはさんで女とむかい合って話していると、女の旦那にでも納まって、相談ごとを受けているような気がしてくる。話していることは深刻なはずだが、あまり深刻な気がしなかった。

「その、はじめて男がやってきたと言ったな。そのころに何かあったはずなんだが、気づかなかったかな」

「…………」

「そうか、わからんか」

おさきは浮かない顔をして、うつむいて火鉢の火を見ている。その姿をみて、又八郎はふっと哀れになった。思いついて言った。

「わしもこのところひまだから、なんだったらおまえの用心棒についてもいいぞ」

「まあ、旦那」

おさきは顔をあげて、眼をまるくした。

「そんな、もったいない。よござんすよ。夜鷹ふぜいが、旦那を用心棒に頼むなんて、そんなこと出来やしません」

「いや、次の仕事が見つかるまでさ。用心棒だから手当てを頂けばいいだろう。毎晩飯を馳走になるということで、どうかな」

「…………」

「迎えに行ってやろう。そうすれば危ないこともないだろうし、あの男が何をたくらんでいるかも、おいおいわかってくるだろう」

「すみません、旦那」

おさきは又八郎の顔をじっと見つめたが、不意に身体《からだ》を横に向けて、袖《そで》をたぐると顔を埋めた。

「そう恐縮せんでもよい」

又八郎は刀を摑《つか》んで立ち上がりながら言った。

「これも仕事のうちだ。それも今夜のようなうまい飯が喰えるとなれば、悪い仕事じゃなさそうだ。あの男のことは、様子をみてけりをつけてやる。安心していいぞ」

おさきの家を出て、自分の家に戻ると、又八郎は布団《ふとん》を敷いてすぐに寝た。炭もまだ買っていなかったし、寒い部屋に一人起きていても仕方なかった。

闇《やみ》の中に眼を開いていると、さっきの浪人の顔が浮かんできた。又八郎に見られても、眼をそらさずに、ひややかに見返してきた。

——薄気味の悪いやつだ。

だが、あの浪人者が、なにをたくらんでおさきに接近してきているのかは、皆目見当がつかなかった。

浪人者の連想から、又八郎は国元からくる刺客のことを思い出していた。家老大富丹後は、すさまじい剣を使う刺客を向けてよこした。大富が又八郎に藩主謀殺の計画を知られたと思っていることは、それであきらかだった。又八郎は、死闘の末一人を殺し、一人を不具にしている。だがそのあと刺客はしばらく現われていなかった。むろんほかに、国元から何の便りもあるわけではなかった。

あまりに何ごともない日が続くと、藩からも事件からも、ひとり取り残されてしまったように、心が苛立《いらだ》つようだった。そういうある日、又八郎は危険を承知で、芝にある藩の江戸屋敷をのぞきに行ったことがある。編笠で顔をかくし、用心はした。

小藩の江戸屋敷はひっそりしていて、商人ふうの男たちが二、三人、又八郎が見ている間に門を出入りしただけで、しごく穏やかなたたずまいに見えた。

あれは悪夢か、と又八郎はそのとき一連の出来ごとを思い返したのだった。だが夢であるはずはなかった。脱藩するとき又八郎は許婚《いいなずけ》の父親を斬《き》っているし、故郷の家には、年老いた祖母がいる。祖母と許婚の由亀《ゆき》のことは、常に又八郎の心にひっかかって離れないことだった。

そして大富家老は、思いたって手をつけたことを、途中で投げ出すような人間ではなかった。意志強固で冷静な人物として知られている。藩主壱岐守《いきのかみ》の生死は不明だが、生死いずれにしても、秘事を知った又八郎を、そのままにしておくはずはなかった。

——刺客は、また現われるだろう。

又八郎はいまもぼんやりそう思った。きりのない争闘のようだった。だがそれは由亀が父のかたきと名乗りかけて、自分の前に現われるまで続けなければならない闘いだった。どのような手ごわい刺客が現われようと、その前に死ぬわけにはいかなかった。

考えているうちに、又八郎はうとうととしたようだった。だが、その物音がしたときには眼ざめて、枕《まくら》もとの刀を摑んでいた。

入口の戸が少しずつ開いて行く。又八郎は半身を起こし、ついで床の上にあぐらをかいて刀を引きつけた。黒い人影が土間にはいりこみ、今度は静かに戸を閉めた。又八郎はいつも部屋と入口の間の障子を開いておく。入ってきた者の動きが見えた。女だった。匂《にお》いでわかった。

女は手さぐりで、部屋に這《は》いあがってきた。そのときには、又八郎は相手がわかっていたが、まだ刀を握っていた。まさかおさきが刺客であるはずはないと思ったが、深夜家の中にはいり込んできた者に、警戒をゆるめるわけにはいかなかった。

「旦那」

しきいぎわに坐《すわ》ると、おさきが囁《ささや》くように声をかけた。

「もう寝たんですか」

「いや、起きている」

「ああ、よかった」

おさきは膝《ひざ》でにじり寄ってきた。闇が、女を大胆にしているようだった。布団を手さぐりして、又八郎の膝にさわると、いきなり身体を投げかけてきた。だが手が刀に触れたらしく、きゃっと言った。

「これ、なに？」

「刀さ」

「こわい」

おさきは刀を手でどけると、深ぶかと又八郎の胸に身体を投げ入れてきた。熟した女の匂いが又八郎の顔を包んだ。又八郎は刀を投げ出して、その身体を抱いた。痩《や》せているように見えたが、抱いてみると、しなやかにはずむ身体だった。

「どういうつもりかの」

「前金をはらおうと思ってきたの。夜のご飯だけじゃ申しわけないもの」

「志《こころざし》はうれしいが、その斟酌《しんしゃく》はいらなかったぞ。わしはそれほど欲張っておらん」

「うそ。前金なんてうそ」

おさきは又八郎の首に腕を巻いた。熱い腕だった。

「旦那に、はじめて会ったときから、岡惚《おかぼ》れしてたんです。一度でいいから旦那のような方に抱いてもらいたいって」

おとなしそうに見えたが、おさきはやはり娼婦《しょうふ》だった。たくみな口説をもっていた。

又八郎が無言でいると、おさきは不意に胸を離した。

「それとも、夜鷹なんか抱くのはいやですか」

「…………」

「汚なくないんです。あれから湯屋に行ってきましたから」

又八郎はおさきを抱きよせた。可憐《かれん》なことを言うものだ、と心をゆさぶられていた。

おさきが強くしがみついてきた。

三

「そろそろ行かんとな」

又八郎はそう言って、立ち上がろうとした。すると細谷源太夫《げんだゆう》が、又八郎の腰をつかんで力強くひっぱり坐《すわ》らせた。さっきから何度かそういうことを繰り返している。

居酒屋の親爺《おやじ》が、そういう細谷を、板場から顔をつき出してあきれたように眺めている。その親爺に細谷は、親爺、酒だとどなった。

「なにをそう、そわそわしておる。少し落ちつかんか」

と細谷は喚《わめ》いた。顔は猿のように真赤に染まっている。

又八郎は、日暮れに橋本町の吉蔵をたずねた。夜、戌《いぬ》の刻（午後八時）過ぎにおさきを柳原まで迎えに行くようになって、三日経《た》っているが、いつまでも夜鷹《よたか》の用心棒で喰っているわけにはいかなかった。思わしい仕事が見つかれば、おさきの方はケリをつけて、少しまとまった喰い扶持《ぶち》を稼がなければならない。

吉蔵と話していると、細谷が来た。細谷はすでに少し酒が入っていて、景気がよさそうに見えた。本所にある旗本屋敷に雇われて、楽をしていると言った。べつにあぶない仕事をするわけでもなく、昼の間から酒を飲んだりするが、それでいて手当てはよく、こたえられないとえびす顔だった。その細谷に奢《おご》ると言われて酒をつき合っているのだが、思ったよりも時が経っている。

「おれの奢りだ。遠慮なくやってくれ」

細谷は又八郎の盃《さかずき》に酒を注いだ。

「いや、折角だがおれはこれから仕事がある」

「仕事だと？　おっつけ戌の刻が過ぎるぞ。これから何の仕事だ。まさかおぬし、喰いぱぐれて夜盗を働いているわけではあるまい」

「まさか」

又八郎は苦笑した。

「用心棒だ」

「どこの用心棒だ？」

「知り合いの夜鷹がおっての。これが、ちとこわい思いをしておる。それで用心棒を買って出た」

「夜鷹に雇われたと？」

細谷はあっけに取られた顔をし、それから飯台をどしんと叩《たた》いて笑い出した。又八郎は憮然《ぶぜん》とした顔で、細谷が笑いやむのを待った。

「それで？」

細谷は笑いやんで、盃をあけると又八郎の顔をのぞいた。

「その夜鷹が手間をくれるのか」

「うむ。晩飯を馳走《ちそう》になる約束だ」

「よせ、よせ」

細谷は言った。

「そんなことなら、いまおれがいるところに来ないか。腕の立つ人間なら、まだ二、三人は欲しいと言っておるぞ」

「腕の立つ人間？」

又八郎はふと聞きとがめた。

「おぬし、さきほど旗本屋敷と申したが、何という旗本だ、そこは？」

「それがはっきりせん。妙な家での。浪人者が十人足らずいて、ま、申せばぼんやりと酒を飲んだり、飯を喰ったりしておる。用というのは、そのときが来たら申し渡す、とこうだ」

「吉蔵に言われて行ったのか」

「むろん、そうだ」

「吉蔵は、雇主の名を言ったか」

「いや、行けばわかると申したな」

「で、そこへ行ってみたら、五十過ぎの風采《ふうさい》が立派で、赤ら顔の侍が出てきて応対しただろう。その場所というのは、築地《つきじ》にある料理屋だ」

「おぬし、よく知っておるのう」

細谷は酔眼をみはった。

「なぜ、そんなことまで知っておる？」

「それは、おれがことわったところだ。吉蔵は何も言わずに、おぬしに回してやったらしいな」

又八郎は立ち上がった。細谷は今度は又八郎をつかまえなかった。あっけにとられた顔で、又八郎を見上げている。

「なんであんないいところをことわった？　おい。わけがあるのか」

「いいところ？」

入口まで歩いて又八郎は、細谷をふりむいた。

「うさんくさいと思わんか。雇主の名も知れん。何の仕事かもわからん。それで、手当てがよく、飲みたければ酒も飲ませる。おかしいと思わんか。おぬしに会った赤ら顔の侍は、自分の名を名乗ったか」

「そういえば名乗らなんだな」

「それみろ。そのうち何をやらされるか知れたものじゃないぞ。ことわるなら、いまのうちだな。もっとも、だいぶただ酒を喰らってしまったらしいが」

又八郎は言い捨てて外へ出た。おい青江、ちょっと待て、という細谷の声がしたが、又八郎はかまわずに居酒屋を後にした。

夜の町を、又八郎は急ぎ足に歩いた。おさきと約束してある時刻より、だいぶ遅れたことがわかっていた。細谷と話している間は、それほどにも思わなかったが、外へ出て一人になると、そのことが、急に取り返しがつかないことをしたように思われてきた。又八郎は走り出した。

心細げに土手のひとところにたたずんでいるおさきの姿が見えてくる。そしてその姿をじっと眺めているあの薄気味悪い浪人者も。

又八郎は柳原土手に出ると、足をゆるめて大またに左に歩いて行った。

曇り空だが、月がのぼっているので、あたりはぼんやりと見えた。その薄闇《うすやみ》の中に、うごめいている人影が見えた。一人や二人ではない。柳の幹に寄りかかったり、根本にうずくまったりしている女たちだった。歩いて行くと、高い枯草のかげで、不意に男女のしのび笑いが聞こえたりした。

女たちは、眼ざとく又八郎を見かけて、媚《こび》をふくんだ声を投げた。

「お侍さん、遊んでいかない？」

「安くしとくよ。もう今夜はおしまいだから」

いつもおさきが立っている場所まで行ったが、おさきはいなかった。又八郎はそのあたりにいる女たちの顔をのぞいて歩いた。白い面のように白粉《おしろい》をぬりたくった女たちは、又八郎にのぞきこまれると、にっと笑って身体《からだ》をくねらせた。

「誰か探してんの？」

「もしかしたら、あたしのことじゃないかしら」

「誰がお前のようなおかちめんこを探すかよ」

又八郎はくすくす笑っている女たちに近づいて言った。

「おさきを知らんかな。いつもこのあたりに出ているのだが……」

「ほら、みなさいよ。あんたなんかじゃないんだから、旦那《だんな》が探してんのは」

聞かれた女は、後にいる女にふざけた口調でそう言い、又八郎に向き直って言った。

「おさきちゃんなら、帰ったよ」

「帰った？」

「そろそろ人が迎えにくるんだって、なんか嬉《うれ》しそうにして帰ったけど。迎えっていうのは、旦那のことだったの？」

又八郎は、女の言葉をおしまいまで聞かなかった。刀を押さえながら走った。新《あたら》シ橋まで来たが、そのあたりには人影は見えなかった。又八郎は橋を駆けぬけた。酒井の下屋敷の黒板塀が薄闇の中に続いている。又八郎は塀に沿って走り、角を曲った。

そのとたん、何かにつまずきそうになって、大きく横に飛んだ。つまずきそうになったものは、そこに倒れている人間だった。少しはなれたところに、白い手ぬぐいが落ちている。

「おさき……」

又八郎は呟《つぶや》き、死体のそばにしゃがんだ。血の匂《にお》いがあたりに立ちこめていた。脈を探り、鼻腔に手をかざしたが無駄だった。又八郎は顔をあげて、あたりを見回した。深夜の道があるばかりで、人の気配はしなかった。

四

又八郎が、一ッ目橋に近い弁天社に出かけたのは、十月も半ばを過ぎたころだった。日暮れ前から風が吹き出して、寒かった。

こんな日は、女たちは出ていないかも知れないと思ったが、門前の茶屋の後とか、大川の河岸のあたりに、さりげなくぶらついたり、立ったりしている女たちがいた。まだ人の顔がぼんやり見える時刻で、風に吹かれてそうしている女たちの姿がわびしく見えた。

一人の女に近づいて、又八郎はお杉という女がいないかと聞いた。

「お杉に、何の用があるのさ」

聞かれた女は、警戒するように又八郎を見てそう言ったが、死んだおさきのことで話したいことがある、と言うとうなずいた。そして、しゃがれ声で、ついておいでよと言った。

女は又八郎を弁天社の裏側に連れて行った。するとそこに四、五人の女たちがかたまってお喋《しゃべ》りをしていた。ここで待っていて、と言って案内してきた女は女たちのかたまりに入って行ったが、やがてぽっちゃり肥《ふと》った女を連れてきた。

「お杉だよ」

そう言うと、しゃがれ声の女は、さっさと河岸の方にもどって行った。

「何か用?」

お杉は上眼づかいに又八郎を見て言った。白帯をしめ、手ぬぐいで顔を包んでいる姿が、おさきを思い出させた。

「おさきのことで話があるんだが、寒かったら茶屋にでも行くか」

「話ならここでしてよ」

とお杉は言って、うしろをふり返った。さっき一緒にいた女たちが、垣根のそばからじっとこちらを見ている。お杉は女たちに気がねしているように見えた。

「あたしはべつに寒くないから」

「そうか。それでは聞くが、おさきが死んだのは知ってるな」

「ええ、こないだ聞いたよ。びっくりしちゃったよ。殺されたんだって?」

「そうだ」

「誰に殺されたのさ」

「それをお前に聞こうと思って来たのだ」

「あたしに？」

お杉は又八郎を見上げて、眼をいっぱいに開いた。

「あたしが知ってるわけがないよ」

「おさきを殺したのは、浪人者だ。背は小柄な方で、痩《や》せて頬がこけている。年は、そうだな……」

「ああ、あいつのこと？」

お杉は思い出したようだった。

「そうだ。お前も見て知っているあいつだ。あの男は、おさきがここから柳原に移ると、そっちまで追いかけて行って、とうとう殺してしまったのだ」

「かわいそうに、おさきちゃん」

お杉が呟《つぶや》いた。

「確かに、あわれな女だった。そこでだ。あの浪人者は、おさきに何かを見られたか、聞かれたりして、それが人に知られてはならないことだったので殺したのではないかと思うのだが、お前に聞きたいというのは、そのころ何かそうした変ったことがなかったかな」

「そう言われても、あたしにはわからないな」

「簡単に言わずによく考えろ。おさきが家に戻るところを、あの男につけられたのは、柳原に移る十日ほど前のことだ。そのときおさきは、こわくなってお前に一緒に家まで帰ってもらったと言っていたが、そうだったんだな」

「そう。あのときのことはおぼえてるよ」

「その晩か、でなかったらその前の晩あたりに、何かあったはずだ。どうかね。お前はおさきと仲よしで、いつも一緒にいたらしいが、なにか思いあたることがないかね」

「さあ」

お杉はうつむいて考えこんだが、やがて顔をあげると首を振った。

「よくおぼえていないんだよ。あたしは頭が悪いから、すぐ忘れちまうんだよね」

「そうか」

又八郎は腕組みをといて、懐《ふところ》から巾着《きんちゃく》をつかみ出すと、十文ほどお杉に渡した。

「寒いところをすまなかったな。これは駄賃だ、受けとってくれ。もっとやりたいが、わしも貧乏でな」

なにもおぼえちゃいないのに、お金頂いちゃ悪いね、と言いながら、お杉はいそいで金をしまった。

又八郎は、一ツ目橋から両国橋にむかって歩いて行った。橋のたもとのあたりにも、手ぬぐいで顔をかくした女が立っていて、又八郎をみると寄ってきて声をかけたが、その気がないとわかると、低く鋭い声で罵《ののし》ってはなれて行った。寒さで気持が苛立《いらだ》っているのかも知れなかった。

——おさきも、あんなふうだったのかな。

と又八郎は思った。気のない浪人者に誘いをかけ、悪態をついたので殺された、と考えてみた。

だが又八郎は首を振って、すぐその考えをはらいおとした。それで男が怒ったのなら、その場で殴るか斬《き》るかするだろう。あんなふうに、どこまでもつけ回したりするはずがなかった。第一おさきは、いまの女のように乱暴な口をきいたりはしなかっただろう。

——あれは、おとなしい女だったのだ。

忍んできて抱かれた翌朝のおさきのことを、又八郎は思い出していた。又八郎が顔を洗いに井戸端に行くと、ちょうど米をとぎ終って帰るおさきに会った。米を入れた笊《ざる》を抱えたおさきは、又八郎を見ると赤くなって立ちすくんだ。娘のような羞《は》じらいが、おさきの身体《からだ》を包んでいた。

やあ、と又八郎が声をかけると、おさきは呪縛《じゅばく》をとかれたように歩み寄ってきた。そしてすれ違いざまに、

「ゆうべは、ごめんね」

と、囁《ささや》いて通りすぎたのだった。

橋の欄干を、夜の風がもの悲しく鳴らして通りすぎる。又八郎は悔恨に胸を嚙《か》まれるのを感じた。

――くっついていれば、死なせはしなかった。

またそう思った。同時に、一瞬の隙《すき》をついて、おさきを殺して去った浪人者に対する怒りが胸によみがえってくる。

少し高をくっていた気味がある、と又八郎はまた自分を責めた。薄気味の悪い浪人者だとは思ったが、まさかうむを言わせずおさきを殺すとまでは考えていなかったのだ。ああして殺したからには、やはり何かわけがあったのだ。そこまで察知出来なかったのは、用心棒として判断が甘かったというしかない。

「もし、旦那《だんな》」

後ろから呼ばれて、又八郎はふりむいた。お杉の声だった。立ちどまって待っているると、女が追いついてきた。やはりお杉だった。

「ああ、間に合ってよかった」

とお杉は言った。よほどいそいで駆けてきたらしく、お杉は息をはずませていた。

「どうした？　何かわかったかの」

「思い出したことがあるんだよ」

と言って、お杉はああ苦しいと胸を叩《たた》いた。

おさきとお杉が、その二人連れの侍とすれ違ったのは、半月ほど前の夜のことである。場所は回向院《えこういん》の門前のあたりだった。遅い時刻だった。

前から来たのが、武家だったので、お杉は袖《そで》を引く気もなく何気なくすれ違った。一人は羽織袴《はかま》のきちんとした侍で、一人は着流しの浪人姿だったことぐらいしかおぼえていない。

擦《す》れ違って間もなく、おさきが言った。

「ちょっと、いまのお侍に声をかけてみるよ」

「よしなよ、脈がないよ」

とお杉は言った。二人連れの侍は、何ごとか熱心に喋りながら通りすぎて、見すぼらしい夜鷹《よたか》二人には眼もくれなかったのだ。

「ものは試しさ」

おさきはにっと笑うと、足ばやに後を追って行った。二人とも、その夜は仕事にあぶれていた。

——ひっかかりゃしないよ。

追っかけて行ったおさきを、のろのろした足どりで追いながら、お杉はそう思った。そういうツキのない夜というのが、月のうち何度かはあるものなのだ。

はたして、一ツ目橋まで行くと、月に照らされておさきが立っていた。おさきはお杉が追いつくと、テレ笑いしながら言った。

「ふられたよ」

「そうだろ。言わないこっちゃないよ」

二人は並んで一ツ目橋を渡った。お杉はくたびれて、口をきくのも億劫《おっくう》になっていた。おさきが一人で喋っていた。

「いそがしいからダメだって」

「…………」

「大石って人が、間もなく江戸に来るらしいのね」

「あんたにそう言ったの？」

「まさか。追いついたときに、そう言うのが聞こえたんだよ」

「上役かなんかがくるんで、いそがしいんだよ。夜鷹どころじゃないんだろ」

とお杉は言った。それだけのことで、お杉はその夜のことをずっと忘れていたのである。

「思い出したというのはね、旦那。おさきちゃんをつけ回していた浪人者というのは、あの晩会った二人の侍のうちの一人だったような気がするんですよ」

「間違いないか」

と又八郎は言った。気持がひきしまるのを感じていた。お杉の言うことが本当なら、それはあの浪人者をさがし出す最初の手がかりかも知れなかった。

「間違いないかって言われると、ちょっと自信がないけど」

「いや、有難うよ。大そう役に立つ」

「旦那」

お杉がためらうように言った。

「旦那はお上《かみ》の仕事をしている方ですか」

「そう見えるかの？」

「いえ、そうは見えませんけど、でもおさきちゃんを殺したやつを探しているんでしょ」

「そうだ。じつを申すとな。わしはおさきに用心棒に雇われていたものでな」

「旦那を、おさきちゃんが？」

「さよう」

又八郎は重おもしく言った。

「ところが、ちょっと油断したために、雇主を死なせてしまった。だから探し出して、遅まきながら、仕返ししてやらねばならん」

お杉は茫然《ぼうぜん》と又八郎の顔を見ている。

「また回ってくるが、あの男を見かけたら知らせてくれ。どっちからきて、どっちへ行ったかを知らせてくれれば有難い」

お杉と別れると、又八郎は風に吹かれながら橋を歩きはじめた。

——やっぱり、つながりがあったのだ。

又八郎はそう思っていた。おさきは思い出せなかったが、お杉のいまの話によれば、おさきをつけ回していたのは、回向院門前で会った二人のうちのひとりで、後を追いかけて行ったおさきは、そのとき彼らが話していた何かを聞いてしまったのだ。それは聞かれたことを覚《さと》った彼らが、おさきを殺さねばならなかったほど、外に洩《も》れてはならないことだったのだ。

——大石とは何者だ。

その人間が江戸へ来ることをおさきは聞いたのだ。だがそれだけでは、何のことかわからなかった。男たちは、多分、それに続いてもっと何か喋ったに違いないという気がした。その何かを、おさきが聞いたかどうかはわからない。だが彼らが、後から追いついてきたひとりの夜鷹にそれを聞かれたと思い、殺したことは確かだと思われた。彼らが何を喋ったのか、おさきの口から聞きたいと又八郎は思った。そうすればそこから糸のたぐりようもある。だが、それは出来ない相談だった。おさきは身よりもない無縁仏として、寿松院の墓地の隅に眠っていた。

五

又八郎は、夜の本所の町をゆっくり歩いていた。時刻はそろそろ戌《いぬ》の刻（午後八時）近いだろうと思われた。あたりは武家屋敷ばかりで、提灯《ちょうちん》をさげた人間に時どき出会うだけで、ひっそりしている。

低い空に新月がかかっていて、提灯がなくとも歩き辛《づら》いようなことはなかった。淡い光が、道と左右に続く武家屋敷を照らしている。

——細谷はどうしているかな。

とふと思った。旗本屋敷に雇われたと言っていたが、場所はおよそこのあたりになる、と又八郎は思った。

橋本町の吉蔵の家の近くで一杯飲んでから、又八郎は細谷に会っていなかった。会うどころか、細谷のことは思い出したくもない気持のまま、十日ほど経《た》っている。あの酔漢のために、おさきを死なせてしまったという気持があった。あのバカが、あんなふうに引きとめなければ、おさきの迎えに間に合ったのだと思うと、細谷が憎く、死んだおさきに憐《あわ》れみがつのった。

細谷のことを思い出したのはひさしぶりだった。だがあれから十日も経って、細谷がまだその屋敷に雇われているかどうかはわからなかった。一杯飲んだとき、うさんくさい屋敷だから早いところやめたらよかろう、などと又八郎は忠告したが、細谷がその忠告に従ったかどうかはわからない。

又八郎は以前に一度、吉蔵に世話してもらって、雇主の名前がはっきりしないところに用心棒として雇われたことがある。雇主の正体がはっきりしないというのは気味が悪いことだったが、手当てがばかによかった。又八郎は一緒に雇われたほかの四人の浪人たちと、ある屋敷で何日か過ごしたあと、ある人物が乗る駕籠《かご》を警護して相州に行った。ところが、向うに着いたとたんに、一団の武家に襲撃され、ほうほうの体《てい》で江戸へ逃げ帰った。いつの間にか、ある大身《たいしん》の旗本の家のお家騒動に巻きこまれていたのである。しかも吉蔵に問いただすと、又八郎ら浪人者は、悪玉の方に加担していたのであった。

以来又八郎は、雇主の素姓《すじよう》も明かせないような仕事は出来るだけ引きうけないようにしていた。男一人が、喰って着て寝るだけのことに、それほど手を汚すことはないという気がしている。

だが用心棒風情《ふぜい》が、あまりきれいごとを言っていると、たちまち喰えなくなることも事実だった。口入れの吉蔵は、おおよそのところは親切な男だが、そういう事情も見抜いていて、ときには平気な顔で得体が知れない仕事を押しつけてくることがあった。吉蔵はむろん雇主の方からも口銭を取る。いかがわしい仕事に限って、口銭の額も多いらしかった。

細谷が雇われた先を、又八郎はどことなく前のお家騒動のときと似ている気がして、きっぱりことわったが、結果はみじめで、夜鷹《よたか》のおさきの用心棒にまで落ちぶれている。

細谷に一応の忠告はしたが、細谷は秋口にまた子供が生まれて、いまや六人の子持ちである。手当てがよく、しかも好物の酒までふんだんに飲めるという雇われ先を、細谷が簡単にあきらめたとは思えなかった。細谷はいまごろ、どこかこのあたりの屋敷の奥で、赤い顔をしてオダを上げているかも知れなかった。

そう思うと、又八郎はこうしていつ出会うというあてもない浪人者を探して、夜の町をさまよっている自分をみじめに感じ、その分だけ猿のように赤い顔を光らせて、大声で弁じているに違いない細谷を憎んだ。

又八郎はいま、昼の間浅草にある寺の普請《ふしん》工事に雇われていた。力仕事だった。そして夜は東両国界隈《かいわい》をうろついて、おさきを殺した浪人を探していた。寿松院裏の家に帰るのは、亥《い》の刻（午後十時）になる。疲れて家に戻ると泥のように眠る。朝まで一度も目ざめなかった。

――これでは、刺客に襲われたらひとたまりもないな。

と時どき思う。しかし浪人探しを途中で投げる気にはなれなかった。おさきを死なせた悔恨はまだ胸の底にうずいていた。おさきが住んでいた家には、数日経たずして若い職人夫婦が入ってきたが、又八郎の胸はそういうことにもうずくのだ。おさきという女の薄命さが哀れだった。一度肌をあたためあったことがあるだけに、又八郎の思いはしめりがちになる。

又八郎は、日暮れに裏店《うらだな》にもどって、人足のようないで立ちから浪人者に戻ると、橋を渡って東両国にくる。そのあたりに又八郎を惹《ひ》きつけるのは勘だったが、おさきが東両国から柳原に移ったとき、すばやくそこまで後を追ってきたところに、その浪人が夜鷹の動きを知っている感じがあった。

又八郎は一度お杉やほかの女たちにも確かめてみたが、その浪人に聞かれておさきが柳原に移ったことを喋《しゃべ》ったものはいなかった。とすると、浪人は夜鷹の動きを見馴《みな》れている本所の人間である可能性があるのだ。

又八郎は、時には柳原にも出かけ、本所吉田町にも行ってみる。しかし又八郎が探す浪人を見かけたという者はいなかった。柳原では何人かの女は、おさきにつきまとっていた浪人を見かけたのだが、おさきが死んだあと、その浪人は一度も柳原に現われていなかった。あきらかに浪人はおさきの命を奪うために、柳原に現われたのだ。おさきの恐れは正しかったのだと又八郎は暗然とする。女たちに会って話している間に、話がおさきの素姓にふれることがあったが、誰もほんとのところは知らなかった。おさきはいい店の嫁だったのだという者もいたし、子供のころから岡場所にいたのだという者もいた。そういう話も又八郎の胸を暗くした。

東両国から、少しずつ輪をひろげるようにして、又八郎は毎晩本所の町を歩いていた。時どき浪人姿の者に会うことがあったが、あの男ではなかった。又八郎も浪人、細谷源太夫も浪人だった。浪人など巷《ちまた》にくさるほどいるのだ。

——お。

又八郎は立ちどまった。前方の横丁から走り出た黒い人影が、みるみる近づいたと思うと、七、八間先の路上でふっと消えた。すばやい動きだったが、又八郎はその人影が、天水桶《てんすいおけ》の陰に巧みに身をひそめたのを見ていた。そこは町家で、低い軒が続いている。

又八郎は前と変りないゆっくりした足どりで歩いて行った。すると同じ横丁から、今度は侍姿の男たちが、あわただしい足どりで路上に出てきた。四、五人いた。

「おい、あれだ」

声が聞こえ、男たちは又八郎を目がけて、どっと走り寄ってきた。中の二人は白刃を提げていた。又八郎と男たちは、丁度黒い人影が隠れている天水桶の前のあたりでぶつかった。殺気立った顔で又八郎を見つめているのは、どれも浪人風の男たちだった。

「これは人違いしたらしい。失礼した」

と、頭分《かしらぶん》らしい男が言い、白刃を下げていた者が刀を鞘《さや》におさめた。

「失礼ついでにおうかがいしよう。おぬし、この道で人に逢《あ》わなんだか」

「………」

「黒ずくめのなりで、覆面した男じゃ」

「その男なら……」

又八郎は男たちを見回した眼を、後ろにむけて言った。

「この先で出逢った。追っても無駄だろう。あっという間に走って行ったぞ」

追え、と又八郎に口をきいた男が言い、男たちは走り去った。男たちが、さっき又八郎が曲ってきた町角を曲るのを見送っていると、背後に声がした。

「かたじけのうござった。恩に着る」

渋い声音《こわね》の武家言葉だった。又八郎から少し離れたところに、黒ずくめの衣裳《いしょう》に身体《からだ》を包んだ男が立っていた。短い刀を一本さしている。これは忍びか、と又八郎は思った。中背だが、がっしりした身体つきの男で、顔は覆面に包まれて見えなかった。

――間をはずしておる。

男は、又八郎と斬《き》り合いにならないほどの間をあけて立っていた。又八郎がうなずくと、男は軽く手をあげて背を向けた。その背に又八郎は低い声をかけた。

「おぬし、夜盗か」

男はふりむいて、鼻を覆《おお》っていた黒い布を押しさげた。高い鼻と、ひきしまった口が見えた。その口を男は微笑で崩したように見えた。

「さよう、夜盗といえば夜盗。ひとの話を盗み聞きして参った」

快活な笑い声を残して、男はもう一度背をむけると歩き出した。ほとんど一直線に見えるすばやい足どりで遠ざかって行った。

六

又八郎が、晩飯を喰っていると、入口に人声がした。

「おるか？」

声は細谷源太夫だった。

「おるぞ。入って来い」

又八郎が言うと、履物をぬぐ気配がして、やがて障子があき、細谷の大きな身体がぬっと入ってきた。

「や、飯か」

「うむ。飯を喰って出かけるところだ」

又八郎はかまわずに飯を喰いながら言った。細谷はその前にどしりとあぐらをかいた。

「どこへ行く？　仕事か」

「むろん、仕事だ」

「まだ夜鷹《よたか》の用心棒をやっとるのか」

「いや、あの女は死んだ」

「死んだと？」

細谷は眼を丸くした。

「殺されたか？」

「さよう。それにはおぬしも半分の責任がある」

「何を言う」

細谷は口をとがらした。

「おれは夜鷹など知らん」

「知らんだろうが、わしが女を送りに行くと申したら邪魔した」

「おれが？」

「吉蔵の店の近くで飲んだときだ。酔いどれのくそ力でわしを引きとめたろうが……」

「や、思い出した」

細谷の髭面《ひげづら》に赤みがさした。

「そのときにやられたのか、女は」

「さよう。わしにも油断があったが、おぬしもあの晩はしつこかった」

「すまん」

細谷は頭をさげた。

「それはすまんことをした」

「いや、そう詫《わ》びることはない。事情はそうだが、やはりわしの油断が祟《たた》った」

「それで、殺した奴《やつ》はわかったのか」

「わかれば、生かしてはおかん。それがわからんので、こうして毎晩探しに行くわけよ」

「ふーむ。仕事というのは、そのことか」

「おぬしの方はどうだ？　まだ例のところにおるのか。飲んで喰えて、手当てのよいところに」

「それだ」

細谷は小ゆるぎしてあぐらを組み直した。

「困ったことが起きた。それでひとつ相談に乗ってもらおうと思ってやって来た」

待て、それでは茶を淹《い》れようと又八郎は言った。飯を喰い終ったあとを台所に運び、茶の支度をして部屋に戻ると、細谷はうつむいて火鉢の灰を掻《か》きならしていた。大きな背をまるめて、どことなく悄然《しょうぜん》として見えた。

「相談というのは何だ」

「仕事の中味がわかった。それが、ちと気にくわん」

「いまごろそう言っても遅かろう。さんざん飲み喰いした後ではな」

「そのとおりだ。それで困っているわけだが、気にいらんものはどうしようもない」

「仕事というのは何だ」

「人殺しよ」

「ほほう」

又八郎は細谷の顔を見た。

「だから早めに引き揚げろと申したのだ。うまい話には、必ずそのテの裏がある」

「いや、事情によっては人殺しも厭《いと》わん。喰わんがためだ。だが、今度は相手が悪いのだ」

「ふむ。まあ、話してみろ」

「来月のはじめに、大石が江戸にくる。故主の墓参りやら……」

「まて」

又八郎は飛びあがるほど驚いていた。大石が江戸にくる。その言葉を、又八郎は夜鷹のお杉から聞いている。それは死んだおさきが、二人の侍が話しているのを聞いた中にあった言葉なのだ。

奇怪なものを見るように、又八郎は細谷を見た。

「おい、その大石というのは何者だ」

「お。これはすまなかった。つい一人合点《がてん》で喋《しゃべ》ったようだ。大石というのは、前に梶川の屋敷に雇われたときに話したことがあるだろうが。赤穂《あこう》の家老で、例の事件のあと籠城《ろうじょう》だ、切腹だと騒いだとき、家臣から神文誓詞をとったという男だ」

「おう、思い出したぞ」

と又八郎は言った。梶川の屋敷に用心棒で雇われたときには、最後に浅野浪人ではないかと思われる、一団の男たちが出現したことも記憶に戻ってきた。

しかし、そういう直接わが身にかかわりのない記憶は、口日の暮らしの中ですばやく忘れられるのだ。

江戸城中で、浅野の刃傷《にんじょう》事件があった直後、何事もなく無事だった相手の吉良上野介《きらこうずけのすけ》に対して、いますぐにも浅野家臣の斬《き》りこみがあるような噂《うわさ》が流れた。そのころ、同じ裏店《うらだな》のまかしょの源七などは、商売そっちのけで口から泡《あわ》をとばし、二、三日はそのことばかり喋りまくって女房に叱《しか》られていたのである。だが、いまは裏店で、浅野浪人の話を持ち出す人間などいない。

「その大石と、おぬしがどこでつながっとるのだ？」

「話せば長くなるが、ま、ひらたく申せばわれわれ、いまの屋敷で飲みくいしている連中の手で、大石をひそかに殺害するという仕組みだ。つまりおれはそのために雇われておる。そうわかったのは昨日のことだ。すぐにもおぬしに相談したかったが、なにせそう打明けたあとのわれわれに対する監視がまことに厳しい。漸《ようや》く抜け出してきたところよ」

赤穂のもと家老大石内蔵助《くらのすけ》は、来月つまり十一月の月はじめに江戸にきて、泉岳寺にある故浅野内匠頭《たくみのかみ》の墓参をしたり、麻布《あざぶ》今井町の実家に籠居《ろうきょ》している内匠頭未亡人瑤泉院《ようせんいん》に会ったり、赤穂城受取りの上使だった榊原采女《さかきばらうねめ》、荒木十左衛門をたずねて当時のお礼を述べに回ったりする。

細谷ら、そこに集められた刺客は、江戸に来た大石が、そうした訪問先を回る間に、ひそかに刺すことになっていた。その手はずは綿密で、刺客は何段にもわかれていて、最後には必ず大石を刺殺するような段取りがついていた。

「つまり浅野浪人はいずれ必ず故主の復讐《ふくしゅう》をはかる。首魁《しゅかい》は大石だから、大石を密殺してしまえば、事を未然に防げると、そう考えているらしいの」

「誰がそう考えて、おぬしらを動かそうとしておるのかの。雇主は誰だ？」

「それが、いまだにはっきりせん。だがおよその見当はついておる。吉良ではなさそうだ」

「………」

「上杉か、あるいは幕閣にいる誰かという気がするの。上杉は知ってのとおり、藩主に吉良の実の子が養子で行っておる」

「事情はわかった。ところで、おぬしの仲間に、小柄で頬のこけた男がいるだろう。かなり腕が立ちそうな男だが」

「鳴海《なるみ》のことか。鳴海市之進という男じゃな。やつは仲間ではなく、われわれの監視役だ」

「細谷、一緒に来い」

　又八郎は立ち上がった。

「その男が、おさきを殺したやつだ」

「待て。おれの話はどうなる？」

「それは後で考える」

「後では間に合わんぞ」

　細谷は又八郎の後から外に出ながら喚《わめ》いた。

「十一月といえばすぐじゃ。おれにはこの仕事、気にいらんのだ」

又八郎は細谷の泣き言には構わずに、先に立ってずんずん歩いた。両国橋を渡り、道が本所に入ると、又八郎は、細谷に案内しろと言った。細谷は又八郎を、一軒の旗本屋敷と思われる構えの門前にみちびいた。

「その鳴海という男を呼び出してくれ」

と又八郎は言った。

「おれはここで待っておる」

「気をつけろ。鳴海は不伝流の名手だぞ」

と細谷は言ったが、又八郎は薄笑いを浮かべただけだった。狂暴な気分になっていた。細谷は潜《くぐ》り戸から中に入って行ったが、間もなく、あわただしい足音をさせて戻ってきた。

「おい、様子がおかしい。ちょっと入ってみてくれ」

細谷は潜り戸から首だけ出して、又八郎にそう言った。

又八郎は門の中に入った。みると、玄関の戸が開いていた。そこから真暗な内部がのぞいている。

「匂《にお》わんか」

細谷が鼻をひくつかせた。又八郎もすぐに異臭を嗅《か》ぎつけていた。血の匂いだった。

二人は玄関に入った。異臭は一段と強まった。そして家の中は静まり返ったままだった。

「そのへんに行燈《あんどん》があったはずだ。なにはともあれ、灯を入れよう」

細谷はそう言い、手さぐりで上にあがって行った。間もなく灯の色があたりを染めた。同時に細谷が奇声をあげた。又八郎があがって行くと、細谷は畳を指さした。

「やっておる、やっておる」

襖《ふすま》は倒れ、あるいは斬り裂かれて、あちこちに死体が散らばっていた。

「五つ、六つ」

細谷は死体を数え、奥の間から台所まで全部見て回り、最後に縁側から庭を照らしてみた。

「八人やられている。やるのう、敵も」

細谷はうなった。感嘆のひびきがあった。何者かが、この屋敷を襲い、集まっていた浪人たちを一挙に屠《ほふ》って去ったことが明瞭《めいりょう》だった。細谷は難をのがれたのだ。

「浅野浪人の仕事か」

凄惨《せいさん》な光景を眺めながら、又八郎は小声で言った。牛込の富士見坂で、梶川の駕籠《かご》を襲ってきた、精悍《せいかん》な男たちを思い出していた。

「むろんだ。先手を打って来たのだ。三日前の夜、この屋敷に忍びこんで、密談を盗み聞きした者がいて大騒ぎしている。そのときこっちの思惑《おもわく》が先方に知れたらしいな」

細谷の言葉で、又八郎はその夜路上で逢った、黒ずくめの男を思いうかべた。世間の眼がとどかない場所で、隠れた勢力と勢力が、はげしい暗闘を繰りひろげているのを感じた。

「鳴海の死体は無いな」

「多分、逃げ出したのだろう。それとも、おれのようにうまく外に出ておったかの」

「では、おれは帰るが、おぬしはここにおれ」

「おい、殺生《せっしょう》なことを申すな」

細谷はあわてたように言った。だが又八郎は同情のない口調で言った。

「大石を襲うなどというもくろみは、これでつぶれたらしいが、おぬしはへたに動かん方がいい。逃げ出すには、おぬしはあまりにこの屋敷の厄介になりすぎておる。なに、こわがることはないさ。そのうち鳴海や残りの者が戻ってくる」

「…………」

「機を見て鳴海を引っぱり出してくれ。知らせを待っているぞ」

二日後の朝。青江又八郎は多田の森の西、大川の岸で、鳴海を待っていた。細谷から、ここに鳴海を連れ出すと知らせがあったのは昨夜である。細谷は屋敷を出られないらしく、使いに手紙を持たせてよこした。

寒い朝だった。川の上にも道にも霧が動いていた。日はまだ射《さ》していなかった。鳴海と細谷の姿が川岸に現われたとき、二人の姿は青黒い影のように見えた。ほかに人影は見えず、町はまだ半分ほど眠っていた。

又八郎の前に立ちどまると、鳴海はじっと又八郎に眼をそそいでから言った。

「われわれの仲間に入りたいと申すのは、おぬしか」

「性懲《しょうこ》りもなく、まだそんなことを言っているのか」

と又八郎が言った。すると、鳴海の横にいた細谷が、ぞんざいな口調で言った。

「いや、そういう口実で連れ出したわけよ。抜群の遣《つか》い手をひきあわせると申したら、ひっかかりよった」

鳴海はじろりと細谷を見た。そして視線を又八郎にもどした。不穏な事情を悟ったはずだが、ひややかな表情で、顔には何の動揺も現われていなかった。

「不伝流の名手だそうだな。一手教えて頂こうかと思ってお呼びしたのだ」

「………」

「おれに見おぼえがないかな」

「知らん」

「柳原で、貴様が殺した夜鷹と一緒にいた男だ」

すると鳴海の顔に、はじめて苦笑するような笑いが浮かんだ。笑いはすぐに消えて、鳴海はさげすむように言った。

「夜鷹に義理立てか」

「さよう」

「のぞみなら立ち合ってもいいぞ」

鳴海は静かに後にしりぞいた。又八郎も後にさがって、草履《ぞうり》を脱ぎ捨てた。

「助太刀《すけだち》がいるか」

細谷が声をかけたが、又八郎はいいと言った。鳴海が刀を抜こうとした。その動きを手でとめて又八郎が言った。

「あの女を殺したわけを、お聞かせ願いたいな」

「ある人間を殺す相談をしているところを聞かれた。そうなれば口をふさぐしかない。女の口に戸は立てられんと申すではないか」

二人は同時に刀を抜いた。長い睨《にら》み合いが続き、その間に、二人はにじり寄るように、わずかずつ間合をつめていた。そしてある間隔まできたとき、二人はまた動かなくなった。

――強敵だ。

と又八郎は思っていた。鳴海の痩《や》せて小柄な身体《からだ》は地に吸いつくように、柔軟にしかも微動もせず立っていた。隙《すき》はまったくなかった。

又八郎は少しずつ左に回った。すると鳴海も左に回った。そして二人はまた動かなくなった。

霧はいっこうに晴れず、むしろ濃さを増すように見えた。その霧の中から微《かす》かな物音が聞こえてきた。その物音は少しずつ高くなりながら近づいてくる。そしてついに耳を聾《ろう》する音となった。

そう思ったとき、又八郎は踏みこんで相手の肩を撃った。同時に鳴海の身体も飛燕《ひえん》の動きを見せて又八郎の腕を撃ってきた。二人はとびはなれ、もう一度撃ち合った。その撃ち合いは僅《わず》かに又八郎の方が速かった。

噴出する血をかばうように、鳴海は脇腹《わきばら》を片手で押さえ、なおも片手で刀を構えたが、やがて刀が落ち、身体は海老《えび》のように前に折れて、地に転んだ。

鳴海に斬られた腕を押さえながら、又八郎はしばらく茫然《ぼうぜん》と死体を見つめた。剣機を促した舟の櫓《ろ》の音が、通りすぎるところだった。それはむしろ静かな物音だった。その物音に一瞬でも気を奪われたら斬られると感じて、剣をふるったが、鳴海も同じことを考えたようだった。

「だいじょうぶか」

細谷が近寄ってきて声をかけた。うなずいて草履をぬいだ場所にもどりながら、又八郎は、一緒に寝た翌朝、井戸端で会ったおさきを思い出していた。この青白い朝の光の中を裏店に戻れば、そこにはにかみながらおさきが立っているような気がした。

夜の老中

一

「お手当ての方は保証します。お聞きになれば、青江さまもびっくりいたしますよ」

口入れの相模屋《さがみや》吉蔵《きちぞう》は、のっけからそう言った。そして反応をうかがうように、小さくて丸い眼で又八郎をじっと見た。

又八郎は苦笑した。たびたび仕事をもらっている間に、吉蔵のこういう言い方には慣れっこになっていた。聞いてみないことにはわかるもんじゃないと思う。吉蔵は、おおよそのところは頼りになる口入れ屋だが、ときどきとんでもない危ない仕事を、さりげなく押しつけてきたりする。

「もったいつけずに申せ。その、よいという手間はいかほどかの」

「一日に二分。むろんアゴつきでございます」

「ほう」

又八郎は思わず上体を乗り出す感じになった。すると二日で一両だ。シケた仕事がつづいたが、ひさしぶりにいい便りを聞いた、と思った。

めぼしい仕事がなければ出直すつもりで、おざなりに腰かけていた上り框《かまち》から、又八郎は、吉蔵に向き直った。

「それで？　日にちは？」

「先方では十日と申しております」

――十日か。すると勤めあげれば五両になる。

又八郎は胸の中でまた計算し、その五枚の小判に内側から照らされて、胸がふくらむような気がした。だがいい話には裏がある。この前、友人の細谷源太夫《げんだゆう》が、飲み喰いさせて手当てもはずむというい話にはまって、危うく殺されかかったことは記憶に新しい。

「その話乗ったぞ、吉蔵」

又八郎は一応ツバをつけた。そしておもむろに仕事の中味を吟味しにかかった。

「頼みさきは大名屋敷だと申したな」

「さようでございますが、いまそのお名前を申しあげるのはご勘弁願います。もっとも話が決まれば、あたしが青江さまをお屋敷までご案内しますので、そのときにはわかることですが、先さまでは、何しろ今度のことを大そう内緒にしておられますので」

「ふむ」

「お仕事にかかりましたら、青江さまも一切、他言無用にして頂きますよ」

「わかった。なに素姓がはっきりしたところならいいさ」

「むろんです、むろんです」

吉蔵は、相手の素姓を疑うなど、もっての外だという身ぶりを示した。

「それはもう、れっきとしたお屋敷でございます。ご心配にはおよびません」

「さて、では仕事の中味を聞くか」

「そこのお屋敷の方が、時どき外にお出になります。ご身分のある方でございますので、間違いのないように守って頂きます」

「なるほど」

それならまっとうな用心棒というわけだ。犬の番や、町娘のお守をするよりはずっといい。

「格別むつかしい仕事でもなさそうだな」

又八郎がそう言ったとき、吉蔵が妙な眼で又八郎を見た。言おうか言うまいか、迷っているという表情が露骨に顔に出ている。

「なにかあるのか」

「じつは細谷さまが、この仕事で怪我《けが》をなさいましてな」

「なんだと！」

「ご用心なさったほうがよござんすよ」

ぬけぬけと言う吉蔵を、又八郎はあっけにとられて眺めた。

「それを早く言わんか。するとわしは怪我をした細谷の後がまで入るわけだな」

「さようでございます」

「怪我をしたというと、細谷は斬《き》られたわけだな」

又八郎は小声で聞いた。

「はい。肩と脚をやられましてな。いまお家で寝ておられます」

「ふうむ」

又八郎は低くうなった。危険な匂《にお》いを嗅《か》いだ気がした。細谷の一刀流の腕は、又八郎も一目《いちもく》置くぐらいのものなのだ。その細谷が用心棒について、しかも斬られて寝ているというからには、その何とかいう屋敷の人間を、ただお守すればいいという仕事ではなさそうだった。

わけはまだわからないが、かなり危ない仕事なのだ。手当てを気ばるはずだ、と又八郎は思った。

「どうなさいます？」

考えこんだ又八郎をみて、吉蔵が心配そうに声をかけた。

「むろん、引きうける」

又八郎はきっぱり言った。仕事が危険だからと尻《しり》ごみしては、吉蔵があなどって、このあとあまりいい仕事を回さない恐れがある。そうなれば口が干上《ひあ》がる。危険があるから、用心棒という仕事が成り立ち報酬が手に入る。天下泰平、何の心配もないところには用心棒の必要もないのだ。危ないからと逃げ回るわけにはいかない。

――しかし、どの程度に危ないのか、細谷に聞いておく必要があるな。

と又八郎は思った。細谷を襲ったやつが何者なのか。敵は何人ぐらいいたかぐらいは、頭に入れて置いていい。

「それでは青江さま。明日の夕刻にまたここまできて頂きます。それからあたしが先さまへご案内します」

「わかった。ところで細谷を見舞いたいが、家を教えてくれんか」

「よろしゅうございます。お家は霊岸島の近くですが、あのへんはご存じで？」

「いや、まったくわからんな。また図面を書いてもらおうか」

「さようですか」

吉蔵は硯《すずり》を引き寄せ、早速細谷の家に行く道順を書きはじめた。

「昨日、あたしも近くまで用がありましたのでお寄りしました。なに、お元気でございますよ。お命に別条はございません」

吉蔵は、根はやはり親切な男らしく、事後の面倒見もいいようだった。

二

細谷の家はすぐにわかった。裏店《うらだな》の木戸をくぐるとすぐのところに井戸があって、裏店の住人と見える女房たちが三人、ときかけの米を中途にして寒空の下でお喋《しゃべ》りをしていたが、髭《ひげ》の浪人というと、すぐその家を指さして教えてくれたのである。

寿松院裏の自分の家よりは、幾分ましに見えるその家の前に、又八郎は立ちどまった。ましと言っても、嘉右衛門店のように柱が傾いたりはしていないというだけで、戸の隙間《すきま》には、内貼《うちば》りしてあるらしい紙が白く見えるし、軒は低く、日暮れ近い曇り空の下に、寒そうに黒ずんでいる。

——なるほど楽ではなさそうだな。

この狭い家の中に、八人も人が住んでいるとなれば、細谷でなくとも眼のいろ変えて働かざるを得ないだろうという気がした。

戸を開けると、いきなり騒々しい子供の声が耳を搏《う》った。子曰《しのたまわ》クと論語を読んでいる声、入り乱れて口喧嘩《げんか》をしている甲高い声、赤ん坊の泣き声。そしてそれにまじって、子供をたしなめる女の声がする。聞こえないのは、細谷の声だけだった。

又八郎は茫然《ぼうぜん》としたが、あわてて訪《おとな》いを入れた。一度では聞こえないようなので、又八郎は二度、三度と声をはり上げなければならなかった。すると家の中が急にばったりと静かになって、障子を開けて女が出てきた。

女は狭い場所なのに、きれいに形を決めた姿勢で三つ指をつき、いらっしゃいませと言った。細谷の妻女に違いなかったが、又八郎は、もう一度ど胆《ぎも》を抜かれた気がした。やたらに子供ばかり生むと細谷がこぼすので、又八郎は細谷の妻を、年中青い顔をして、頭に頭痛どめの鉢巻でもしめている、貧にやつれた女のように考えていたのである。

だが想像ほどあてにならないものはない。細谷の妻女は、ごく丈夫そうな美人だった。やや小柄だったが、血色のいい頰、黒く澄んでいる眼は娘のようで、どう見ても二十半《はたち》ば、細谷とは十近くも差がありそうな若い女だった。着ているものも質素ではあるが、きちんとして汚れひとつ見えず、貧乏たらしい気配などまったくない。

「ご新造でござるか」

「さようでございます」

「ご主人の、その飲み友達で青江と申す者でござる」

「あ、お名前はおうかがい申し上げております。いつも細谷がお世話になりまして」

細谷の妻はにっこり笑ったが、急にうしろを振りむいて、お客さまに失礼でしょ。ひっこんでいらっしゃい、と言った。すると障子の端から又八郎をのぞいていた子供の頭が五つ、からくり芝居の人形の首のように、すっと引っこんだ。

「さ、どうぞお上がりくださいませ」

細谷の妻が、もう一度にっこり笑ってそう言ったとき、奥の方から不景気そうな男の声が、どなたかみえたか、と言った。細谷の声だった。

するとと、細谷の妻が又八郎に笑顔をむけたまま、陽性な声をはりあげた。

「おまえさま、青江さまがおみえですよ」

「おう」

急に元気そうに、細谷が言った。

「上がれ上がれ。狭いところだが上がってくれ」

茶の間に上がった又八郎に、子供たちが行儀よく並んで挨拶《あいさつ》した。子供は六人で、上三人が男、下二人が女だった。一番上の子は八つぐらいで、さっき子曰クと声を張っていたのはその子らしかった。ほかに赤ん坊がいるが、それは男だと聞いている。下の女の子は、まだよちよち歩きだったが、兄や姉をまねて自分も手をついて挨拶したのがかわいらしかった。

一列にならんで、じっとこちらを見まもっている子供たちをみて、又八郎は寺子屋にでも来たような気がした。

「さ、外で遊んでいらっしゃい」

細谷の妻がそう言うと、客があるときいつもそうしているのか、子供たちはトの女の子だけ残して素直に部屋を出て行った。

「にぎやかでよろしゅうござるな」

又八郎がそう言ったとき、襖《ふすま》を開いて細谷が茶の間に入ってきた。着ぶくれて、身体《からだ》がよけいに大きく見えた。すばやく立って行った妻女の肩に縋《すが》って、細谷は痛たしくびっこをひいて歩き、又八郎とむかい合うと左足を投げ出して坐《すわ》った。

「起きていいのか」

又八郎が言うと、細谷は構わん、寝ているのにも倦《あ》きたと言った。妻女が台所に引っこむと、細谷が急に声をひそめて言った。

「見たか。このとおりの人数だから、おれも必死と働かねばならん」

「しかし……」

又八郎も声をひそめた。

「奥方は大そうな美人ではないか」

「いやそれほどでもない。昔はちょっと目立ったが、いまは中古だ。あれが嫁にきたのは十五のときでの。そのときはいい嫁をもらったと思ったが、このように多産の質とは思わなんだ」

細谷がぼやいたとき、妻女がお茶を運んできたので、又八郎は咳払《せきばら》いして話題をかえた。

「話は吉蔵に聞いたが、どこをやられたのだ」

「脚だ。それと肩を少々」

細谷は左の腿《もも》を押さえてみせ、次に襟《えり》をひろげようとした。すると妻女がすばやく立って行って、襟をくつろげるのを後から手伝った。

「肩はさほどでもございませんでした。でも脚の方は大変な傷ですのよ。いくら丈夫な身体でも、熱が出ましした」

妻女は、又八郎に肩の白布をちょっと見せて、細谷の襟を直してやりながら、眼をみひらくようにしてそう言った。だが、その口調には深刻な感じはなく、脚の傷の方は見せられなくて残念だというような、子供っぽいひびきがあった。

又八郎は、妻女の朗らかな口調とは裏腹に、傷ついた熊《くま》のようにうずくまっている細谷に憐愍《れんびん》を感じながら言った。

「なおるまで、まだ日にちがかかりそうか」

「あと半月、と医者は言っている」

「すると、それまでが大変ではないか」

喰う方は大丈夫か、という思い入れで又八郎は細谷の顔をのぞいた。だが細谷は意外にけろりとした表情で言った。

「いや暮らしの方は心配いらん。仕事にかかって二日目にこの始末で、どうなるかと思ったが、二日分の手当てのほかに、見舞い金が出た。な？」

細谷がそう言って妻女の顔をみると、妻女が身を乗り出すようにして言った。

「それが、思いがけなく沢山頂戴《ちょうだい》しましたのよ。やはりちゃんとしたお屋敷は違いますって、家では話したんでございますよ」

「つましく暮らせば、この人数でも三月《みつき》は喰える。な？」

「そうですよ、お前さま」

「だからおれは傷がなおっても、あとひと月はぶらぶら遊ぶ。用心棒はやらん」

「そうなさいませ。いくら用心棒でも、たまには骨休めということが必要でございますよ」

又八郎は憮然《ぶぜん》とした。細谷夫婦の目下の関心は、細谷自身の負傷よりも、ころがりこんできた多額の見舞い金の方にむいていて、二人ともすっかりウケに入っているという感じなのだ。隣の部屋で赤ん坊が泣き出し、妻女と女の子がそちらに行ったのをしおに、又八郎は話を本題に切りかえた。

「ところで、そのお屋敷だが、吉蔵が妙に隠しだてしてどこことも言わん。一体どこなんだ？」

「う、う」

細谷はうなって、じっと又八郎を見た。

「聞きたいか」

「聞きたいさ。手当てがいいから、ともかく引きうけたが、頼み先がどこことも知れんというのはあまりいい気分ではない」

「心配のない屋敷だがな」

「吉蔵もそう言っていた。だが心配か、心配でないかは、おれが決めることだ」

「じつはこの件については口どめされているんだが、ま、よかろう」

細谷は決心がついたらしく言った。

「おれが喋ったとは言わんでくれよ。その屋敷というのは小笠原《おがさわら》さまだ。常盤《ときわ》橋御門うちにある」

「小笠原？」

「岩槻《いわつき》藩城主で小笠原佐渡守《さどのかみ》。四年前に京都所司代から老中に出世している。そこの屋敷だよ」

「で、おぬしが用心棒についたというのは？」

「その屋敷の誰かだが、誰かはわからなかった」

「そんなバカな」

「いや本当さ。行けば、言ったことが嘘《うそ》でないとわかる」

「よし。で、おぬしはそこで誰かを警護したと。すると襲ってきた奴《やつ》がいるわけか？」

「そうだ」

「襲ってきた者の見当はついているのか」

「いや、皆目わからん」

「ふうむ」

又八郎は細谷の顔を見た。わからないというのは、細谷が隠しているのではなく、本当に知らないのだということが、顔色でわかった。

「で、相手は何人ぐらいだった？」

「いや、一人さ」

細谷は言った。が、そのときのことを思い出したらしく、わずかに顔色を緊張させた。

「一人だが、ちょっと腕の立つ奴でな。お恥ずかしいが歯が立たなかった。護《まも》るのが精一杯だった」

「ほほう」

「どうにか護り通して、用心棒の役目は果したが、このざまだ」

細谷は自嘲《じちよう》するように傷ついた脚に眼を落としたが、ふと気づいたように顔を上げた。

「いやにくわしく聞きたがるではないか」

「じつは吉蔵に、おぬしの後がまに坐れと言われている」

「それで？　引きうけたのか」

「明日、その屋敷に行くことになっておる」

「………」

「なにしろ手当てがいいから飛びついたわけよ。親爺《おやじ》め、そのあとでおぬしのことを聞かせたが、それじゃ遠慮するとも言えん。行ってみるしかない」

「なるほど」

細谷は腕を組んだ。その顔に、斬《き》り合った相手と、又八郎の剣の技倆《ぎりょう》を思いくらべている、真剣な表情が浮かんだ。

「わしも危ないかな」

「いや、おぬしなら大丈夫だろう。ただ気をつけろ。奴の剣には妙な癖があったぞ」

「ほう」

「下段から斬り込んでくる。おれはそれにやられた」

三

青江又八郎は吉蔵の後について、神田の町を歩いていた。その形が、なんとなく吉蔵の用心棒を勤めているようにも思われ、腹の中に苦笑が動いた。

――用心棒稼業《かぎょう》も板についてきた。

と思った。又八郎は許婚《いいなずけ》の父平沼喜左衛門を斬って、脱藩してきた人間だった。平沼を斬ったのは避けられない行きがかりからだったが、その背後に藩主毒殺の陰謀があることを又八郎は摑《つか》んでいる。陰謀の中心にいると思われる筆頭家老大富丹後が、江戸にのがれた又八郎に、ひそかに刺客を送ってきたことが、陰謀が実在することを証明していた。

刺客を、又八郎は恐れてはいない。無慈悲に斬り捨てるだけだと思っていた。だが、やがて平沼の娘であり、許婚でもあった由亀《ゆき》が来るだろう。由亀が父の仇《かたき》と名乗りかけてきたら、討たれてやるしかないという気持がある。

又八郎は由亀の眼の前で、父親を斬っている。それでも由亀を愛していることを、彼女にわからせるためには、名乗りかけてきたときに黙って死んでやるしかない、と又八郎は覚悟している。

——やがて一年になる。

しかし由亀はいっこうに姿を見せず、近ごろは大富の刺客も現われなかった。そして身すぎ世すぎに過ぎない用心棒暮らしだけが、近ごろ身についてきたと又八郎は思う。たそがれてきた神田の町は、少し人が混み合っている。その中を、吉蔵はいそぎ足に歩いていた。

——常盤橋《ときわ》にむかっている。

と、又八郎は思った。細谷が言ったことは本当だった。又八郎は前方に待ち伏せている危険に、ひと足ずつ近づいて行くような気がした。仕事にとりかかる前から、そういう一種の緊張にとらえられることは、珍しいことだった。

吉蔵は門をくぐると、そこを警護している番士に手形のようなものを出して見せ、又八郎に目くばせして中に入った。そこは二ノ曲輪《くるわ》うちで、大きな大名屋敷がならんでいた。又八郎がはじめて見る場所だった。

吉蔵は、その屋敷に入ろうとして、ふと思いついたように、又八郎を塀《へい》のはずれまで引っぱって行った。

「あそこが柳沢さまのお屋敷ですよ」

斜めうしろに見える、広大な塀と樹木に囲まれた屋敷を指さしてそう言った。柳沢の屋敷を教えたのは、そこまで来たついでということだったらしく、吉蔵はすぐにさっき入ろうとした門の前にもどった。

「ここが青江さまをお雇いになるお屋敷です。ご老中を勤めていなさる小笠原佐渡守《おがさわらさどのかみ》さま」

吉蔵は声をひそめて言った。又八郎はあたりを見回した。いかめしい門と塀が薄暗い光の中にそびえているばかりで、あたりは人影もなくひっそりしていた。

さっき入ってきた常盤橋御門の方を眺めると、時刻が来たらしく、番士が門を閉めはじめているのが見えた。門のきしる音が微《かす》かに聞こえてくる。又八郎はなんとなく曲輪うちに閉じこめられてしまったような気がした。

「これからある人にお引き合わせいたします。そうしたら私は帰りますが、あとは万事その方のお指図に従ってください」

門内に入ると吉蔵はそう囁《ささや》いた。そして奥に見える本邸の玄関にはむかわずに、横手の長屋の方に折れ、左へ左へと歩いた。人気《ひとけ》がなかった外から入ると、屋敷の中は意外にざわついていた。

前を通りすぎると、長屋の中には人声もしたし、無遠慮な笑い声もした。灯をともしている家もあれば、無人のように、ひっそりと窓が暗い家もあった。そして時どき、どこからともなく人影が現われて二人とすれ違ったり、長屋を出て本邸の方にいそぎ足で行く人影を見たりした。

吉蔵が立ちどまったのは、長屋ではなくかなり立派な構えの一軒の家の前だった。ただし勝手口だった。又八郎は少しみじめな気がしたが、その気分を押し殺して吉蔵の後に立っていた。

「橋本町の相模屋でございます。お約束の人をお連れしましたと、お伝えを」

細めに開いた戸の内にむかって、吉蔵は卑屈に揉《も》み手《で》してそう言った。すると戸が閉まって二人は外に取り残された。あたりはいつの間にかすっかり暗くなっていたが、窓から射すあかりに、二人の姿はぼんやり浮かび上がっている。

「こういうお屋敷は手続きがうるそうございましてな」

吉蔵は又八郎を振りかえって、言いわけするようにそう言った。又八郎は、吉蔵の額にうっすらと汗が光っているのを見た。

――この男も緊張している。

と思った。すると今度の仕事の秘密めいた感じが、急に強く感じられた。

「お気をつけなさいましよ、青江さま」

不意に吉蔵が言った。

「細谷さまの例がございます。あなたさまも怪我《けが》をなさったりしますと、あたしの方も商売にさしさわりが出来ますのでな」

吉蔵は真顔でそう言った。狸《たぬき》のように丸い眼が自分を見つめているのを見返しながら、又八郎は腹に笑いが動くのを感じた。吉蔵は臆面《おくめん》もなく本音を言っていた。

吉蔵の家で、ほかにも職をもとめてくる浪人者を見かけることがある。だが長続きしているのは又八郎と細谷ぐらいのものらしかった。それが二人とも一応は剣の腕が立つためだということは、又八郎にもなんとなく見当がつく。つまり潰《つぶ》しがきくのだ。ときには土方仕事を押しつけたりもするが、用心棒の真価を問われるようなむつかしい仕事にも送りこめる。

いまはそのむつかしい方に、吉蔵は二人を送りこんでいるのだ。当然吉蔵が受け取る報酬もいいに違いない。だが細谷は、どうにか役目は果したが、怪我でそのあと使いものにならなくなった。いま又八郎をその後釜《あとがま》に送りこんで、細谷の二の舞いということになると、吉蔵は有力な手持ちの駒《こま》を二枚、一ぺんに失うということらしかった。

「心配するな。親爺《おやじ》をがっかりさせるようなことはせん」

又八郎がそう言って慰めたとき、勝手口の戸が開いて、中から女の声が吉蔵を呼んで何か言った。

するといい吉蔵はぺこぺこ頭をさげて、改めて玄関の方にむかった。又八郎もうしろについて行った。すると玄関に若い家士とみえる男が待っていて、二人を奥のひと部屋に案内した。

そこでも二人はしばらく待たされたが、やがて背の低い白髪の武士が部屋に入ってきた。武士は手焙《てあぶ》りのそばに坐《すわ》ると、背をまるめたまま黙って又八郎を見つめた。丸顔で細い眼をしている。その眼を急にせわしなく瞬《まばた》いてから、老人は皺《しわ》だらけの顔をほころばせて、吉蔵に言った。

「よかろう、相模屋。引き取っていいぞ」

「はい。ありがとうございます」

それで二人の間に商談が成立したようだった。吉蔵は又八郎にむかって言った。

「それでは青江さま。さっき申しましたように、あとはこのお方に聞いてください」

吉蔵が部屋を出て行くと、老人はもっと近くに来いと又八郎に言った。

「長屋が一軒空いているので、そこに入ってもらう。飯は運ばせるから、喰う方の心配はいらん。手当ては一日二分で十日だ。これは相模屋から聞いたとおりだ」

老人はごく事務的なことを言った。それから又八郎をじっとみて言った。

「国元で、一刀流の道場で師範代を勤めたそうだの」

「は」

吉蔵が売り込んだらしい、と思ったが、又八郎は神妙に答えた。

「この前にきた細谷という男と、腕はどちらが上かな」

「は。いささかそれがしが上かと存じます」

又八郎はためらわずに言った。老人がそう聞いているのは、好奇心からではなく、一種の試問らしいと気づいたからである。老人の表情には、ひどく真剣な感じがふくまれている。

「ふむ。相模屋もそう言っておったが。それならばよろしい。仕事はこの屋敷のある人物が時どき夜歩きに出る。そのときに身辺を警護するわけだ」

「なぜ、お屋敷の方を使われませぬか」

又八郎は思い切って言った。その人間は、この屋敷の中でも身分のある人間だと吉蔵は言っていたし、老人の態度からもそのことはうかがわれた。

それならなぜ藩屋敷の人間を使わないのか。武州岩槻《いわつき》五万石の江戸屋敷に、身辺を警護するほどの人間がまるっきりいないということは考えられなかった。その疑問は最初からあったものだった。

「それがだ。その人物は、警護などはうっとうしくていらんと申される。が、じつを申すと、用心棒がいらんということではなく、夜歩きを極力内緒にしたい事情があるからそう言っておる。だから、このことは、屋敷の者も一切知らんのだ」

「…………」

「しかし、そう言われたからと言って、警護の者をつけないわけにはいかん。そういう次第で細谷というあの髭《ひげ》男を雇ったが、果してああいうことがあった。われらの心配が適中したわけだ」

「よくわかりました」

「心得ているだろうが、後釜できたおぬしの役目は重いぞ」

「十分心得ております」

「毎晩出るわけではない。だがいつお呼びがあるかわからんので、おぬしにはこのまま屋敷の中にとどまってもらう。外に出てはならん」

それで又八郎は、岩槻藩屋敷の中に禁足を喰ったわけだった。又八郎のうかない顔色をみて、老人が慰めるように言った。

「そのかわり、警護の仕事がない日は、ごろごろ寝とっても、手当てはちゃんと払うぞ。悪くなかろうが」

「………」

「いまひとつ。さっき申したように、このことは屋敷の中でも内緒にしておることじゃ。そなたに近づいて何か言うものがあっても、警護の件は一切ほかに洩《も》らしてはならん。このことは守ってもらうぞ」

最後になって老人は、用人《ようにん》を勧める土方《ひじかた》だと名乗り、案内させるから長屋に引きとってよいと言った。

四

近づく者がいるかも知れんが何も言うな、と老人は言ったが、雇われの素浪人をのぞきにくる人間もいまいと、又八郎は半信半疑だった。ところがそういう人間は、早速に現われたのである。しかも女だった。

その夜、老人の家を出て、又八郎が与えられた長屋で飯を喰っていると、突然女が入ってきた。又八郎は腹が空《す》いていたので、土方の家の台所女中らしい年増《としま》女が飯を運んできたのを受け取ると、とりあえず喰いはじめた。上がり框《かまち》の障子も開け放しだったので、入ってきた女がすぐに見えた。

又八郎もあわてたが、女も土間に入るやいなや、大口あいて飯を喰っている又八郎と眼が合って驚いたらしかった。顔を赤くして、もじもじと土間に立っている。奥勤めふうの装いをした二十前後の女で、かなりの美貌《びぼう》だった。

「何か、ご用か」

漸《ようや》く口の中のものを呑《の》みこんで、又八郎が聞くと、娘は気をとり直したように姿勢をあらためて言った。

「私と一緒に来て頂きます」

「どこへだ？」

又八郎は驚いて言った。

「お邸《やしき》です。あるお方が、あなたさまにお会いになります」

「あるお方というのは、どなたかな」

「それは申されません」

娘は固い表情で言った。会うというのは、多分警護する相手だろう。用心棒の下見というわけだ、と又八郎は思った。

「はて、飯をどうしよう」

「お喰べなさいませ。私はここでお待ちいたします」

「それでは、上へ上がられたらいかがかな」

「いえ、ここで結構です」

娘は警戒するように言って上り框に腰かけた。さすがにたしなみがよく、臀《しり》をむけるような無作法なことはせずに、身体《からだ》を斜めに浅くかけている。だが、そのために、又八郎は娘に顔を見られながら食事することになった。

「では、失礼する」

と言って喰べはじめたが、なんとなく落ちつかない気分で、さっきはうまいと思った馳走《ちそう》の味も一段落ちたような気がした。

早々に飯をすませて、又八郎は長屋を出ると、娘の後に従って本邸にむかった。娘は玄関の方には行かずに、建物の横手の方に曲って行く。途中に樹木があって、又八郎と娘は邸内の明りもとどかない闇《やみ》に包まれた。すると、娘の身体からにおう香のかおりが、急に強く鼻についた。

又八郎は由亀を思い出していた。由亀は又八郎に会うとき、着る物に微《かす》かに香をたきこめていて、それはそばに寄るとわかるのだった。

――由亀も年が明ければ十九だ。

そう思ったとき、これまで考えもしなかったことが思い浮かんだ。由亀は父の仇討ちなどということは考えもせず、さっさと藩中のどこかに嫁入ったかも知れないではないかということだった。

由亀は藩内で評判の美貌だし、行き違いで又八郎が斬《き》ってしまった父親の喜左衛門は、藩の実力者大富家老につながっていた。考えたことは、ないことではないという気がした。だが、その想像は又八郎の胸を苦しくした。

「こちらです」

不意に女の声が又八郎の考えをたち切った。そこは建物の横手らしく、二人は入口の前に立っていた。

又八郎を、奥まったひと間に案内すると、娘は姿を消した。行燈《あんどん》が置いてあり、敷物のそばには手焙《てあぶ》りの炭が、小さい炎をあげている。これが邸内の部屋かと思うほど、あたりはしんとして、何の物音も聞こえなかった。

やがて襖《ふすま》の外に衣《きぬ》ずれの音がして、襖が開くと女が二人部屋に入ってきた。一人はさっき又八郎を案内してきた娘だったが、もう一人は三十過ぎに見える女性だった。

又八郎は平伏した。なんとなくそうせざるを得ないような威圧感を、その女は身につけていた。着ている物、髪型から化粧にまで、邸内でかなり身分の高い女性だということがあらわれている。娘が仕えている女性といった格の人間に違いなかった。

はっきりした眼鼻立ちの、派手な美貌で、さっきの娘も美人だと思ったが、その女性の前では色あせて見える気がした。娘は入ってきた襖ぎわに坐《すわ》っている。

「楽にしてよい」

と、その女性はにこやかに言った。

「土方が雇い入れた男というのはそなたのことですか」

「さようでございます。青江又八郎と申します」

「よい名前です。な、藤尾」

女は襖のそばにいる娘に呼びかけて、機嫌よく笑った。玉をころがすというのは、こういう笑い声のことだなと又八郎は思った。

「それに男ぶりもよい」

「…………」

「青江に頼みがあります」

女は不意に言った。黒いひとみが、まっすぐ又八郎を見つめている。又八郎は思わず眼を伏せて言った。

「何事でござりましょうか」

「その前に。土方はそなたが誰のおともをするのか、申しましたか」

「いえ、うかがっておりません」

「あの狸《たぬき》じじい」

女は小さく罵《ののし》って、またころころとひびく声で笑った。陽気なたちらしかった。

「その男は、夜な夜な市中に出て、ある場所で浮気をして戻るのです。相手は有夫の女です」

又八郎は唖然《あぜん》として女を見つめた。依頼の秘密めかしさ、用心棒の本能を刺戟《しげき》する危険な匂《にお》いといったものが、いきなりひと皮めくれて、俗な姿を現わした感じがあった。

——浮気のおともとは思わなんだ。

あきれたが、そう聞くと土方という老人が、しかつめらしい顔で、しきりに内緒だ内緒だと言っていたのもわかるし、また細谷に襲いかかってきた人物も、ある程度見当がついてくるようだった。

相手は寝とられ亭主本人か、あるいは女の身内といった人間だろう。それが腹を立ててむかってきたのだ。細谷は、とんだ浮気の後始末をさせられたというわけか。

又八郎はなんとなく興ざめするのを感じたが、すぐにそういう自分を反省した。寝とられ亭主の暴力沙汰《ざた》にしろ、細谷のあの怪我《けが》をみれば危険ははっきりしている。そして危険と報酬のあるところに、用心棒の出番がある。浮気の是非は、用心棒の論ずるところではない。

「それでお申しつけということは？」

「その男が、さる屋敷に入ったかどうか、行ったらそこで何刻《とき》ほど過ごしたかを知らせて欲しいのです」

「………」

「動かぬ証拠をつきつけて、こらしめてやります」

女はにこにこ笑いながら言った。又八郎はうなずいたが、あまりいい役目ではないと思った。女の頼みはわかるが、言うとおりに報告しては雇主を裏切ることにならないかという気がする。

すると、又八郎の顔色を読んだように、女が言った。

「そなたにただ働きさせるつもりはありませんよ。頼みを聞いてくれれば、私から別に手当てを出します」

「お手当て？」

女は、藤尾という若い女の方を振り返った。すると藤尾が、つきとめてくれれば、二両さしあげます、と言った。

——二両。

又八郎は胸の中で、またそろばんをはじいた。とりあえずは浮気男の警衛が本業だが、二両の内職も魅力があった。あちらを無事に勤めあげ、こちらの頼みもこなすと、当分は不自由なく喰えるだけの収入がころがりこむ勘定だった。

「承知いたしました。そのようなことがあれば、委細お知らせすることにいたしましょう」

「頼みましたぞ。その女が住む屋敷の在り場所などは、藤尾に聞きなさい」

女はそう言うと、上機嫌な顔で立ちあがり、部屋を出て行った。

五

最初の仕事が来たのは三日目の夜だった。土方自身が、長屋に又八郎を迎えにきた。

「お出になる」

土方はそう言い、火の始末をちゃんとして出ろ、と細かいことをつけ加えた。

外は氷るような月夜で、門の手前に長身で恰幅《かっぷく》のいい武士が立っていた。それが又八郎の本当の雇主だった。一礼してから、又八郎はすばやく眼を走らせたが、武士は頭巾《ずきん》で顔を隠していて、羽織は無紋だった。

土方は屋敷を出て、常盤《ときわ》橋御門まで二人の先に立って導いた。常盤橋御門の警衛は松平越前守《えちぜんのかみ》の受持ちだったが、土方は松平家の番士にさきに根回しをしてある様子で、番所に顔を出して土方がひと言何か言うと、番士は黙って潜《くぐ》り戸を開いた。

「しっかり頼むぞ」

二人を送り出すとき、土方は又八郎に心配そうに囁《ささや》いたが、又八郎は浮気のおともかと思うとバカらしい気がした。だが、雇主の信頼は、明日の報酬につながる。

「ご心配なく」

又八郎は用心棒の、この場合の決まり文句を囁き返して、土方を安心させた。二人の背後で潜り戸が閉まった。

頭巾の武士は、又八郎の前に立ってずんずん歩いて行く。おそろしく足が達者な人物だった。武士の足は、濠《ほり》端の道を神田橋御門の方角にむいている。そして三河町をはずれたところで右に曲った。

――お妾《めかけ》のところに行くとなると、すこぶる元気なものだな。

と又八郎は思った。それがただのお妾でないところに、厄介な問題がある。それにしても女の亭主というのは、どういう人物なのかと思う。いつも留守がちの男なのか、それとも女房に徒《あだ》し男が通ってくるのを、指をくわえて見ているような、尻《しり》に敷かれた人間なのか。

又八郎がそう思ったとき、不意に武士が立ちどまった。一見して旗本屋敷といった構えの門前だった。立ちどまって油断なく左右に眼をくばったのは、間男として当然しかあるべき姿勢と見えた。

月の光に照らされた道がのびているだけで、人通りはなく、道の左右には武家屋敷が続いているばかりである。武士は先に立って潜り戸をくぐった。

「ここで待て。家の中へ入ってはならん」

邸内に入ると、武士はそう言って又八郎を門の軒下に残した。声をひそめるでもなく、ひびきのよい地声で喋《しゃべ》った。

「寒くてごくろうじゃな」

そう言い残すと、武士はずかずかと玄関に入って行った。忍んで入るという様子には見えなかった。

又八郎は、言われたとおりに、しばらく無人の門の内側にとどまったが、ころあいを見てそこをはなれると、建物の横手の方に回った。

——確かめねばならん。

そう思っていた。この屋敷が、誰の持物かはわからなかった。定紋も標札も出ていないから旗本屋敷だろうという見当はついたが、藤尾という奥勤めの女中が言った家とは、少し違う気がしている。その家は神保小路にあって、小寺という御家人の家だと藤尾に聞いている。

それにしては構えが立派で、場所も神保小路の裏側になるような気がした。もっともこのあたりの地理にくわしくない又八郎には、その見当の自信がない。

——女と会っている声を聞けばわかる。

そこを確かめれば、二両の臨時の報酬が懐《ふところ》に入ってくるのだ。

もっとも又八郎は、確かめたことをお屋敷の女たちにすぐに言いつける気は毛頭なかった。女は逆上すると何を言い出すかわからないのだ。用心棒の青江に確かめさせました、などと言われては身もフタもないことになる。本業の方を首きられかねない。

無事用心棒を勤めあげ、そちらの報酬をちゃんと頂いてから、さりげなく一件を洩《も》らして臨時収入も手に入れる。そしてあとは心静かに屋敷を退散する。そのあとどうなるかは、こちらの知ったことではない。そのぐらいの手管《てくだ》は、用心棒の常識というものだった。

又八郎は床下にもぐり込んだ。ようやく人の話し声がする場所をさぐりあてたが、雨戸が閉め切ってあって、中に入る手がかりはない。床にもぐるしかなかった。だがそれで十分だと思った。さっきの男が、女に会っている確証をつかめば、用は足りる。

又八郎は床下にうずくまって耳を澄ませた。声は頭の上で、少しくぐもっているが、言っていることは意外にはっきり聞こえた。だが聞こえてくるのは男の声ばかりで、それも五、六人はいる気配が伝わってくる。女の声はしなかった。

又八郎は首をひねった。そして耳を澄ましているうちに、少しずつ顔色が変った。

「その三田に住む前川忠太夫というのは何者かの」

そう言った声は、少し声の質が変って聞こえるが、さっき又八郎がおともをしてきた男に間違いなかった。

「もと、浅野家に出入りしていた日雇頭《ひやといがしら》でございます」

「なるほど。それで密議の場所に選んだわけだ。それで大石は来年の三月十四日まで待つようにと言ったのか」

「さようでございます」

「すると内匠頭《たくみのかみ》の一周忌が過ぎれば、亡主の仇討《あだう》ちにかかるというわけか。それとも大石は事を起こすのをせついている連中を押さえるために、そう申したかの？」

「しかし、報告によると、大石はその際、堀部らに約束を迫られて、浅野大学の処置が決まれば、三月十四日前でも決行すると申したそうでございます。大石は仇討ちの腹を決めたと考えてよろしいかと存じます」

頭の上が、急にしんと静まり返った。又八郎は息を殺した。

「いまのことを、柳沢は承知しているかの？」

「うすうすは探り知っている形跡がございます」

「しかし、大石は無事江戸を発ったと申したな？」

「はい、それがし神奈川宿《しゅく》まで、それとなく見送りましたが、怪しい動きはございませんでした」

そう答えたのは別の男の声だった。

「およそわかった。では次は杉田が京から戻ったとき集まることといたそう」

「ところでご老中」

それまで聞こえなかった太い濁《だ》み声が、又八郎のすぐ頭の上で言った。

「吉良《きら》どのの隠居願いは、いかがなりましたかな」

「二、三日うちには許されよう。従って伜《せがれ》が家督をつぐことに相成る」

「それは重畳。浅野の浪人たちも、それで仕事がやりやすくなったのではあるまいか」

濁み声の主は無遠慮に言った。

——ご老中？

又八郎は、尻さがりに静かに床下をいざった。ともをしてきた人物、つまり雇主が、ほかならぬ小笠原佐渡守《おがさわらさどのかみ》本人であることは、疑いの余地がなかった。

そのとき、佐渡守と思われる声が、こういうのが聞こえた。

「ところで、このことにわれらが首を突っこむのを快く思われぬご仁がいるらしい。先夜、何者とも知れぬ男が襲ってきて、供の者が怪我《けが》をした。ただの脅《おど》しとは思うが、おのおのも帰りに気をつけられよ」

それから四半刻《しはんとき》ほどして、入って行ったときと同じように無造作に玄関から出てきた佐渡守を、又八郎は鞠躬如《きつきゆうじよ》といった感じで迎え、潜り戸を開けた。

——とんだ濡衣《ぬれぎぬ》だ。

そう思った。どう間違って、殿さまの浮気などという勘繰りが屋敷奥に生まれたのか、その仔細《しさい》はわからなかったが、それでは殿さまが気の毒ではないかという気がした。老中は道楽で、夜分外に出ているわけではない。

むろん又八郎は、襲ってくる者に対する警戒を怠らなかった。さっきの集まりが、浅野家に好意を持つ者の会合だということは、話の様子から見当がついている。

とすると、襲ってくる者は吉良方、ないしはその背後にいる勢力に属しているのだ。

油断は出来なかった。吉良と浅野という二つの名の背後にどのような暗闘がひそんでいるかを、又八郎は熟知している。そのことを知らなかったばかりに、又八郎は用心棒についたおさきという可憐《かれん》な夜鷹《よたか》が殺されるのを見殺しにしている。おさきの仇は討ったが、その後悔はまだ胸に残っていた。

六

その男は、三度目の会合の帰りに姿を現わした。武家屋敷の間を抜けて、広大な護持院の塀脇《へいわき》に出たとき、佐渡守がふと立止った。そのときには、又八郎は前に出ていた。塀の暗がりから、月に照らされた道に出てきたのは、月代《さかやき》を眼の上までのばし、けずりとったように頰の肉がそげた男だった。

——なるほど、自信がありそうだな。

男が両手をだらりと垂らして、道をふさいでいるのを見ながら、又八郎はそう思った。だらけた筋肉が、ひさしぶりに音たてて引きしまるような緊張を感じていた。

「あの男だ」

うしろから佐渡守が言った。

「おまかせください」

又八郎はそう言うと、ゆっくり男に近づいた。

「物盗《と》りか」

又八郎が言うと、男はにやりと笑った。笑うと一そう悪相が目立つ男だった。男の痩《や》せた身体《からだ》から、動物的な精気が寄せてくる。

「殿さまか老中か知らねえが、人をなめやがって」

男は突然おそろしく乱暴な口をきいた。粘りつくような細い声だった。

「夜遊びをやめねえと、叩《たた》っ斬《き》るぜ」

——本気だ。

と又八郎は思った。瞬《まばた》きもしない三白眼の眼に、狂気じみた感じがある。むき出しの刃物のように危険な男だった。

「道を開けてもらおう」

又八郎が言うと、男はまた歯をむいた。

「てめえで、どけてみな」

そのやりとりが合図だったように、二人はさっと刀を抜いた。男はすべるように足を使って後にさがると、ぐいと八双に構えた。その身動きの間、男の腰もすべるように据わっていたのが見事だった。尋常の相手でないことは明らかだった。

——下段の構えではないのか。

又八郎は意外に思った。細谷の言葉から、又八郎はその男が下段の構えが得意なのだろうと考えていたのだ。だが男は逆に、高く肩口に構えていた。

又八郎は青眼《せいがん》に構えて、男の動きを見守った。難敵だということは、細谷が斬られたことでわかっている。斬りこませて、相手の変化を衝《つ》く考えだった。

男が斬りこんできた。足使いに油断のならない速さが隠されていた。あっという間に、眼の前に迫った男から剣がのびてきた。又八郎は、かわすゆとりがなく、その剣をはね上げたが、切先に小指をかすられた。

はね上げたと思ったとき、男はもう前の間合にもどっていた。構えは依然として八双だった。

二度目に男が斬りこんできたとき、又八郎はかわした。同時に踏みこんで男の胴を撃った。男の剣が下からはね上がってきたのはそのときだった。それは八双からの斬りこみより、はるかに鋭く、又八郎の剣をはねあげていた。弾《はじ》かれたように二人は離れていた。

——これか。

遠い間合をあけた相手を見つめながら、又八郎は細谷の言葉を思い出していた。

又八郎の方から、少しずつ間合を詰めた。男はじっと動かなかった。無気味に光る眼を又八郎に据えている。男が間合に入ったと思ったとき、仕かける気配だけ示した。が、男が斬りこんできた。上から殺到する一撃をかわし、はねかえってくる摺《す》り上げの剣をかわした。足はわずかに余裕を残したので、膝《ひざ》の下をかすられたが、又八郎は構わずに一閃《いっせん》の剣をふりおろした。

男は弾かれたように後にしりぞいた。又八郎は男を見つめた。肩口を骨まで断った感触があったのに、男が平然と立っているのが無気味だった。男は歯をむいた。又八郎を嘲《あざけ》ったように見えた。そしてくるりと背をむけて歩き出したが、四、五歩行ったところでよろめいた。木を倒すように、男は突然にころんだ。

又八郎は、はじめて刀をおろした。びっしょり汗をかいているのに気づいた。男とむかい合ってから、一瞬も気を抜けない緊張を強いられていたのである。

「見事だ」

佐渡守が言うのを聞きながら、又八郎は倒れている男に近づいた。用心しながら息を確かめたが、男は死んでいた。血の匂《にお》いが男を包んでいた。

その夜、又八郎は長屋にたずねてきた藤尾に言った。

「残念ながら、奥方からの手当ては、もらいそこねたらしいな」

「殿さまは、女のひとにお会いになっていらっしゃらないとおっしゃるんでしょ？　この前もそうおっしゃいましたけど、ほんとですか」

「あんたも疑い深いな。場所は言えんが、殿さまはある屋敷で集まりに出ておられる。風流の集まりだ。そこはあんたが教えてくれた家とは違うのだ」

「でも、あのことは本当にあったことなのですから」

藤尾は、又八郎の小指に練り薬をぬり、白布を巻きながら言った。

又八郎が長屋にもどって、傷口を洗っているところに藤尾がきた。そして又八郎が怪我《けが》をしているのをみると、驚いて邸《やしき》にもどり、薬と布を持ってきたのである。佐渡守が出かけると、必ずその夜、言いつけられた藤尾が様子を聞きにくる。

今夜が三度目で、藤尾の話しかたにも身ぶりにも、はじめて会ったときのような硬さがなくなっている。女らしい器用な手つきで、くるくると布を巻いて行く。

「あのこととは？」

「浅路さまのことです」

浅路という奥勤めの女中に佐渡守が手をつけた。だが、それを察知した夫人は、浅路に御家人の許婚《いいなずけ》がいたのを調べあげると、金を持たせてさっさとその男に縁づけてしまったのである。

そのことで佐渡守夫妻の間にいさかいがあったのは、奥勤めの者はみんな知ってい
た。一年ほど前のことである。だから、半年ほど前から、佐渡守が行先も告げず夜の
市中に密行するようになったのを、夫人が疑ったのも無理ないのだ、と藤尾は言った。

「美人だったのかね、そのひとは」

「それはもう。奥一番のきれいな方でした」

「しかし、違うな。佐渡守さまが行っているのは、そういう艶《なま》めいた場所ではない」

「では、どこへ行っていらっしゃるんですか」

「それは言えん」

「そら、ごらんあそばせ。それで信じろとおっしゃるのは無理でございますよ」

藤尾はうきうきした口調で言った。ふだん男と接触が少ない暮らしのせいか、雇わ
れの浪人者とはいえ、若い男と大ぴらに会えるのが嬉《うれ》しいらしかった。又八郎の指を
離して、藤尾は言った。

「ほかには？」

「脚を少々」

又八郎が、右足をのばして、毛深い脛《すね》を出すと、藤尾はきゃっと言って袖《そで》で顔を隠

した。

「や、これは失礼。あんたは帰ってください。薬を頂けば十分だ」

「…………」

「奥方には、さっき言ったようなことを申しあげてくれ。今夜も女っ気はなし。ご安心願いたいと申した、とな。ごりっぱな殿さまだ。妙な疑いをかけては相済まんというものだ」

「そう申しあげます」

袖をはずして藤尾はそう言ったが、立ち上がろうとはしなかった。

「やっぱり、お手当てをしてさし上げます」

藤尾はそう言い、顔を赤らめたまま、こわごわした手つきで又八郎の膝下の傷にさわった。

七

佐渡守《さどのかみ》のうしろについて歩きながら、又八郎はいつもと違う道を歩いているのに気づいた。左右に武家屋敷が続いているのは同じだが、道が幾分狭くなっている感じがした。

佐渡守は、このあたりの地理を知悉《ちしつ》している様子で、一度も立ちどまったりせず、ずんずん歩いて行く。

——ああいう会合なので、場所を変えたのかも知れない。

と又八郎は思った。

契約が二日のびていた。十日の約束が終った朝に、土方がきてそう言ったのである。

「もう二日雇えとおっしゃっておる」

土方は、まだ正体が知れないと思っているらしく、佐渡守の名前を出さずにそう言った。

「この間は、見事な腕前を披露したそうじゃな。なぜわしにそのことを言わぬ、ん？」

土方は上機嫌な顔で言った。

「あの方も、いたくそなたを気に入っておる。二日のばせというのは、もう一度集まりがあって、それが明日の夜だと申す。それで当分は休みということらしいので、最後の警護を頼みたい」

「心得ました」

「夜歩きと申したが、これにはうすうす公《おおやけ》のことがからんでおっての。むげにおとめすることも出来んのだ」

土方はそう言ったが、口ぶりから老人は佐渡守の外出の理由を知っている模様だったのである。

——もう面倒はあるまい。

又八郎はのんびり歩いていた。佐渡守の動きに、誰かが圧力をかけてきたことは確かだったが、この前の斬《き》り合いで、佐渡守は強くそれをはね返した形になった。それ以上のことを相手が仕かけてくるとは思われなかった。あまり大げさなことをすれば、話が表沙汰《おもてざた》になる。

「ここじゃ。すぐに済む」

小さな門の前で佐渡守はそう言い、頭巾《ずきん》の中からきょろきょろと左右を見た。

——用心深いおひとだ。

と又八郎は思った。潜《くぐ》り戸を、佐渡守は静かに開けた。その後につづいて門の中に入りながら、まるで間男だな、と又八郎はおかしかった。この恰好《かっこう》を見れば、奥方が誤解するのも無理ないと思った。

「すぐに戻る。ここで待て」

佐渡守はもう一度そう言い、玄関に行くと、ほとほとと戸を叩《たた》いた。

すると、待っていたように戸の内側に明りが射し、やがて戸が開いた。

——女だ。

又八郎は眼をむいた。手燭《てしょく》を手にして戸の内側に立っているのは、身体《からだ》つきのほっそりした女だった。遠目にもすばらしい美人だとわかった。

女は、佐渡守を見上げて何か言ったが、やがてふっと灯を吹き消した。そして佐渡守を内に入れたまま、戸が閉まった。下弦のうす青い月に照らされた家は、そのまま無人の家のように静まり返った。

——二両か。

密会は疑いないと思われた。灯を消そうと、手燭に顔を寄せた女の顔が、なんとも言えずなまめかしかったのを又八郎は思い出し、憮然《ぶぜん》として腕を組んだ。

佐渡守に裏切られたような気がしていた。又八郎も細谷も、これまで吉良とか浅野とかいう動きに、時どき妙なかかわりが出来、そのつど何となく浅野浪人の肩を持つような立場に立ってきた。

佐渡守が、吉良の背後にいる勢力の動きを、ひそかに監視している様子なのを、その意味で又八郎は快く感じていたのである。又八郎に政治はわからないが、政治が公平であるべきだということぐらいはわかる。浅野処分には不公平な匂《にお》いがした。家禄《かろく》を失った浪人たちが、仇討《あだう》ちといった方向にまとまりつつあるようなのは、そこに処分の不公平を鋭く嗅《か》ぎつけたからにほかならないだろう。

その浪人たちをどう処置するにしろ、政治の片手落ちを隠蔽《いんぺい》するような、無体な弾圧ではない政治の働きが必要だろう。佐渡守の動きは、又八郎の感触にすぎないが、政治の公平な働きを意図しているように思われたのである。

ひそかな尊敬の気持があった。こういう人の用心棒なら、多少手間賃をひいてもいいと思ったぐらいである。

しかし今夜佐渡守がやっていることは感心したことではなかった。相愛の女かは知らぬが、相手は人妻である。もと主人の権威を笠に着て、女の亭主をないがしろにしているとしか思われなかった。

すぐに戻ると言ったが、佐渡守の用は長かった。

「待たせたの」

漸《よう》く家を出てきて佐渡守はそう言った。相かわらずさっそうとした歩きぶりで、又八郎より先に門を出た。

又八郎も続いて外に出たが、歩き出そうとしたとき前方から人が来るのを見た。人影はいそぎ足に歩いてきたが、二人の手前四、五間のところにくると、ぴたりと立止った。

——何者だ。

又八郎は佐渡守をうしろにかばいながら思った。また得体の知れない刺客が現われたかと思ったが、違うようだった。男から殺気は匂って来ない。こちらを見て立っているだけである。

「参りましょう」

と又八郎は言った。危険はないと思ったのである。すると、男がいきなり刀を抜いた。

「見たぞ」

男は泣くような甲高い声で喚《わめ》いた。又八郎は、佐渡守から離れて前にすすみ、男とむき合った。小肥《こぶと》りで背が低い、まだ若い男だった。刀を構えているが、隙《すき》だらけだった。

「刀をひかれい」

と又八郎は言った。そのときには、男の正体がわかっていた。これがさっきの女の亭主なのだ。そして男が、佐渡守の正体に気づき、留守中の家に何があったかを悟って、憤慨して刀を抜いたこともわかっていた。

「怪我をしてはつまらん。刀を納められい」

又八郎は素手のまま、男にじりじりと近づいてそう言った。男は少しずつさがった。構えた刀身が、みじめなほどふるえている。

男はついに又八郎に塀ぎわに追いつめられた。そして不意に、前にがくりと膝《ひざ》を折って、首を垂れた。くやしそうな泣き声が洩《も》れた。

又八郎は、佐渡守をうながしてその場をはなれた。町角を曲るとき、ふりむくと男がまだ置物のように地面に坐《すわ》りこんでいるのが見えた。

「恐れながら……」

濠ばたまで来たとき、又八郎はうしろから声をかけた。

「少々、夜遊びが過ぎはいたしませんでしょうか」

「…………」

「今夜のことは、天下のご老中がなさることとは思えませぬ」

佐渡守が立ちどまってくるりと振りむいた。頭巾の中から佐渡守は又八郎をじっと見つめた。そして不意に哄笑《こうしょう》した。夜歩きの好きな老中は、朗朗とひびく声で笑っていた。

「いかにも。以後つつしもう」

やはり二両の臨時手間はフイになった、と又八郎は思った。藤尾は今夜もいそいそと長屋にやってくるだろうが、女の一件は喋《しゃべ》るまい、と又八郎は心に決めていた。

内儀の腕

一

名前を言い、神田橋本町の相模屋《さがみや》から回されてきたと言うと、応対に出た年増《としま》の女中は、心得顔にそのまま又八郎を家の中に入れた。

そこは裏口である。そして案内された部屋は、台所に近い四畳半ほどの部屋だった。部屋に入るとき、そこから台所の一部が見え、立ち働いている女たちの声や、瀬戸物を洗う音などが聞こえてきた。

先客がいた。これが吉蔵《きちぞう》が言った塚原という浪人者だ、と又八郎にはすぐにわかった。

「青江又八郎でござる」

「塚原左内と申す。よろしくご指導をたまわりたい」

と塚原は言った。四十過ぎの少しむくんだような顔色をした小男だった。坐《すわ》り直して若い又八郎に丁寧に辞儀をし、そう言ったのが、律儀《りちぎ》にもみえ、また小心そうにもみえた。

日比谷町《ひびやちょう》の呉服問屋備前屋からのたのみは二人。塚原という浪人者は、話が決まって先に備前屋に行ったが、用心棒の仕事ははじめてらしいと吉蔵は言っていたのである。塚原の口ぶりから考えると、吉蔵は塚原に、組む相手が老練の用心棒だとでも言ってあるらしかった。

吉蔵の又八郎に対する信用は絶大で、今度の仕事も、前に世話した仕事がまだ二日も残っているのを承知の上で、娘を使いによこして又八郎の承諾をとりつけたのだ。

それにしてもご指導は少し大袈裟《おおげさ》ではないか、と思いながら、又八郎は部屋の中を見まわした。そこは女中部屋で、用心棒二人を収容するためにとりあえず空け渡したという感じだった。古びた長持が部屋の隅に置かれ、入口の隅には、小さな茶箪笥《だんす》があって、その上に手鏡と化粧具とおぼしい壺《つぼ》や櫛《くし》をほうりこんである木箱、草双紙などが乗っている。押しいれの前には、ふだん着らしい袷着《あわせぎ》がぶらさがっていて、部屋の中には濃密な女くさい匂《にお》いが籠《こも》っていた。そのうえ男二人が寝泊りする部屋としては、かなり狭いようだった。

物売りのように、裏口から招き入れられたときからつづいていた、なんとなくみじめな思いが、胸の中でまた動いたが、又八郎はすぐにその気分を押し殺した。

用心棒の役目は、この家にふりかかってきている危険を、身をもって防ぐのが第一で、首尾よく役目を果し、手当てをもらったところで終る。どこから入りこもうと、どこに寝泊りしようと、そういうことはすべて第二義的な問題にすぎない。

又八郎は、老練の用心棒に似つかわしく、お粗末な環境などは歯牙《しが》にもかけないというふうに、ゆったりとあぐらをかいた。みると、塚原はまだきちんと坐っている。

「お楽になされ。まだ先が長う《など》ござる」

又八郎は、先輩らしく世話をやいた。そう言われて塚原はようやくあぐらになったが、そうするとよけいに小男にみえた。

「吉蔵から聞きましたが、このての仕事はおはじめてらしゅうござるな」

「は、いかにも。なにぶんよろしくおひき回し願いたい。相模屋の話では、万事貴殿のお指図に従っておればよろしいとのことで」

「ま、気を抜かずに勤めることでござろうな。わずかの油断で、手当てがフイになることがありますからな」

と言いながら、又八郎はなんとなく厄介なものを背負いこんだような気分になった。

遠州浪人で、女房子供持ち。剣術の方はあまり得意でないらしい、と吉蔵から聞いてきたが、眼の前にいる塚原は、みちみち予想してきたよりもさらに頼りなげにみえた。用心棒といった意気ごみは感じられず、場違いなところに迷いこんで当惑しているようにさええみえる。

「や、お茶も出ませんな。これは少々、待遇がナニでござるな」

又八郎は、先輩用心棒の貫禄《かんろく》を示すつもりで手を叩《たた》いた。だが誰も来なかった。仕方なく部屋の入口に出て、台所に声をかけようとしたとき、反対側の廊下から、さっきの年増女中がきて、青江さまというのはどちらですかと言った。

「わしだ」

「おかみさんが、来てもらいたいと言っています」

と女中が言った。

広い家だった。廊下を二度曲って茶の間に出た。そこまで行くとようやく店の方から話し声や、作ったような笑い声がにぎやかに聞こえてきた。吉蔵が言ったように、備前屋は繁昌《はんじよう》している店のようだった。

又八郎は茶の間に入ると黙って坐った。女中は手早くお茶をいれ、又八郎の前に出すとそのまま部屋を出て行った。

部屋の中には、人が二人いた。二十四、五に見える細身できれいな肌をした女と、白髪頭の老人だった。二人の間には厚い帳簿とそろばんが置かれている。

二人は又八郎が入って行くと、振りむいて目礼したが、すぐに自分たちの話にもどった。年寄が帳簿をめくりながら、何度かそろばんを入れ、それを女に見せた。女は黙ってうなずいたり、そろばんを指さして何かたずねたりした。符牒《ふちょう》のような言葉がまじり、聞いていても話の中味は又八郎にはわからなかった。

二人の話はじきに終り、様子から番頭かとみえる年寄は、又八郎にむき直って、失礼いたしましたと丁寧に辞儀をすると、帳簿とそろばんを抱えて出て行った。

「申しわけございません、お待たせしまして」

女は年寄が出て行くと、急にあわただしくそう言い、部屋の隅から座布団《ざぶとん》を持ってきて又八郎にすすめ、新しく茶をいれ換えた。

「徳兵衛の家内でございます。今度はご面倒なお願いを申しあげまして」

女は又八郎とむかいあうと、あらためてそう挨拶《あいさつ》した。唇がやや厚めで、鼻の先がわずかに上向いている。しかし思慮深げなきれいな眼をし、造作の多少の瑕《きず》を補ってあまりある、光沢のある白い肌を持った女だった。

「青江でござる」

「あの……」

内儀は又八郎をじっと見つめたが、微《かす》かに頬をそめた。その人ずれしていない様子に、又八郎は好意を持った。

「お仕事の中味は、相模屋さんからお聞きでございますか」

「うけたまわっております」

仕事は、眼の前に坐っている美しい内儀の護衛である。

備前屋の当主徳兵衛は、三月ほど前から病気で寝こんでいて、時どき内儀のおちせが徳兵衛の代理で外に出ることがある。ところが数日前、商談で愛宕下《あたごした》の旗本屋敷に行った帰り、おちせは路上で数人のならず者ふうの男たちに襲われた。店の者が一人、供をしていて男たちに抗《あらが》ったが、たちまち刺されて大怪我《おおけが》をした。男たちはおちせを路上に隠しておいた駕籠《かご》にかつぎこもうとしたが、折よく三人ほどの武家が通りかかって狼藉《ろうぜき》を見とがめたので、難をまぬがれたのであった。

「ざっと聞いて参ったが、少々うかがってよろしいかな」

と又八郎は言った。おちせは黙ってうなずいた。

「その襲ってきた者どもだが、何か心あたりはござらんか」

「いえ、ぜんぜん」

おちせは首を振った。

「しかしわれわれ二人を雇われたというのは、また襲われる心配があるということでござろう」

「はい」

「それでいて、何の心配あたりもないというのはちと妙な気がするの」

「青江さま」

おちせが、伏せていた顔をあげた。

「徳兵衛が、じかにお願いしたいことがあると申しています。会っていただけますか」

「よろしい。ご案内頂きましょう」

と又八郎は言った。おちせに質問をはぐらかされたようにも感じたが、主人の徳兵衛が、もう少し突っこんだ事情を話すつもりかも知れない、という気もした。

二

部屋に入って、横たわっている病人が眼に入ったとき、又八郎はわずかにとまどいを感じた。薬湯の香がただよっている部屋に、ひっそりと寝ていたのは、鬢《びん》のあたりに白髪が目立つ男だった。五十前後に見えた。

「ごくろうさまでございますな」

又八郎を迎えて、顔だけこちらにむけてそう言ったところをみると、やはりこの病人が備前屋徳兵衛なのだった。又八郎が名乗ると、徳兵衛は夜具の中で何度もうなずいた。

「相模屋さんから、あなたさまを信用して万事まかせればよいと聞いております。これでほっといたしました」

と、徳兵衛は弱よわしい声で言った。

おちせが枕《まくら》もとの行燈《あんどん》に灯を入れた。気づくと部屋の中にやわらかなたそがれの色と、早春のかすかな冷えが入りこんできているのだった。

おちせは灯をともしたついでに、病人の枕のぐあいを直し、肩のあたりの掻巻《かいまき》の襟《えり》をひき上げた。徳兵衛はされるままになっている。その様子をみていると、二人は夫婦というよりも親娘《おやこ》のようにみえた。

なるほどこれでは、女房が妙な男たちに襲われたと聞いて、高い金をいとわずにすぐに用心棒を雇ったわけだ、と又八郎は思った。徳兵衛は若い妻を溺愛《できあい》しているに違いなかった。女房の扱いに、子供のように身をまかせている様子から、それが窺《うかが》われた。

だが、それならと又八郎はまた新しい疑問にぶつかった気がした。大事な女房なら、外になど出さなければいいではないか。それともおちせでなければ、徳兵衛のかわりが勤まらない商談というものもあるのだろうか。その気持を、又八郎は口に出した。

「お雇い頂いたからには、身をもってお内儀をおまもりするつもりでござるが、一番よろしいのは、外に出るのを控えて、様子をみることでござろうな。それでもここまで押しかけてくるような連中であればもっけの幸い、奉行所に届け出て、ひとからげにつかまえることも出来申そう」

「………」

「お内儀でなくとも、番頭をさしむけるとか、ほかにやりようもあるのではござらんかな。当分そうされてはいかがでござる？」

「それが、そうも参らぬわけがございましてな、青江さま」

と病人は言った。

「女房でないと、勤まらない用がございます」

又八郎は、徳兵衛の枕もとに坐《すわ》っているおちせをみた。するとおちせも黙ってうなずいてみせた。徳兵衛の言い分を肯定したのだった。

「ははあ」

「そして出かければ、この前のようなことが、またあるかも知れないということも承知しております。それでお二人さまをお頼みしたようなわけでございますよ」

「…………」

又八郎は口をつぐんで徳兵衛を見つめた。こちらをむいている徳兵衛の、面長で品のいい顔に強い緊張があらわれている。徳兵衛は、おちせが襲われたのは、偶然ではないと言っているのだった。

又八郎はうなずくと、低い声で言った。

「わけをお聞かせ願おうか、ご主人」

「…………」

徳兵衛は黙って又八郎を見返したが、やがて身じろぎして答えた。

「それはお話出来ません」

「…………」

「そう申しては、この頼みはお引きうけいただけませんかな」

「いや」

又八郎は重おもしく首を振った。が、内心うろたえていた。一日に二分、二日で一両という法外な報酬なのだ。寒い冬のさ中に、上野のさる寺の石垣積みで日銭を稼《かせ》いだことを考えれば、こんないい話をフイにする手はない。

それに事情がわかったからといって、危険が減るわけではなかろうし、どうしても知る必要が出来たときは、自分の手で調べればいいのだ。

「いや、一たんお引きうけした以上は、事情のいかんにかかわらず勤めを果しおおせるのが、われらの役目でござる。ご安堵《あんど》いただきたい」

「さようですか。これでわたくしも安心いたしました」

徳兵衛は、不意に顔をもどして眼をつぶった。話しているだけで疲れたようだった。おちせが、いそいで枕もとの盆の上からおしぼりを取り、徳兵衛の額を押さえた。

あてがわれた部屋にもどると、行燈と手焙《てあぶ》りが入っていて、手焙りのそばにつくねんと膝《ひざ》を抱いていた塚原が、あわてて膝をそろえて坐り直した。

「ま、ま、お楽に」

又八郎は鷹揚《おうよう》に言うと、どかりと腰をおろした。

「長いお話でござったが、店の者が何か申しましたか」

「貴殿は、相模屋にどういう話を聞かされましたかな」

と又八郎は言った。塚原は光のにぶい眼で又八郎を見返した。

「いや、この家の事情を、何か耳にしておられないかと思いましてな」

「いえ。ただここの内儀を、何者かがつけ狙《ねろ》うておる、その番人を勤めるのだと聞いただけでござる」

「さようか」

又八郎は腕を持ちあげて欠伸《あくび》をした。

「それが裏に何かありそうでな。どうやらここの主人もお内儀も、つけ狙《ねら》っていると
いう男たちが何者かを知っておる様子だ」

「ほう」

「知っておるのに喋《しゃべ》らん。喋らんとなると探りたくなるのが人情ですな。どうも気に
なりますな」

三

「よう、上がれ」

又八郎をみると、細谷源太夫《げんだゆう》は元気な声で言った。洲崎《すさき》の茶屋と呼ばれる、永代寺
門前にならぶ茶屋の中の一軒。その裏口である。

「いいのか」

「構わん。上がってくれ」

細谷は自分の家のように言った。入ったところからすぐ梯子《はしご》が二階に通じていて、上がると長い廊下になっている。

外障子が二、三枚開いていて、黒光りしている廊下と、廊下に面してつづいている部屋が見渡せたが、どの部屋もぴったり障子がしまって静まりかえっている。昼さがりの明るい光が廊下にさし込んでいて、開いた窓から流れこんでいる外気も、さほど寒くはなかった。

細谷はどかどかと廊下を踏み鳴らして、先に立って又八郎を導いて行く。

「誰なの？　静かにしてよ」

不意に部屋の中から、女の声が咎《とが》めた。

「すまん。おれだ」

「あら、先生なの？」

声はそれだけで、欠伸に変り、また静かになった。

「ここがおれの部屋だ」

細谷は障子を開いて、廊下のならびのひと間に、又八郎を呼び入れた。そして長火鉢の向うに腰をおろすと、まめな手つきで鉄瓶《てつびん》から白湯《さゆ》をつぎ、又八郎にすすめた。

「女どもはまだ寝ておる。茶屋とは言うものの、内実は男と寝る夜の勤めの方が本式での。昼の間に眠らんと身体《からだ》がもたんのだ」

「先生か。何の先生だ？」

もの珍しく部屋の中を見回しながら、又八郎は言った。六畳はたっぷりある。壁は少々汚れているが、きれいに掃除が行きとどいて、長火鉢がおかれ、茶箪笥《だんす》がある。備前屋の四畳半よりは、よほど住み心地がよさそうにみえた。

わっはっは、と細谷は至極うれしそうに笑った。

「女どものもとめに応じて、手紙を書いてやっておる。家にやる手紙、言いかわした男にやる文。みんな無筆だから大そう喜ばれての。それで先生」

「ひまそうだの」

又八郎は、ややうらやましそうに言った。細谷が、この茶屋に雇われてきてから、ひと月近く経《た》っていることを思い出していた。又八郎は、一日ほど前から備前屋に雇われて、ようやく若干のゆとりと高い報酬にありついたものの、それまでは二月の寒空の下で、しがない人足仕事に励んでいたのだ。

その間、細谷はこのあたたかい部屋で、女たちに先生などと呼ばれて、のうのうと寝そべっていたのかと思った。

このあたりに茶屋がひらけたのは、たかだか二十六、七年前のことだが、その後の土地の繁昌《はんじょう》ぶりは眼をみはるものがあった。色町が栄えれば、そこに寄食する地回りの勢力ものびる。

細谷がこの茶屋に雇われたのは、茶屋と地回りの男たちの間に起きたいざこざがこじれた結果だが、その仕事が、さほど難儀なものでないことは、栄養が行きとどいて、てらてらと血色がいい髭面《ひげづら》をみればわかる。

「仕事の方は、どうなっているのだ？」

「仕事？」

細谷はきょとんとした眼で又八郎を見たが、やっとその仕事とやらを思い出したという顔つきになって、手を振った。

「仕事は軽い、軽い。ここへ来た当座、文句を言いにきた奴《やつ》がいたが、刀を持ち出すまでもない。腕一本で片づけてやった。いまは日暮れに表に出て、ちょっとにらみをきかす程度でな。妙な奴は寄っては来ん」

「それで、あとは女たちの手紙書きか」

「夜になると酒も出る。手当てもまんざらでないしな」

そう言ってから、細谷は変な笑い方をした。

「たまには女どものおこぼれにあずかることもあってな。男にあぶれた女が、夜中に這《は》いこんで来よる」

「不潔な男だな」

　と又八郎は言った。面白くなかった。

「ご新造に相すまんとは思わんのか。六人の子持ちがいい気なものだ。貴様がそのように好色漢とは知らなんだぞ」

「まあ、そう怒るな。こっちから手を出すわけじゃない。もらいものだ」

　細谷はにたにた笑った。いまの境遇にどっぷりと首までつかって自足しているというふうに、まるで恥じる色もないのだ。

「女房子供に不自由はさせておらん。それに貴公はそう言うが、手当てもそこそこでしかもこんな楽な仕事というのは、めったにあるものじゃないぞ」

「よかろ。そのうち武士の魂まで骨抜きにされんように気をつけろ」

　又八郎は機嫌悪く言った。

「ところで、おれの頼みごとはどうなった?」

「安心しろ。ぬかりなく調べた」

　細谷は、やっとしまりのない笑いをひっこめて、いつもの細谷の顔にもどった。

「備前屋徳兵衛は、六年前に磯屋《いそや》から女を落籍《ひか》せている。磯屋というのは、ここからもっと奥に行ったところでな。女は玉枝といったそうだ。徳兵衛は玉枝を、自分が囲うのではなく親元に帰してやると言っていたそうだが、やはりお囲いになったのでしょうと、磯屋のばあさんが言っておったな」

「ほう」

「名前はちょっと違っておるが、貴公の言う備前屋の内儀は、どうもその女らしいな。描いたような美人というのではないが、眼に色気があって、細身の姿がいい女だったそうだ」

「そりゃ細谷。間違いないぞ」

「だがその女だとすると、備前屋は厄介な女を女房にしたことになる」

「やはり何かあったか」

「玉枝には深く言いかわした男がいてな。地回りのならず者で、益蔵という男だそうだ。その男は、喧嘩《けんか》から人を半殺しの目にあわせて、いま島送りになっている。備前屋が、玉枝を身請けする前のことだそうだ。このことは磯屋では知らなんだ。ほかの女からそっと聞きこんだ話だ」

「よく調べてくれた。それで話が合う」

と又八郎は言った。

備前屋夫婦の前ではああ言ったが、又八郎はやはり、今度の仕事の裏に、なにか事情があるらしいことが気になった。危険に出会ったとき、臨機応変に処置出来るかどうかは、用心棒の腕の問われるところだが、うまく切り抜けるためには、危険の性質を出来るだけつかんでおくことが望ましいのだ。

ところが今度の場合、備前屋夫婦は裏の事情を、又八郎から隠そうとしていた。知らなくて話せないならぜひもないが、知っていながら、夫婦が言いあわせて話さないことに決めているふしがあった。仕事がやりにくい例だった。

又八郎は自分で調べてみる気になった。備前屋は、主人の徳兵衛が寝こんでいるにもかかわらず、商売は順調に繁昌しているようだった。

又八郎が時どきのぞき見るかぎりでは、店は終日客が出入りして活気があった。番頭の藤助が中心になって店を切りまわし、それをおちせと、徳兵衛の先妻の子で十八になる保次郎が助けていた。奉公人のしつけも行きとどいていて、商売の上では、備前屋からは何のかげりも感じとれなかった。

はじめて備前屋に来た日に、又八郎が察しをつけたように、おちせは後添《のちぞ》いだった。徳兵衛は、十年ほど前に、先妻を病気で失っていた。だが先妻の子の保次郎とおちせとの間に何かのわだかまりがあるようには見えなかった。二人が話している様子からうかがわれるのは、保次郎はむしろ若くてきれいな継母になついているという感じだった。

不明な点がひとつだけ残った。又八郎と塚原の世話係になっているおみつという年《とし》増《ま》女中は、十日もたつ間にすっかり狎《な》れて、備前屋の内輪の事情も、聞かれれば大ていは喋《しゃべ》るようになっていたが、おちせの素姓については知らないと首を振ったのである。

ある日又八郎は、台所をのぞいて、おみつが一人でいるのを確かめると、もう一度おちせの素姓を問いただした。おみつはやはり知らないと言ったが、又八郎が用意しておいたおひねりを握らせると、釣りこまれたように、おかみさんは洲崎の茶屋で働いていた、と店の男衆に聞いたことがあると言った。

「でも、なんでそんなことを聞くんです？」

言ってしまってから、おみつは急に喋ったのを後悔する顔色になって言った。

「心配ない。お内儀のためになることだ」

「そうですか」

おみつは、又八郎にそう言われても、まだ落ちつかない顔色で、私が喋ったとは誰にも言ってくれるなと、くどいほど念を押した。それが自分の身をかばっているのではなく、内儀のおちせをかばっているのだということは、口ぶりでわかった。おちせは奉公人にも好かれているようだった。

女中のおみつから、その情報を手に入れたとき、又八郎はおちせが何者かに攫《さら》われそうになったという事件の背後が、うっすらと見えてきた気がしたのだった。事件が、おちせの過去につながっているという推察には無理がなく、また備前屋夫婦の、何かを隠すようだった態度にも符合するようだった。

おちせの過去を洗えば、事件の仕組みはもっとはっきりするだろう、と又八郎は思った。何のつてもなければ、ひまをみて自分で洲崎に出かけて調べるしかなかったが、好都合なことに、細谷がその土地で雇われ用心棒になっていた。

又八郎が細谷をたずね、立ち話でその調べを頼んで行ったのは、三日前である。三日の間に細谷は、退屈しのぎになると思ってか、又八郎の期待以上の調べをしてくれたようだった。

「ところで、さっき申した益蔵という男だが……」

と、又八郎は細谷の口からその男の名前を聞いたとき、とっさにひらめいた直観を口に出した。

「ご赦免があって、島からもどって来ているようなことは聞かなかったか」

「そこまでは知らんぞ」

と言ったが、細谷はさっき又八郎によく調べたとほめられて気をよくしているようだった。

「知りたければ、それも調べてやるぞ。なに、このあたりをうろついているならず者を一人か二人、つかまえて殴りつければすぐに吐くだろう」

細谷は乱暴なことを言った。又八郎はそのことも細谷に頼んで茶屋を出た。

これで、もし益蔵が島からもどっているようであれば、事件の背景がすっきりまとまると、又八郎は思った。益蔵は、むかし言いかわした女が、商家の内儀におさまっているのを嗅《か》ぎつけ、仲間を語らって、おちせを攫いにかかったのだ。

そしてもし益蔵がもどったというのが、こちらの勘ぐり過ぎとしても、益蔵と備前屋のおかみとのかかわり合いを知っている連中が、おちせを襲ったという見当は、まず動かないだろうと思われた。

備前屋に住みこんでから半月近くたっている。その間に、又八郎と塚原は二度、おちせのお供をして外に出たが、何事も起きなかった。

だが備前屋では、それで危険が去ったとは、毛頭考えていないようだった。おちせは、この前外から帰ったとき、おちせがみるみる緊張を解く様子でそれがわかった。外からのようなことが、またあるに違いないと確信しているように見えた。

——もし細谷の調べで……。

勘があたって、細谷が益蔵という男の居場所を探り出してくれるようだったら、災いは未然に防げるわけだと又八郎は思った。

永代橋を渡って、日比谷町にくる間に、日が落ちて、備前屋の近くまで来たとき、あたりは少し薄暗くなっていた。又八郎はいつものように裏木戸の方に回った。そしてふと塀《へい》の角で立ちどまった。

表通りには、まだ人が大勢歩いていたが、裏道はひっそりしている。その道の上に、人が二人立っていた。一人は町人ふうの着流しの男で、むかい合って話しているのは塚原だった。

町人ふうの男は、着ている物の様子で若い男のように見えたが、薄暗くて顔まではっきりわからなかった。二人は額をつき合わせるようにして、熱心に話しこんでいたが、やがて町人ふうの男が丁寧に頭をさげて去って行った。あとに残った塚原は、男を見送ってちょっとの間立っていたが、不意にあたりを見回すと、すっと木戸の中に消えた。

不可解なものを見た、と又八郎は思った。無口で小心そうな塚原が、何の話があってか、町人らしい男と長ながと話していたのも思いがけない光景だったが、道から塀の中に消えた身ごなしは敏捷《びんしょう》で、いつもの塚原の印象とは違っていたのである。

四

はばかりに行くと言って立った塚原が、なかなかもどって来ないのに、又八郎は気づいていた。

「長いな」

と、又八郎は思わずひとりごとを言った。塚原のはばかりもそうだが、おちせが本堂の方に去ってから、およそ一刻《いっとき》近く経《た》っていた。神谷町の大養寺という寺の中だった。浄土宗の寺で、京都の知恩院の末寺になっているということは、ここに着いてから寺の者に聞いたことだった。

寺参りに行くといって、おちせが駕籠《かご》を呼んだのが、申《さる》の刻（午後四時）過ぎである。寺参りという時刻ではあるまいと思ったが、それは用心棒が口をはさむ筋合いのことではなかった。又八郎と塚原は駕籠につきそって寺まで来た。

着くとすぐ、おちせは二人を庫裡《くり》に残して、べつに寺の者を案内させるでもなく、勝手知った家のように、本堂に行く廊下に出て行った。その後で寺男らしい年寄がきて、まだ寒いから火にあたれと二人を炉ばたに誘い、お茶を出した。

だがそれっきりで、おちせももどって来なければ、寺の者が二人の相手をするでもなく時が経った。その間、庫裡の隅に膳《ぜん》が出て、僧侶《そうりょ》らしい男たちが四、五人どやどやと現われて、飯を喰って去っただけである。

又八郎は炉ばたから、はばかりに立った。場所はさっき塚原が寺男に聞いていたのでわかっている。もどって来ない塚原が気がかりでもあったが、空腹にお茶ばかり飲んだので、尿意をもよおしてもいた。

だが塚原はいなかった。小さな懸け行燈《あんどん》が照らすはばかりで小用を足しながら、又八郎は次第に心が緊張にとらえられるのを感じた。おちせも塚原も、どこかに消えてしまったようだった。

はばかりを出たとき、左手の格子《こうし》窓《まど》の外に何か光るものが動いた。のぞくと提灯《ちょうちん》だった。外は明るい月夜だったが、いま本堂の前庭に駕籠が着き、駕籠を降りる人間の足もとを、供の者らしい男が提灯で照らしているところだった。

駕籠から出たのは、長身の武士だった。武士は庫裡の方には来ないで、そのまま正面の本堂の入口に真直《まっすぐ》歩いて行く。駕籠と供の男はその場にとどまった。

又八郎は急いで庫裡にもどった。半分板敷になっている庫裡の中の広間には、炉に赤赤と火が燃えているだけで、誰もいなかった。むろん塚原ももどっていなかった。

又八郎は大股《おおまた》に庫裡の広間を横切ると、襖《ふすま》をあけ、足音をしのばせて暗い廊下にすべりこんだ。おちせの身の上に、悪いことが起きているという気がした。暗くなる帰り道だけを心配していたが、隙《すき》をつかれた、とも思った。

又八郎は手にさげていた刀を腰にもどし、ゆっくりと廊下をすすんだ。すると右手の部屋の方で低い話し声が聞こえた。だが、声は襖のすぐ内側ではなく、もっと奥から聞こえてくる。

又八郎は音を立てずに襖を開け、中に入ると、また静かに襖を閉めた。次の間から、明りがひと筋洩《も》れ、畳の上に細い筋を作っている。又八郎はくらやみの中に蹲《うずくま》ると耳を澄ませた。

「ご紹介しよう。先だって江戸に下られた吉田忠左衛門殿でござる」

太い男の声がそう言い、つづいて女の声がこう言った。

「備前屋の家内でございます。徳兵衛が病気でふせっておりまして、わたくしのようなふつつかな者が、ご用を勤めさせて頂いております」

「これは、ご丁寧な挨拶《あいさつ》で痛み入り申す」

そう答えたのは威厳のある老人の声だった。それが吉田忠左衛門という男で、さっき庭で見かけた武士かと思われた。

「お手前がたが、江戸の同志に、資金のみならずさまざまに援助をたまわっておられることは、先に原と大高が、京にもどったときにも、くわしい報告があった由《よし》でござる。大石殿から、お会いしてご挨拶申しあげろときつく言われましてな。このように参上つかまつった次第でござる」

——江戸の同志、大石……。

又八郎は静かに膝《ひざ》を起こし、尻《しり》さがりに襖ぎわにいざった。

「なにせ三田の前川の家は、隙間なく見張られておりましてな……」

さっきの男の太い声が聞こえてきたとき、又八郎はするりと廊下にすべり出た。意外だった。どういうつながりがあるのか、備前屋は浅野浪人と深いかかわり合いを持っているのだと理解出来た。

すると、そのわけはお話出来ないと言ったときの、備前屋徳兵衛の緊張した表情が、改めて別の意味を持って思い出されてきた。徳兵衛は、このつながりのことを言ったのだ、と思った。

——とんだ思い違いをしていたようだ。

そうすると、おちせを襲ったのは、浅野浪人と備前屋のつながりを嗅《か》ぎつけた反対派、つまり吉良《きら》方の人間が、そのつながりを断つためにやった仕事だと考えた方がいいいようだった。

益蔵とその仲間という、ならず者の集まりのかわりに、比較にならない危険な集団が立ち現われてきたのを又八郎は感じた。おちせがこの前に襲われたのが愛宕下《あたごした》を歩いている時だというのは、恐らくその時もこの寺に来た帰りででもあったのだろう。ということは、この大養寺が、備前屋と浅野浪人の密会の場所になっていることを、吉良方の勢力に嗅ぎつけられているのだと覚悟した方がよさそうだった。

庫裡にもどると、火のそばに塚原がいた。

「や。どこへ行っておられた」

思わず又八郎は言った。すると塚原は恐縮したようにあぐらを正坐《せいざ》にかえた。

「あまりにいい月夜で、つい庭に降りましたが、お内儀の用はすみましたかな」

「いや、まだだ」

又八郎は腰をおろすと、まだ坐《すわ》っている塚原にお楽にされたらよかろうと言った。

「今夜の帰りは、ちと油断ならぬかも知れませんぞ」

「は？」

「いや、例の連中が、今夜あたりは出るかも知れんということでござる」

むくんだような顔をして、ただ眼をみはっている塚原に、又八郎はそう言ったが、どことなく正体の知れない男と組んでいるような無気味な感じが、一瞬胸をかすめたようだった。

又八郎の予感は、それから間もなく本物になったのである。

駕籠を帰したので、おちせの用が終ると、三人は歩いて広大な大養寺の境内を出た。戌《いぬ》の刻（午後八時）近いと思われる町は、人通りもなく、家いえの灯もまばらだった。だがその町の上に、あかるい月の光が照りわたっていて、歩きわずらうようなことはなかった。夜気は幾分冷えている。神谷町から増上寺北の切通しに出る道は、ゆっくりした下り坂になっている。三人は坂下まできた。

そのとき、突然に数人の男が路上に出てきて道を塞《ふさ》いだ。そう思ったときには、男たちはもう先頭の又八郎に襲いかかってきていた。声も立てない、すばやい襲撃だった。

おちせを、突きとばすように塚原に押しつけて、刀を抜きあわせるのがやっとだった。又八郎は、二人まで峰打ちで地に這《は》わせた。だが三人目の男はためらいなく斬《き》った。峰を使ったのは、六人の男たちの中で、侍は一人だけで、あとの五人は匕首《あいくち》を持った連中だったからだが、その顧慮がまったく間違っていたことが、斬り合っているうちにわかった。男たちはきびきびと動き、白刃を恐れていなかった。刀の下をかいくぐるようにして飛びこんでくると、鋭く匕首をふるい、とらえる間をあたえず左右をすり抜けて走る。一人の男は、又八郎の撃ちこみを、二度まで軽がるとかわした。

——匕首で人を刺すのに慣れている連中だ。

又八郎はぞっとした。執拗《しつよう》で隙のない攻撃をうけて、又八郎は肩と脇腹《わきばら》に浅い傷を負っていた。

四人目の男を斃《たお》したとき、又八郎は堪《た》えがたいほどの疲れを感じた。一瞬の油断もゆるされない死闘が、かつておぼえのないほどの疲れを誘ったようだった。

しかし、まだ二人残っていた。さっき又八郎の撃ちこみを、あざやかにかわした男が、するすると後にさがった。又八郎が追うと、男は不意に背中に眼があるような動きで、路地にとびこんだ。寺と武家屋敷にはさまれた路地だった。

引きこまれるように後を追って路地に入った又八郎は、はっとした。

——狭すぎる。

又八郎がそう思ったとき、匕首の男は後にさがるのをやめて立ちどまった。同時に、背後にもうひとつの足音がした。ふりかえるまでもなく、路地の入口をふさいだのが、浪人者だということがわかった。

匕首の男の顔に邪悪な笑いが浮かぶのが見えた。男は軽がると左右に動き、又八郎の青眼の構えの下から飛びこむ構えを見せた。男は匕首をもてあそぶように右の手から左の手に、左手から右手に移してみせた。そうしながら、また声を立てないで笑った。

そして男は猛然と突っこんで来た。同時に又八郎は背後に剣の唸《うな》りを聞いた。振りむくゆとりはまったくなかった。又八郎はとっさに膝を地面について、刀を逆手に持ち構えると、顔面を襲ってきた匕首を柄《つか》ではじき、そのまま地をなめるように背をまるめると、剣先を背後に突き出した。鈍い手応えとともに、獣めいた絶叫があがり、浪人者の身体《からだ》が、蹲った又八郎の身体を支点に、もんどり打って前に転がった。

匕首の男はひるまなかった。はげしく舌を鳴らすと、又八郎の刀を腹につき立てて転がっている浪人者の上を、禍《まが》まがしい鳥のように翔《か》けてきた。男が匕首をふるったのと、たち上がった又八郎の小刀が一閃《いっせん》したのとが、ほとんど同時だった。

又八郎は飛びすさって男を見つめた。男はまだ立っていたが、不意に額におびただしい血を溢《あふ》れさせた。一度男は左手をあげて傷を探りかけたが、手は途中でとまり、ついで右手に握っていた匕首を落とした。男はどっと両膝を地面につき、やがてだんだんに身体を傾けると、横ざまに倒れて静かになった。

男の最後の襲撃が、又八郎の左肩を肉まで斬り裂いていた。又八郎は半ば垂れさがった袖《そで》をひきちぎって、傷口にあてると、まだ浪人者の呻《うめ》き声がつづいている路地を出た。

月が照らす路上に、倒れた男たちの身体が散らばり、そこから少し離れた青松寺の塀ぎわに、塚原とおちせが立っているのが見えた。又八郎が近寄ると、おちせが走り寄ってきて声をかけた。

「おけがをなさいましたか」

「少々。なに、大きな傷ではござらん」

おちせは、又八郎が押さえている袖をのけて傷口をあらため、微《かす》かに身顫《みぶる》いして、血が出ていますと言った。そしてあわただしく、手に持った袖をひき裂くと、傷口を縛った。おちせの手はふるえて、なかなか布を結べなかったが、ようやく縛り終えた。

「この間襲ってきたというのは、この連中ですかな」

「そのようです」

おちせは小さな声で答え、恐ろしそうに倒れている男たちを見回した。

「よく助かったものだ。僥倖《ぎょうこう》としか思えん」

おびただしい疲労と傷の痛みにつつまれながら、又八郎は言い、ふと気づいておちせの背後に茫然《ぼうぜん》と立っている塚原に声をかけた。

「貴公は、あまり役に立たんですな」

又八郎が、路地から通りに出たとき、塚原はおちせをかばうように立ってはいたが、刀も抜いていなかったのだ。

「相すまん。斬り合いを見たのははじめてでござってな」

塚原はなおも何か言おうとしたが、又八郎は手を振って、誰でも、はじめての時はそんなものです、と言った。

又八郎は二人をうながして歩き出した。すると、おちせががくりと膝を折ってよろめいた。緊張が、まだおちせの身体の動きをしばっているのだった。

「歩けますかな」

又八郎が手をさしのべると、おちせは一度はだいじょうぶですと言ったが、またよろめいて又八郎の手にすがった。冷たくて、小さな手だった。けなげで可憐《かれん》な女子《おなご》だと又八郎は思った。

空駕籠が通ったらつかまえて、おちせをのせようと思ったが、武家屋敷の塀ばかりがつづく町はしんかんと静まり返っていて、駕籠はおろか、人通りも稀《まれ》だった。このあかるい月夜に、提灯持ちを先に立てた武家が一人。ほかには三人連れの中間《ちゅうげん》ふうの男たちがすれ違っただけだった。三人連れの男たちは、すれ違うとき酒の匂いがした。

店がある日比谷町の近くまできたとき、又八郎は首筋のあたりに、奇妙に重苦しい気分が貼《は》りついてくるのを感じた。肩にうけた傷のせいだろうと思ったのである。だが、それが殺気だと気づいたとき、又八郎ははっとして後を振りむいた。

一間ほど後に、塚原がついてきているだけだった。その背後には誰もいなかった。塚原は、又八郎が振りむくと、ぺこりと頭をさげて言った。

「今夜は、まことに相すまんことをした。助勢いたそうと、気はあせったが、手が出なんだ。おはずかしいことでござる」

五

「備前屋さんは、鉄砲洲《てつぽうず》と南部坂の浅野屋敷に品物を納めていましたからな。昵懇《じつこん》の出入り商人ですよ」

又八郎が、浅野家と備前屋のつながりを聞くと、口入れの吉蔵はすらすらと答えた。聞けば何でも知っている男だった。だが、聞かなければ言わない男でもあった。

「そうか。それで相わかった」

「何か、不審なことでもございましたか」

「いや、こっちの話だ」

そのつながりは秘匿《ひとく》しなければならない性質のものだった。相手が吉蔵でも洩《も》らすわけにいかない。

「もうひとつたずねたいことがある」

吉蔵は、耳に筆をはさんだまま、じっと又八郎を見つめた。狸《たぬき》に似た下ぶくれの黒い顔に、怪訝《けげん》ないろが浮かんでいる。仕事の途中で、又八郎が雇先のことをあれこれと詮索《せんさく》しにもどってきたのは初めてのことだからだろう。

「塚原左内のことだが……」

「塚原さまが、どうかなさいましたか」

「女房子持ちだと申したな」

「さようでございます。お子は二人。まだ小さいらっしゃいますな」

「住まいはどちらだ」

「南本所の石原町でございますな。菊平店《だな》という裏店がありますが、そこにお住まいでございますよ」

「行ってみたのか」

「あたしが？　いいえ」

吉蔵は首を振った。

「青江さまは、ご自分が何も持たずにここにいらしたから、またあたしもはじめから信用してお仕事をまかせましたから、そんなことをおっしゃいますが、ここに仕事を頼みに来なさる方は、大ていご自分で身元引請人の判をもらっていらっしゃいます」

「ああ、そうか」

又八郎は頭をかいた。

「それは気づかなんだな」

「あなたさまはよろしゅうございますよ。ひと眼で信用できる方と、あたしは見抜きましたからな。それに大家の六兵衛さんとはつき合いもありますから、ひとつも心配はいたしませんでした、はい」

「すると、塚原は書きつけを持参したわけだ」

「さようでございます」

「身元引請人は、誰になっておるの？」

「大家さんでしたな。名前は、と」

吉蔵は手文庫のふたを取って、ひとつかみの書類をつかみ出した。そしてすぐに一枚の書きつけを探し出して言った。

「間違いございません。菊平店の大家さんで、甚左衛門さんですな」

「その書きつけを持って、塚原がやってきたのはいつのことかの？」

「あたしが、備前屋さんの注文を受けてきた日でございますな。それですぐにお世話しました」

「用心棒という仕事をことわらなかったわけか」

又八郎は切通し下の乱闘のとき、刀も抜いていなかった塚原を思い出しながら聞いた。

「いーえ、大そう喜んでおられました。剣術はあまり得意ではないが、ならず者防ぎぐらいなら出来そうだと申しましてな」

塚原がどうかしたか、役に立たないのかと吉蔵はしきりに聞いたが、又八郎はいい加減の返事をして、吉蔵の家を出た。

しかし、そこから日比谷町にはむかわずに、両国橋を渡ったのは、石原町の菊平店をたずねる気になったのである。

未《ひつじ》の刻（午後三時）過ぎの両国橋は、人通りが多かった。その人混みの中に、桜の枝をかざした者がまじっているのは、どこかに花見に行った帰りらしかった。空は晴れて、もの憂《う》いような春の光が、橋の上にも、橋の下の川水にもふりそそいでいる。

だが又八郎は、はなやかな季節とは無縁なことを考えながら歩いていた。又八郎の頭を占めているのは、相棒の塚原の素姓のことだった。

塚原の幾つかの不審な挙動が、又八郎の記憶に残っている。店の外で、町人ふうの男と話しこんでいた塚原。寺の中で不意にいなくなった塚原。乱闘のとき、まったく無能だった塚原。彼は言いわけをしたが、かりにも用心棒を引きうけた男が、あそこまで無能であっていいとは思わなかった。

無能を恥じて用心棒をやめでもすれば、話の辻《つじ》つまも合うが、塚原は平然として女くさい四畳半に腰を据えているのだ。

そしてあのときの殺気だ、と又八郎は思った。背後からきた殺気は、間違いなく塚原が放ったものだったという又八郎の確信は動かない。塚原の素姓を洗えば、そのわけがわかるだろうと思っていた。

菊平店という裏店は存在した。だがそこで塚原のことを聞いた又八郎は、疑惑が適中したことを知った。

「さあ、ここにはお武家さんはいませんですけどねえ」

眼ばかり大きい痩《や》せこけた赤ん坊を抱いた女は、そう言った。

「どこかに移って行ったのではないかな」

「いいえ、あたしはここに住んで三年になりますけど、その間にお武家さんが入ったことはありませんよ。塚原なんてひとは知りませんね。ここと違うんじゃないんですか」

備前屋の四畳半で、一緒に寝起きしている男が、一挙に正体不明の人物に変ったのを又八郎は感じた。だがまだ調べることが残っている。

「大家は何というひとかな」

「甚左衛門という名前だけど」

その家を教えてくれと又八郎は言った。

六

又八郎は道をいそいでいた。一刻も早く備前屋にもどらねばならない、と思っていた。

菊平店《だな》の大家は間違いなく甚左衛門という男だったが、塚原という男もその家族も、裏店に入ったことはないし、ましてそういう男の身元引請けの書きつけを出したことなどない、と言ったのである。

備前屋と浅野浪人のつながりを断とうとする勢力に、塚原がつながっているかどうか、その疑いは十分にあるが、まだわからないことだと又八郎は思った。だが、そのことをひとまず措《お》いても、備前屋に素姓を偽った一人の男が入りこんでいることは事実だった。気味の悪いことだった。おちせの身の上が案じられた。

「よう、青江ではないか」

橋を渡って、日比谷町に踏みこんだところで、又八郎は不意に声をかけられた。

「妙な顔をするな。おれだ。忘れたわけじゃあるまい」

「土屋か。忘れはせん」

又八郎は近づいてくる男を、ほとんど無意識に迎え撃つ身構えになりながら言った。だが土屋という、顔見知りの同藩の男は、無造作に近づくと、ぽんと又八郎の肩を打った。

「脱藩したと聞いたが、こんなところで会うとはな」

と土屋は言ったが、雇先が日比谷町と聞いたときから、又八郎はこういうことがありはしないかと懸念《けねん》していたのだ。藩屋敷は日比谷町の南、源介町から右に入りこんだ一郭にある。

「元気そうじゃないか」

「まあな」

「このあたりに住んどるのか」

「いや違う。ちょっと用で来た」

「気楽そうだな」

土屋はじろじろと又八郎を眺めた。

「何をやって喰っとるかね。貴公は剣術が達者だから、道場でも開いているのか」

「なかなか、そんなわけにはいかん」

又八郎は苦笑した。話しながら、又八郎は土屋が、藩の内部に藩主毒殺の陰謀があり、その事実を探り知った又八郎が、陰謀に加担していたと思われる許婚《いいなずけ》の父親を斬《き》って脱藩したという事情を、まったく知らないらしいのを感じた。

奇妙な感じがした。それがまぎれもない事実であることは、謀主である家老の大富丹後が、次つぎと又八郎に刺客をむけてきたことで明らかなのだ。

「貴公は江戸詰か」

と又八郎は逆に聞いた。

「そうだ。今年の正月にこちらに来たばかりだ。来た当座は江戸も面白かったが、もう倦《あ》きた。早いところ国元へもどりたいよ」

「変ったことはないか」

「殿が亡《な》くなられたことは知っておるな？」

と土屋は言った。又八郎は息を呑《の》んだ。そうか、やはり大富はやったのだと思った。

「いや知らなかったぞ。いつだ？」

「去年の秋よ。長らく病気でふせっておられたから、ぜひもないがその後家督争いがあっての。家督は一応三之助君《ぎみ》が継がれたが、亀次郎君を推された中老の間宮殿の一派は、これを大富家老の策謀だとして、いまだに承服しておらん」

「貴公はどちらの組かの？」

「それは言えん」

と土屋は言った。

「もうひとつ聞いていいか」

「いいとも」

「徒目付《かちめつけ》の平沼の娘だが、あれは嫁に行ったか？」

「それを聞きたきゃ、一杯おごれ」

と土屋はにやにやしながら言った。それで又八郎は、土屋清之進が針金のように細い身体《からだ》をしているくせに、底の知れない酒呑みだったことを思い出した。

「うむ。おごってもいいが、今日はこれから寄るところを控えておる。そのうち訪ねて行くゆえ、消息だけでも聞かせろ」

「逃げるつもりじゃあるまいな」

土屋はげんまんもしかねまじい様子を見せた。

「逃げはせん。いまにたらふく飲ませてやる」

「では話そう」

「………」

又八郎は耳を澄ませた。

「平沼の娘由亀《ゆき》どのは、嫁には行っておらん。あまたある縁談を片っぱしからことわって、じっと貴公がもどるのを待っているという噂《うわさ》だ。貴様も罪な男だ。何とかすべきではないかの」

土屋の言うことが本当なら、と別れて歩き出してから、又八郎は心が微《かす》かな悲哀に染められるのを感じながら思った。彼女がどう思っているかは知るよしもないが、由亀とのつながりはまだ切れていないのだ。

だが思いがけなく旧知に会って、いっとき感傷にひたった気持も、備前屋にもどったときには強い緊張にひきもどされていた。

部屋に入ると、又八郎は女中の草双紙をひろげていた塚原に言った。

「やあ、手間どって済まなんだ。途中で思いがけぬ人に会ったりしてな」

「留守の間、べつに変ったことはござらん。こう何もないと、少々退屈いたしますな」

と、いまは塚原という名前もさだかでない男は言った。

その夜、又八郎は寝る前にワナをかけた。

「貴公は石原町の菊平店にお住まいだそうですな」

「さようです」

塚原は、腫《は》れぼったい眠そうな顔でじっと又八郎を見た。

「裏店住まいも二年になり申す。ところでそんなことを誰に聞かれましたかな」

「吉蔵でござる。それがしは組む相手のことは出来るかぎり知っておくことにしておりましてな。貴公のことも一応吉蔵にいろいろとたずねてござる。ところが世間は狭い」

「…………」

「今日会った知り人が、つい先だってまで菊平店に住まっていたと申す」

塚原はまったく表情を変えなかった。仰《おお》せのとおり、世間は狭いものでござるな、と言ったが、又八郎の知人が誰かということは聞かなかった。

塚原が起き上がったのは、その夜の明け方近くなってからだった。塚原は上体だけ起こして、わずか離れている又八郎の寝床をじっと窺《うかが》う様子だったが、やがてまったく物音をたてずに身支度をはじめた。

――出て行くところだ。

と又八郎は思った。昨夜あそこまで言われれば逃げ出すのが当然なのだ。塚原はやはり、吉良方につながる諜者《ちょうじゃ》に違いないという見当を又八郎はつけている。その証拠がいま見られるわけだった。

部屋の夜気が、わずかに揺れるだけで、衣《きぬ》ずれの音ひとつ立てなかったが、塚原は袴《はかま》をつけ、刀を腰に帯びた。そして静かに部屋を出て行った。ひと呼吸置いて、又八郎も起き上がった。

廊下には、朝とも夜ともつかない白っぽい夜気が漂っていて、気配は廊下を伝って茶の間の方にむかっているのがわかった。

――店から、外に出るつもりらしい。

このまま行かせるか、それとも外に出たところを追いかけて斬るか、と又八郎は迷った。又八郎は、茶の間の前に達すると、そこに蹲《うずくま》って、店の方の気配を聞いた。

だがいつまで経《た》っても気配は動かなかった。又八郎は立って行って店をのぞいた。

塚原の姿は見えず、何の気配も残っていなかった。

又八郎は眉《まゆ》をひそめたが、不意に顔色を変えた。相手は又八郎が考えているよりも、もっと邪悪な人間らしかった。又八郎は足音を忍んで茶の間の前を通りすぎると、右に折れて奥の部屋の方にむかった。そして備前屋夫婦が寝ている部屋の前に、ひっそりと蹲っている塚原を見つけた。

部屋の中の気配を聞くことに気をとられていて、塚原は背後に迫る又八郎に気づかないようだった。やがて襖《ふすま》に手をのばした。

「塚原」

又八郎は低く声をかけると同時に刀を抜いた。すると塚原がすべるように前の方に走った。そして立ちどまって振りむいた時には、刀を抜いていた。その位置からじりじりと間合をつめてくる。

——出来るのだ、この男。

又八郎は青眼に構えをかためて、迎え撃つ姿勢をとりながら、心の中で呻《うめ》いた。鈍く光る一本の剣の陰に、塚原の五体はほとんど隠れるばかりに圧縮されてみえる。その姿勢が、すさまじい弾力を秘めていることは明らかだった。

「やッ」

塚原は低く短い気合を吐き捨てた。次の瞬間、塚原の身体は巨人のようにのび上がって、又八郎に殺到してきた。すさまじい一撃だったが、又八郎はその撃ちこみをはね上げた。二人はすれ違い、床に高い音を立てた。

襖の内側に人が動く気配がした。おちせが物音に驚いて起き出したようだった。

「出てはならん」

又八郎はどなった。すれ違ったが、塚原は逃げなかった。構えをたて直すと第二撃に移った。又八郎も出た。二人の刀が宙でからみ合い、離れたときに塚原の足がすべった。次の又八郎の斜め上方からの一撃を、塚原は無理な姿勢で受けたが、受け切れずに頸根《くびね》を裂かれた。片手で刀を構えながら、塚原はもう一方の手で傷口を押さえようとしたが、噴き出す血は、首を押さえた腕を肱《ひじ》まで濡《ぬ》らした。塚原の身体は急に平衡を失ったように傾くと、襖ぎわに頭から突っこむようにして倒れた。

又八郎はおちせを呼んだ。出てきたおちせは、人が斬られているのをみると手で顔を覆《おお》ったが、倒れているのは塚原だと教えられると、青い顔で又八郎を見た。

「どうしたのですか」

「とんでもない話だが、この男は用心棒どころか、例の連中の一味だったらしい」

あるいは塚原こそ、連中の頭領だったのではないかと、又八郎はさっきの剣技を思い出しながら言った。

「死骸《しがい》を始末せねばならんが、懇意にしている岡っ引でもおりませんか」

七

「これで当分、お寺参りもおやすみです」

半月ほど経《た》ったころ、大養寺を出たところで、おちせが嬉《うれ》しそうに言った。

「資金のめどがついて、備前屋さんの役目も終ったということですかな」

「ご存じだったんですか」

おちせは驚いたように又八郎を見た。

「は。あらましは」

「お金だけでなく、上方《かみがた》から、人もおいおいといらっしゃるそうです」

とおちせは言ったが、ご内聞に願いますよ、とつけ加えた。

「むろんです」

と又八郎は言ったが、これで用心棒の役目も終ったわけだと思った。報酬とはべつに、この若く美しい内儀を護《まも》り抜いた満足感があった。

「駕籠《かご》をひろいますか」

「いえ、歩きましょう」

とおちせは言った。

「青江さまにはお世話になりましたが、これで当分のお別れのようですから」

「今度雇うときは、もそっと楽な仕事で呼んで頂きたいものですな」

又八郎が言うと、おちせは軽い笑い声を立てた。おちせが笑う声を聞いたのははじめてだったが、女には荷の重い役目をとにかく果して、おらせは解放された気分でいるのかも知れなかった。

「やはり向うの通りで駕籠を拾ったほうがよかったかな。途中で暗くなりそうだ」

又八郎が言ったとき、不意にうしろから疾風のように切通しを駆けおりてきた者が、いきなりおちせを横抱きにして、増上寺の塀ぎわまで走った。

あっと言う間の出来事だった。又八郎が追いつくと、男は潰《つぶ》れた声でどなった。

「寄るんじゃねえぜ、お侍。この女とさしで話があるんだ」

「貴様、なに者だ」

と又八郎は言った。手が出せなかった。男は左手でおちせを胸に抱えこみ、右手で匕首《あいくち》をおちせの首につきつけていた。

「うるせえ、てめえは引っこんでいろ」

と男はどなった。大きな男だった。頰がえぐれたようにこけて、顔は無精髭《ひげ》に埋まっているが、肩にも腕にも筋肉が盛りあがっている。

「やい、玉枝。てめえ裏切りやがって」

男は匕首の先で、おちせの首をつついた。又八郎は声を吞《の》んだ。すっかり忘れていたが、この男がおちせと言いかわした益蔵という男なのだ。

おちせが悲鳴をあげた。

「ゆるして」

「ゆるせだと？」

益蔵はせせら笑った。

「ゆるすかゆるさねえかは、おめえの返事次第よ。どうだ、おれと一緒にくるか」

「いやです」

「あま」

男はおちせの胸に巻いていた手を上にずらすと、首をしめた。おちせの眼が吊上《つりあが》った。凶暴な男だった。

「待て、待て」

と又八郎は言った。

「手むかいはせん。話し合おう。刀を渡すゆえまずその女を離せ」

「野郎。刀に手をかけるな」

と益蔵は叫んだが、又八郎はかまわずに両刀を鞘《さや》ぐるみ腰からはずした。

「よし、刀をこっちに投げろ。そうしたらてめえはとっとと失せやがれ」

「よろしい」

又八郎は言うと、鞘がらみの刀を、踏んばった益蔵の脛《すね》を目がけて投げつけた。したたかに脛を打たれた益蔵が、思わずおちせを離して身をかがめた隙《すき》に、又八郎は走り寄って益蔵に組みついた。だが次の瞬間すさまじい力で地面に叩《たた》きつけられていた。

匕首をかざした益蔵が殺到してきたのを、又八郎は地面を一回転して避けたが、そのとき小刀が手に触れた。立ち上がるひまはなかった。又八郎はのしかかってきた益蔵の胸に、下から小刀を突き刺した。同時に益蔵の打ちおろした匕首が、又八郎の首をかすめて地面に突きささった。

ぐったりとかぶさってきた益蔵の身体《からだ》をおしのけて立ち上がると、又八郎はおちせのそばに寄った。おちせは気を失っていた。抱き起こそうとしたとき、おちせのめくれた袖の下に彫物のようなものが見えた。

凝然と又八郎は白い二の腕に彫られた文字を読んだ。ますぞう命——青黒い文字はそう読めた。薄倖《はっこう》の女が、若く無分別なころに犯した過失が彫りつけられていた。又八郎はそっと袖をおろすと、おちせの頰を叩いた。男が現われたのが、今日でよかったと思っていた。明日は、おれはこの女のそばにいない。又八郎は、やさしくおちせの頰を打ちつづけた。

備前屋にもどると、細谷から手紙がとどいていた。益蔵は島からもどっている。用心されたい、と細谷は書いていた。

——遅い。

ゆっくり手紙をちぎりながら、又八郎はあの男いつまで色町の用心棒をしているつもりかと思った。

代《だい》稽《げい》古《こ》

一

男が二人言い争っている。背が低く、狸《たぬき》に似た顔をした親爺《おやじ》と、それより首ひとつは背が高い、角ばった顔の三十前後の男の二人だった。場所は馬喰町《ばくろちょう》の路上である。

一見豆狸ふうの親爺は、言うまでもなく口入れ屋の吉蔵《きちぞう》だった。相手の若い男は何者かわからない。ただ男がかなり激昂《げっこう》しているのがわかった。摑《つか》みかからんばかりにつめよる男を、吉蔵は手をあげて懸命になだめている。

――こいつは、あの男に殴られるぞ。

と、青江又八郎は思ったが、仲裁には出て行かなかった。逆に、二人を見つけた旅籠屋《はたごや》の入口から道を後もどりして、家の角から二人の様子を見物した。

吉蔵には不満がある。ひと月ほど前、小名木《おなぎ》川の揚げ場人足の口を世話してもらった。臨時雇いの人足だった。また人足かと、又八郎はうんざりしたが、吉蔵が、あと残っている仕事は汲《く》み取り車の後押しぐらいしかありませんよ、と無慈悲なことを言うので、仕方なくその仕事をもらったのである。

荷揚げ場は高橋《たかばし》の近くにある。又八郎は、頬かむりにだいぶちびてきた古草鞋《ふるわらじ》という、いつもの人足姿で出て行った。

ところが、行ってみるとそれがとんでもない仕事だったのだ。臨時雇いがバカに多いなと見ているうちに、青竹を手にした獰猛《どうもう》な顔つきの男が現われ、集まった十数人の人足を手荒く船に追い上げると、あっという間に中川の川べりまで運んでしまったのである。

そこで又八郎は半月、川原の砂利取りをやらされた。それがすむと、今度は荷揚げ場で、船が運んでくる砂利をかつがせられた。荷揚げ場の仕事にもどされたところで、手間ももらわずに逃げ出した者がいたほど、きつい仕事だった。

又八郎は、たび重なる人足仕事で鍛えた身体《からだ》に物を言わせ、どうにか勤めあげて手間賃を手にした。しかし終ったあと二日ほどは、足腰が痛んで身動きもままならず、吉蔵めと思いながら寝ていたのである。吉蔵は砂利のことなどひと言も言わなかったのだ。

その吉蔵に悶着《もんちゃく》が起きて、どうやら相手に殴られそうな気配だと察しても、又八郎は飛んで行って仲裁する気にはなれない。気味がいいと言ってしまってはたしなみのないことになるが、それに近い気分で見物していると、はたして吉蔵は殴られた。

「やあ、どうしたどうした、相模屋《さがみや》」

吉蔵が、二つ三つ殴られるのを見届けてから、又八郎はさもいま通りかかったという恰好《かっこう》で飛び出して行った。ヤジ馬というものはマメなもので、二人のまわりには、はやくも十人あまりの男女が集まって、ひっそりと息を殺している。

又八郎はヤジ馬をかきわけて中に入ると、まだ吉蔵の胸ぐらをつかんでいる男を引き離した。見物したどいうひけ目があるから、又八郎の扱いは手荒い。

「何をしやがる」

男はすごいけんまくで、又八郎を振りむいたが、相手が武士ではぐあい悪いと思ったか、それとも殴りつけて一応気が済んだのか、今度っから気をつけな、と捨てぜりふを言うと、肩をそびやかして離れて行った。

「いや、青江さま、助かりました」

吉蔵は襟《えり》を直して歩き出しながら言った。

「世の中には乱暴者もおりますなあ。こんなあなた、大道の真中で殴られるなんて、あたしは夢にも思いませんでしたよ。それにしても……」

吉蔵は振りむいて、まだこちらを見て立っているヤジ馬を無念げに見た。

「世間というものは薄情なものですな。ああして見物しているだけで、誰も助けてはくれませんからな。青江さまがいらっしゃらなかったら、とんだことになるところでした」

又八郎は笑いを嚙《か》み殺すのに苦労した。そ知らぬふりで聞いた。

「ところで、さっきの男は、ありゃ何者だ？　通りがかりの喧嘩《けんか》か」

「いーえ、そうじゃありません」

吉蔵は、殴られた頰のあたりをさすりながら、いまいましそうに言った。

「仕事を世話しましてな。向嶋《むこうじま》にある武家の隠居所の留守番ということでした。約束は半月です。手間はよし、仕事は楽だし、こんないい仕事はないと、あたしも申しましたんです」

「ふむ」

「ところが行ってみると、留守番でひっくり返って寝ていられたのはたった一日で、次の日になると隠居だという屈強な年寄がきて、やれ水を汲《く》め、庭を掃け、夜になると腰をもめとこきつかわれたそうです。大江山の酒呑童子《しゅてんどうじ》のような隠居だった、あたしにだまされたとさっきの男は言うわけですが、あたしゃ知りませんよ、そんな年寄のことは」

　吉蔵は心外そうに言った。又八郎は失笑した。さっきの男が吉蔵に殴りかかった気持がよくわかったのだ。吉蔵は怪訝《けげん》そうに又八郎を見たが、まだ話をつづけた。

「大体が怠け者なんですよ。あの若さでひとの家の留守番なんて口を喜ぶ男ですからな。あれは下谷《したや》に住む簑蔵《みのぞう》て男ですが、もう帳面から名前を削ります。そこへいくと青江さまはおえらい。れっきとしたお武家さまなのに、人足仕事もおいといになりませんからな」

　吉蔵はお世辞を言い、それからはじめて気づいたように足をとめた。

「で、どちらへいらっしゃるところで？」

「むろんそなたの店だ。でなければ、さっきから並んで歩いてはおらん」

「ごもっともです。ええ、もうそろそろいらっしゃる時期だと思っておりました。ちょうどよござんした、青江さま」

「いい仕事があるか。また人足仕事では、いかなわしでも勤まらんぞ」

「わかっておりますとも。ここのところ、あまりいい仕事をお世話出来ませんでしたから、手ごろなところをひとつお取りしておきました。本所にある町道場の手伝いです。お手当ての方は、そう沢山とは言えませんが、手は汚れませんからな」

「それは有難い。そういう仕事を一度やってみたかったのだ」

「前にもそうおっしゃいましたからな。ほかに人もみえましたが、青江さまがいらっしゃるまでと思って、渡さずに押えておきました」

と吉蔵は言った。狸に似た吉蔵の顔を見ながら、又八郎はやはり根はいい親爺なのだと思い、さっき物陰から殴られるのを見物したことを、ちょっぴり後悔した。

二

——浪人して、間もないらしいな。

道場主の長江長左衛門に会うと、ひと眼で又八郎はそう思った。

長江は三十半ばと思われる人物だった。姿勢が固い。背すじをぴんと伸ばし、膝《ひざ》に置いた手は微動もしていない。ついこの間まで城勤めをしていた証拠だった。

長江がその姿勢のまま、じっとこちらを見ているので、又八郎も遠慮なく見返した。契約はこれからで、相手はまだ雇主と決まったわけではない。

骨太で長身の男だった。額が広く、ひきむすんだ口の下に、その大きな口をささえるように、がっしりと顎《あご》が張っている。眼は細いが、射るような光が隠されている。

長江は、その眼で、又八郎を睨《にら》むように見ていたが、やがて後を振りむくと、かっと口を開いた。

「ばあさん、茶はまだか」

はい、はいと言う声がして、間もなく白髪頭の小柄な老婆《ろうば》が、部屋に入ってきた。又八郎をろくに見もせず、ぶつぶつとひとりごとを言うように、いらっしゃいませ、と言うと老婆は二人に茶を出して去った。

「あれでよく働くのだが、なにせ耳が遠いので弱る」

又八郎に茶をすすめると、長江はさっきの大声を弁解するようにそう言い、その上、眼もかすんで来ておる、とつけ加えた。

ほかに人がいる気配はなく、道場の方も、奥の住居の方もしんとしている。二人は道場わきの六畳ほどの部屋にいた。

ところで、と長江は改めて又八郎に眼をむけた。

「流儀は何を遣われる」

「一刀流でござる。国元に淵上と申す一刀流の道場がござって、師範代を勤め申した」

又八郎は少々売りこんだ。

「この道場は堀内流だが、ま、そのへんはよろしかろう。通ってくるのは、大方は町人でな。さほど気を遣うことはない」

長江はあっさりと言ったが、不意にひと太刀《たち》斬りこむような口調で聞いた。

「国元は、いずれかな」

「さ、それが……」

又八郎は眼をそらした。

「さる北国の藩でござるが、ゆえあって人には明かし兼ねます。それではお雇い頂けませんかな」

「………」

長江はしばらくだまったが、やがて口もとをわずかにゆるめた。

「いやお聞き致しますまい。貴公のことは、相模屋に聞いてあらましはわかっておる。べつに怪しんでいるわけではござらん」

長江はそう言うと、膝《ひざ》を起こして、念のため一手手合わせを願おうか、と言った。

又八郎も立って、長江の後について部屋を出た。

部屋を出て、廊下を左に曲ると、すぐ道場に出た。さほど広くもなく、もとは物を入れた倉ででもあったものを作り直したかと見える、がらんとした建物だった。武者窓から入りこむ日暮れ近い日射しが、真向いの羽目板を染め、その反射光が、埃《ほこり》っぽい床とむき出しの屋根裏を力なく照らしている。

——あまりはやっている様子もないな。

と又八郎は鑑定した。だが、長江は元気のいい足どりで、秋の日に照らされている羽目板まで歩き、そこに架けてある竹刀《しない》を二本取った。

「貴公はこちらでよかろう」

長江はそう言って、竹刀を又八郎に投げてよこすと、自分はやや長目の竹刀を握って、道場の中央に歩いた。

又八郎も歩み寄り、二人は間合をとってむかい合った。

「ほう、お強い」

むかい合って竹刀を相青眼に構えるとすぐ、長江は大きな声で言った。そしてにやりと笑った。が、次の瞬間、闘志をかき立てられたようにひたと口をつぐむと、わずかにさがって構えをたて直した。

——これは……。

又八郎も構えをひきしめた。骨太の、いかつい長身が、いまは一本の竹刀の陰にやわらかく隠れている。非凡な相手だった。

短い気合を乗せて、相手の竹刀が殺到してきたとき、又八郎はぎりぎりまでためた力を解き放って、一歩踏みこもうとした。相手の動きに、針ほどの隙《すき》を見ていた。が、直前に長江は竹刀の力をぬき、身体《からだ》を傾けて又八郎の横をすり抜けて行った。又八郎も軽く横に跳んで、竹刀をひいた。

長江は、勢いあまって羽目板まで走り、手を突っぱってようやくとまった。長江は又八郎をふりむくと、快活に言った。

「斬られたな、いま」

「いや、どうかわかりません。そちらには勢いがありましたから」

「いや、そうではあるまい。やられたよ」

長江はそういうと、このぐらいでよかろうと言って竹刀を壁にもどし、又八郎をうながして道場を出た。

「ばあさん、お茶だ」

長江はさっきの部屋に入る前に、もう一度奥にむかってどなった。

「早速、明日からでも来て頂こう。この道場にはもったいない腕だ」

長江は汗かきのたちらしく、手ぬぐいで顔からひろげた胸もとまで、ごしごしと拭《ふ》きながら言ったが、婆《ばあ》さん女中が、おぼつかない足どりで運んできたお茶をひと口すすると、居住まいを正した。

「じつは相談がひとつござる」

「は？」

「手当てのことだ」

長江は高く胸に腕を組んだ。

「相模屋は、貴公になんぼと申したかな」

「二日で一分、雇って頂くのはおよそひと月と聞いてござる」

「そこだ」

長江は、むさくるしくのびたさかやきを、がりがりと掻《か》いた。

「三日に一分にまけてくれんかの」

「そりゃ安い」

と又八郎は思わず言った。二日で一分なら、月にざっと四両近い金になると思って来たのだ。それだって決して高い報酬とは言えないが、今度は誰それを危険からまもるという役目は含まれていない。で、まああの手当てだろうと思って来たのだが、それにしても、鍛えた腕を売ることに変りはない。三日に一分ではあまりに安すぎないかと思った。

それだと、まるまるひと月勤めても二両二分にしかならない。又八郎は、ついさっきまでの浮き浮きした気分に、影がさしてくるのを感じた。

「近ごろは物が高直《こうじき》になっておりますぞ」

「ごもっともだ。三日に一分ではまことに相すまんと思うが、なあにしろ見られるとおり、あまりはやっておる道場ではない。三日に一分が、ま、当道場としてはせい一杯というところだの」

「しかし、相模屋は……」

「いや、相模屋には、せめてそれぐらいに言わんと人を回してもらえんだろうと思ってな。二日一分と申したのだ。ん？　こういたそう」

長江はひと膝乗り出してきた。

「飯をここで喰ってもらう。朝飯はよんどころないが、昼と晩飯の二食つきではいかがかな。さっきのばあさんだが、よぼよぼしているわりにはうまい飯をつくるぞ」

「…………」

「相模屋の話では、あたらその腕を持ちながら貴公、人足仕事もやっとると申すではないか。それにくらべれば、手当ては安くとも好きな道だろう。ひとつ請負ってくれんか。なに、稽古《けいこ》といっても汗をかくにはおよばん。適当にあしらって頂けばいいのだ」

長江は、謹厳な顔をしながら、結構世故《せこ》に長《た》けたようなことも言うのだった。結局又八郎は二食つきながら薄給の代稽古《だいげいこ》を引き受けることになった。

「で、ずっとでござるかな」

「さよう。出来れば毎日通って頂きたい。貴公にまかせれば何の心配もない。よろしく頼む」

長江は、又八郎にすっかりまかせきった顔つきでそう言った。

で、長江長左衛門本人は、おれに道場をまかせて自分は何をやるつもりだ。又八郎がそう思ったのは三ツ目橋に近い長江の道場を出て、両国の方にむかっているときだった。

三

その疑問はともかく、やってみると道場の代稽古は、思ったとおり面白かった。又八郎は、水を得た魚のように、寿松院裏の裏店《うらだな》から、林町五丁目の長江の道場まで、せっせと通った。

薄給とはいえ毎日、それも人眼をはばかる人足仕事などでなく、武士にふさわしい仕事があって家を出るというのは気持がいいものだった。いつも頬かむり、素草鞋《すわらじ》の人足姿では、旦那《だんな》と呼んでくれる裏店の者の手前もあるというものだ。

道場に通って来るのは、長江が言ったように半分は町人で、あとは御家人の子弟とか、勤番の国侍とかだった。ぜひとも上達したいというほどの意気ごみのある者も見あたらなかったが、又八郎は熱心に稽古をつけた。

道場主の長江は、最初の日に門人がそろったところを見はからって、又八郎を引きあわせると、あとはすっかり稽古をまかせてしまった。そして自分は時どき笠《かさ》をかぶって外に出かけたり、そうでなければ奥の部屋にごろごろしているようだった。

——怠け心が出たな。

と又八郎は思った。浪人して一、二年。その間に道場を持って糊口《ここう》をしのぐめどもついたところで、長江は少し怠け心が出てきたに違いなかった。その気持は、又八郎にもおぼえがある。

浪人して江戸に出て来た当座は、まず家と人間が多すぎるこの町の混みように唖然《あぜん》とし、次には喰うためには人を押しのけても先に出るような暮らしざまに驚き、その中に立ちまじって、どうして喰いつないで行ったらいいかと、又八郎も必死になったものだった。着る物はひとまずおいて、月月の店賃《たなちん》をはらい、三度の飯を喰わなければならない。

そのためには犬の番もし、町家の娘の稽古事のおともした。時には危ない橋も渡ったが、顧るゆとりはなかった。

だがそういう暮らしでさえ、一年もたつと馴《な》れが出て来た。どうやったところで、喰いぱぐれることはなかろうと思うようになり、余分の手間が入ったあとは、しばらく家の中にごろごろして骨休めすることもおぼえた。江戸の暮らしに馴れ、それだけ怠け心も出て来たようであった。

長江もいま、そういう時期にさしかかっているのかも知れない、と又八郎は思った。

ただ不審なのは、又八郎が代稽古に通うようになって十日も過ぎたころから、長江の家に頻《ひん》ぴんと客が来るようになったことだった。客は一人だったり、時には数人で来たりする。大方は又八郎が引き揚げようとしている夕刻にやってくるが、昼、あがわれた部屋で又八郎が飯を喰っていると、案内も乞《こ》わずのっそりと人が上がってきて、そのまま奥の長江の部屋に入って行ったりする。

不審なのはそれだけではない。客の素姓が一定していなかった。浪人風の男、主持ちらしい品のいい老武士などは長江の旧知と見ることが出来たが、どう見ても商人としか見えない男や、時には行商人らしい風呂《ふろ》敷《しき》包みを背負った人間なども出入りし、奥の長江の部屋に消えて行く。

長江が留守のとき、又八郎は晩飯を馳走《ちそう》になりながら、そのことをおさわという婆《ばあ》さん女中に聞いてみた。

「頼母子講《たのもしこう》をはじめたんですよ」

婆さんは、事もなげに言った。頼母子講というのは、又八郎が住んでいる裏店の者もやっていて、又八郎も知らないわけではない。それで一応の疑問はとけたが、すっかり納得がいったというわけではなかった。

頼母子講で集まると、裏店の者なら酒を買ってきて、夜おそくまで陽気にさわぐ。だが、長江をたずねて来る客は、一様に静かで、長江の部屋に入るとことりとも音を立てないのだ。笑い声ひとつ聞こえなかった。

しかし又八郎は、それ以上の詮索《せんさく》は思いとどまった。ひと月と期限を切った雇われの代稽古に過ぎない。長江が、よしんば何か悪事をたくらんで人を集めているとしても、それに加われと言っているわけでもない以上、かかわりないことだと思ったのである。

そんなときに、細谷源太夫《げんだゆう》が道場をたずねて来た。

「ちょっと待て。すぐに終る」

夕刻になっていた。又八郎は細谷を待たせておいて、残っていた四、五人の門人に稽古をつけ終った。

「張り切ってやっておるではないか」

門人を帰し、又八郎が汗を拭《ふ》きながら道場の隅にもどってくると、細谷が立ち上がって言った。

「張り切ってもおらんが、ま、性に合う仕事だからの。ここにおると、吉蔵に聞いたか」

「さよう」

「すると相模屋に行った帰りか」

「うむ」

細谷はうなずいたが冴《さ》えない顔つきをしている。

「あまりいい仕事がなかった様子だな」

「ふん」

と細谷は鼻を鳴らした。

「明日から揚げ場人足だ」

「揚げ場？　どこの揚げ場だ」

「すぐそこよ。小名木川の高橋《たかばし》の近くらしいな」

「そいつは確かめた方がよいぞ」

思わず又八郎は言った。砂利取りに持っていかれた、にがい経験が頭をかすめたのである。あのときは、暑い盛りだったから、仕事はきつくとも川のそばは気持よかった。だがすでに閏《うるう》八月も下旬にさしかかっている。川っぷちの仕事は、日暮れには寒かろう。

「確かめる？　何をだ？」

怪訝《けげん》そうな細谷を、又八郎は自分用の部屋に誘った。すると、終りましたかと言って、おさわ婆さんがお茶を持って来た。そして、又八郎と一緒に、見知らぬ大男がいるのを見ると、驚いたように眼をみはった。

「そうだ、飯を喰って行かぬか」

又八郎は思いついてそう言い、おさわ婆さんに、この男に飯を喰わしてくれんか、と頼んだ。

「この旦那にですか」

婆さんは難色を示した。細谷の巨軀《きょく》を、しみじみと見上げ見おろししていたが、ようやく、よござんしょと言った。

婆《ばあ》さんが台所にひっこんで行くのを見てから、又八郎は話をさっきの人足にもどした。

「揚げ場に行くと、ごつい男が青竹を手にして現われることがある。そのときは、さっさと逃げ帰ることだな」

「何だ、その青竹というのは」

又八郎は砂利取り人足の一件を話した。

「後でその砂利を船から揚げるわけだから、揚げ場人足には違いないが、その前に砂利取り仕事がある。おれはこの前、それでひどい目にあった」

「相模屋はそんなことは言わなかったぞ」

「ま、今度は違うかも知れん。行ってみなきゃわからんことだが、そういうこともあると心得ていた方がいい」

「しかし、ほかに仕事は入っておらんと申したからな」

細谷は意気あがらない表情でつぶやいた。

「よしんば砂利取りでも、引き受けずばなるまいよ。でないと、妻子の口が干上《ひあ》がる」

飯を喰い終って外に出ると、もう日が暮れていた。薄暗い町に、影のように人が動いている。

四

「この先に、腰かけの飲み屋がある。一杯おごろう」

と又八郎は言った。細谷は、はたして飯を五椀《わん》もたいらげて、おさわ婆さんに白い眼で見られたが、又八郎はそんな細谷がなんとなくあわれだった。明日からは揚げ場人足かと思うと、またあわれだった。

それで元気づけようと思ってそう言ったのだが、細谷は返事をしなかった。立ちどまって、いま二人と擦《す》れ違った男を見ている。男は細身のうしろ姿を持つ町人だった。

「おい、神崎《かんざき》ではないか」

不意に細谷が、そのうしろ姿に声をかけた。だが町人は振りむかなかった。うつむいたまま、ややいそぎ足に、いま二人が出て来た長江の道場に寄って行くと、戸を押して中に入った。

「おや、あそこに入ったぞ」

細谷が驚いた声を立てた。

「知っている男か」

「いや」

細谷は首をひねって、しばらく考えこんだが、やがて顔をあげるとあっさり言った。

「いや、人違いらしいな。だがよう似てた」

飲み屋は一列に飯台が置いてあって、樽《たる》の腰掛けが並んでいるだけ。奥で白髪《しらが》まじりの親父《おやじ》が酒を燗《かん》し、煮染《にしめ》を煮ているという、うなぎの寝床のように細長い店だった。

「誰と間違えたのだ、さっきは」

ひととおり酒を腹におさめてから、又八郎が聞いた。

「それがな……」

細谷は、おごりだと言った又八郎の言葉を、ぬかりなく耳におさめていたとみえて、早い手つきで盃《さかずき》をありながら言った。

「神崎与五郎という男だ。彼の父親が半右衛門と申して、森藩でわしと一緒に仕えておった。藩が潰《つぶ》れて半右衛門はわし同様浪人したが、子の与五郎は赤穂《あこう》に参って浅野家に仕官したと聞いた」

「浅野？」

「さよう。森家からは、ほかにも浅野家に拾われた者がおる。そうそう、茅野《かやの》和助という男もそうだ」

「…………」

「しかしさっきのは見間違いだろう。浅野家が潰れて、その後どうなったか、消息は聞いておらんが、まさか町人にはなっておるまい」

「さあ、それはどうかわからんぞ」

又八郎は、細谷の盃に酒を注いでやりながら言った。

「げんにわれわれも、ちょいちょい人足に化けたりしておる」

「それを言うな。気が滅《めい》入る」

と細谷は言った。

「弱音を吐くな。貴公この春はふた月も洲崎《すさき》の色町に雇われて、楽をしたではないか。いい目をすれば、そのあとは辛《つら》いこともある。当然だ」

「しかし、それにしても神崎に似ておったな」

細谷はまた言った。酔いが回ってきて、さっきの記憶がかえって鮮明にもどってきた様子だった。

「さっさとあの家に入って行ったが、あの男、道場の出入りの者かな。貴公は見かけたことがないか」

「さあ、知らんな。わしは道場の方を見ておるだけでの。しかし出入りの商人というわけではあるまい。あの家には近ごろむやみに人が……」

又八郎は、そこで口をつぐんで横を見た。いつの間にか、そばに女が腰かけていた。町家の女房でもなく、さればといって水商売とも見えない。垢《あか》ぬけたところと素人《しろうと》ぽい感じが同居しているような美貌《びぼう》の女だった。二十をわずかに過ぎたかと思われる。

連れがいた。こちらは二十五、六と見える眼つきの鋭い町人だった。連れだということは、二人の間に徳利が置いてあることでわかる。

又八郎が口をつぐんだのは、女がこちらの話に聞き耳を立てているように思われたからである。はたして女は、又八郎が口をつぐむと、にっこり笑って又八郎を見た。

「面白そうなお話ですこと。お仲間に入れていただけませんか?」

又八郎と細谷は顔を見合わせた。すると女は、徳利を持ちあげて、馴《な》れ馴れしく又八郎の盃に酒を注いだ。

「どなたが、何に化けるんですか、旦那《だんな》」

「わしが、人足に化ける」

細谷が、又八郎の横から顔を突き出して言った。

「あら、ご冗談でしょ？」

「冗談でなどあるものか。明日の朝、高橋の揚げ場にくるとわかる」

細谷は、いつからそんなふうになったか、女とみて口から泡《あわ》を吹いて喋《しゃべ》る。細谷がそう言ったとき、女の連れが立ち上がった。

「それじゃ、これから寄るところがありますから、あっしはこれで」

「ごくろうさま」

と女は言った。そして立ち上がって男を入口まで見送ると、そこで男の方に身をかがめて何かささやいた。男はうなずきもせず出て行ったようだった。

女は席にもどると、自分の徳利を持って、二人の間に割りこんできた。仕方なく又八郎が立ち上がって、腰掛けを変ったが、女は坐《すわ》るとき、よろめいて又八郎の手にすがった。小さくやわらかい手だった。

「あら、あたし酔ったかしら」

女はまたにっこり笑って、又八郎と細谷を交互に見ると、つつましく裾《すそ》をさばいて腰をかけた。

五

翌朝、又八郎は遅く目ざめた。すすけた障子が、日射《ひざ》しにかっと明らんでいるのをみて、驚いてとび起きると、とたんに割れるように頭が痛み、吐き気が来た。又八郎はあわてて台所に行き、水甕《みずがめ》から水をすくって飲んだ。

部屋にもどって、夜具の上にあぐらをかくと、一ぺんに昨夜のことが思い出された。造りのひょろ長い飲み屋で、小唄《こうた》の師匠だという女をまじえてさんざんのみ、次に女に誘われるまま、両国橋の東詰にある小料理屋に上がって、また飲んだ。おりんという名のその小唄師匠が、そこできれいな喉《のど》を披露したこともおぼえている。

そのあと、八名川町に住んでいるという女を細谷が送って行き、又八郎は両国橋を這《は》うようにして渡って帰ってきたのだ。帰ったのは多分亥《い》の刻（午後十時）近かっただろう。

――不覚だ。

着のみ着のままの自分の姿を眺め回して、又八郎は茫然《ぼうぜん》とした。刀は部屋の隅に投げ出してある。

又八郎は、国元で偶然に藩主毒殺の密事を知ったことから人を斬《き》って脱藩した。江戸に来てからも、家老大富丹後がさしむけてくる刺客を警戒しなければならない身だった。そのため、以前は夜分に酒を飲むことを、自ら禁じていたのである。

それが浪人暮らしも二年近くなり、国元の事情が変ったせいか、刺客の足も遠のいた気配に、いつの間にか気持にゆるみが出たようだった。昨夜、刺客に襲われたら、ひとたまりもなく刺されていたろうと思った。大富がおれを抹殺《まっさつ》することを断念したという証拠は、どこにもないのだとも思った。

立ち上がって布団《ふとん》をまるめ、壁ぎわまで蹴《け》とばして外に出ると、秋の日が目まいするほど眩《まぶ》しかった。又八郎は人気のない路地の井戸端で、顔を洗った。

——それに、あの女のおごりを受けたのがいかん。

屈強の男二人が、誘われたとはいえ、女のおごりではしゃいだというのは、どう考えてもいただけなかった。飲み屋の勘定も、女が払ったはずである。細谷もそうだが、おれも近ごろ目立って品下ってきた、と思いながら、又八郎は青く晴れわたった空を見上げた。空は、又八郎の慚愧《ざんき》の思いをことさらそそるように、一片の雲もなく深い色をたたえている。

「おや、旦那《だんな》」

又八郎が心中しきりに慚愧の思いに打たれながら、うなだれて戻ってくると、隣家の徳蔵の女房が外に出てきて声をかけた。

女房は山のような洗濯物を胸に抱いて、今日はみっちり洗濯をしようという構えだったが、いつも朝早めに出かける又八郎が、そろそろ昼近い時刻に路地をうろついているのを、不思議に思ったらしかった。

「今日はお休みですか？」

「いや、休みではないが、昨夜飲みすぎて遅れた」

又八郎は首筋のあたりを拳《こぶし》で叩《たた》きながら言った。まだ頭が痛い。

「へーえ、旦那にしちゃ珍しいね」

「おかみ」

徳蔵の女房は、樽《たる》のように肥《ふと》っている上に、背が低いので、顔は抱えあげた汚れ物の陰に隠れんばかりになっている。わずかに眼鼻が出ている。その丸い眼に又八郎は言った。

「飯は残っておらんか」

「冷たいのでよかったらあるよ」

「それを喰わしてもらえんかな。米はあとで返す」

「いいよ、そんな気を遣わなくとも。そのかわり、漬けものとおつけぐらいしかないね」

「済まんな」

と又八郎は言った。

飯を振舞ってもらうと、ようやく気分がしゃっきりしてきた。あたためた大根の味《み》噌汁《そしる》がこの上なくうまかった。井戸端で、あられもなく股《また》をふみ開いて洗濯をしている徳蔵の女房にそう言って、又八郎は裏店《うらだな》を出た。

千住街道に出て、浅草御門を入り、両国橋をわたる。きらきらと日を照り返している大川の水の上を、船がせわしなく行き来している。橋を渡る人ごみにまじって歩いていると、肩のあたりが熱くなるほどの日射しだったが、光はまぎれもなく秋のもので、汗ばむことはなかった。空も川波も青く、時おり橋の下から吹き上げてくる風は、ひやりとした冷たさを含んでいる。

橋を渡り切ると右に折れて竪川《たてかわ》べりに出た。途中、昨夜細谷と女と三人で飲んだ小料理屋の前を通った。

――やつは、うまく人足仕事に出たかな。

悔恨と一緒に細谷の顔を思い出した。女が唄うと、負けじとどら声を張り上げて、国の鄙歌《ひなうた》だという曲もない歌を唱った細谷を思い出し、案外いまごろは二日酔いで、頭を抱えて寝ているのではないかと思ったりした。

竪川ぞいに、相生町《あいおいちょう》を歩いて二ツ目橋の近くまで来たとき、又八郎は思わず足をゆるめた。道に、昨夜細谷が薄闇《うすやみ》の中で声をかけ、神崎に似ていると言ったその男がいた。

そこは木綿古手・米屋と看板をかかげた店だった。店は半分に仕切ってあって、片側は木綿物をあきない、あと半分で大豆、小豆、それに柿《かき》や梨《なし》など秋の実を盛高にならべて売っている。男はその店先で、同じ店の者らしい同年輩の男と立ち話をしていた。

昨夜すれ違ったときは、さほど気にもとめなかったので気づかなかったが、日の光でみると、その男は一、二度長江の家で見かけたことのある人間だった。頰骨の出た痩《や》せた顔をし、細身でやさしげな物腰に見覚えがある。しかしその男は、細谷の言葉にもかかわらず、どこから見ても商人だった。

だが、その男と話している、もう一人の男の方は違った。

――こちらは町人ではない。

ゆっくり二人の前を通りすぎながら、又八郎はそう思った。もう一人は、面長《おもなが》で茫《ぼう》洋《よう》とした顔つきの男だったが、小柄な身体《からだ》に精気が満ちていた。眼尻《めじり》が上がった細い眼に、人を刺す光があり、鼻が高く、薄い口は話し了《おわ》るとしっかりとしまる。前垂れをしめ、髷《まげ》を町人風に結っているが、その男は疑いもなく武士だった。又八郎は、静かな疑惑が心を占めてくるのを感じ、思わずうしろを振りむいた。

丁度店にきた客に呼ばれたらしく、その男が腰を折るようにして客の方に寄って行くところだった。細谷が、神崎ではなかったかと言った、細身の男の方は、店に入ったらしくもう姿が見えなかった。

――細谷が見とがめたように、あの男が浅野の旧家臣なら、一緒の男も同僚ということになるのか。

そしてもしそうだとすれば、雇主である長江長左衛門も、当然彼らとつながりがあるとみるべきではないか、と又八郎は思った。そう考えると同時に、自分をとりまく風景がにわかに一変したような気がした。

むろん浅野の旧家臣全部が、世上にささやかれるように吉良《きら》を狙《ねら》って狂奔しているわけではあるまい。故主の復讐《ふくしゅう》をたくらんでいるというのは、いつか細谷が話したように、もと城代家老大石内蔵助《くらのすけ》に神文誓詞をさし出したという、一部の人間にすぎないのだ。さっきの男たちや長江が、推測したように浅野浪人で、江戸で物を商ったり、町道場を開いているからといって、彼らがその神文誓詞組だとは限らない。

又八郎は、一応そうも考えてみたが、その考えを強く打ち消すものがあった。

二ツ目橋に曲る町角で、又八郎はもう一度うしろを振りかえってみた。相生町の低い屋並みとむかい合って、町の北側に高く長い塀《へい》がつづいている。手前が旗本牧野一学の邸《やしき》で、小路をへだててその先につづいているのは、吉良邸の塀だった。さっきの米屋という店は、牧野邸と向いあう吉良の邸の表門を斜めに窺《うかが》い見る場所にある。

——これが偶然などということは、まずあり得ない。

さっきの二人が、間違いなく浅野浪人で、世上で根強く噂《うわさ》があるように、吉良上《こう》野介《ずけのすけ》を狙う一味の者だとすれば、これまで幾度か闇の中ですれ違ったことがある浅野浪人を、はじめて白昼の光で見たことになる、と又八郎は思った。

又八郎は息を呑《の》んだ。そしてこれも浅野浪人の一人という疑いが出て来た長江が待つ道場にむかって、ゆっくり歩き出した。

六

数日後。又八郎はわざと少し遅くまで稽古《けいこ》をつけ、飯を喰いおわると、部屋を忍び出て台所に入って行った。

長江の家は、道場も住居も入口は一緒である。稽古をつけながら、又八郎は暗くなるまでの間に、十人近い男たちが、長江の家に入ってきたのを確かめていた。

台所では、おさわ婆《ばあ》さんが気持よさそうに御詠歌をうなりながら、水仕事に励んでいた。又八郎は苦もなく、その背後をすり抜けて、奥の廊下に踏みこんで行った。

長江の家は、住居と道場が台所をへだてて分れる造りになっている。道場には六畳ひと間がくっついていて、又八郎はそこを使えと言われ、飯を喰ったり、稽古に疲れると畳にひっくり返ったりしているが、そこにいると奥のことは一切わからなかった。

台所から奥に踏みこむのはむろんはじめてだった。そこは細い廊下になっていて、台所を出たところが物置き、左側は勝手口で、右に、片側にひと間、その向い側にふた間、障子をしめきった部屋がつづいていた。左側の奥の部屋に、さっき来た人間が集まっているらしく、灯がともり、そこから微《かす》かな人声が洩《も》れてくる。

又八郎は暗い廊下に膝《ひざ》を折って耳をすませたが、話し声の中味はわからなかった。思い切って、物置きにつづく手前の部屋の障子を開けた。中にしのびこんで、障子を閉める。今度は、襖《ふすま》越しに話し声が明瞭《めいりよう》に聞こえた。

「月が変ると、間瀬と不破《ふわ》、それにこちらの吉田殿の家の沢右衛門殿が、後を追ってくるはずだ」

「そうらしいの。そのことはこの間、伜《せがれ》から手紙が来ておる」

そう言った声に聞きおぼえがあった。この春、日比谷町《ひびやちょう》の呉服問屋備前屋に用心棒に雇われたとき、神谷町の大養寺のひと間で、備前屋の女房おちせと話していた人物だと、又八郎は思った。名前は確か、吉田忠左衛門と言ったはずである。

「今日貴公と武林、毛利《もうり》がきて、不破たちも来るということは、むろんあの人のお指図だろうな」

「むろんだ」

「しかし、肝心のご家老はいつ来るのだ」

鋭い、詰問《きつもん》する口調でそう聞いているのは、雇主の長江だった。

「岡野は来る前に、ご家老と会ったわけだろう。そのおり、いつくるというしかとした話はなかったのか」

「遠からず参る、と申されていた」

「遠からず、か。例によって例のごときおっしゃりようだな」

長江の慨嘆とも嘲笑《ちょうしょう》ともとれる声が、そう言った。

「それがしには不思議でならん。江戸にいて、かの老人を見張っているわれわれが心配でならんのは、もしやいまの状況に変りが生じはしないかということだ。彼は老齢だ。いつぽっくり行くかわからん。また米沢《よねざわ》の上杉という後楯《うしろだて》がおる。もし米沢藩がかの老人を引き取るなどという事態になれば、もはや、この企てはおしまいだ」

「………」

「われわれは、はじめから再三そのことを申しあげているわけだが、ご家老はいっこうに苦にならんらしい。遠方にいて、相変らず悠々としておられる」

「堀部《ほりべ》、それはご家老もわかっておるのだ」

そう言ったのは、吉田忠左衛門だった。長江長左衛門というのは仮の名で、又八郎の雇主は堀部という名前らしかった。

「ただご家老は、いま少し大きな立場で考えておるということだろう。つまり浅野家の面目を立てるということじゃな。大学様を立てて公儀に再興を願ったのもそのひとつ、かの年寄を首切って、亡《な》き殿の恨みを晴らすのもそのひとつと考えておるわけよ」

「われわれから申せば、迂遠《うえん》なお考えだ」

堀部と呼ばれた長江長左衛門がはげしい声で言っている。

「しかし、ま、それならそれでよかろう。だが大学様が広島の宗家にお預けになって、すでにひと月たっておる。しかもなお江戸に下ろうとしないのはどういうわけかと、そこを問うておる」

「堀部よ、あせるまい」

と吉田が言った。

「ご家老の肚《はら》はとっくに決まっておる。遠からず参るというからには、必ず近く下ってこられるはずだ」

「そう信じてよいか」

「むろんだ。来れば間を置かず決行じゃ、多分な。それまでわれわれも、万端用意をととのえておくことじゃ」

又八郎は静かに立って障子を開くと、廊下にすべり出た。さっき岡野と呼ばれた男の声が、今夜からここに泊めてもらってよいか、と言ったのが聞こえた。

——ここは、浅野浪人の巣窟《そうくつ》だ。

又八郎はそう思った。予想していたことだったが、一瞬背すじが冷えるような気がした。

自分の部屋にもどると、おさわ婆さんが膳《ぜん》をかたづけていて、又八郎を見ると驚いた顔をした。

「あれま、まだいらしたんですか」

「うむ。道場でちと考えごとをしてきた。ばあさん、今夜の煮魚はうまかったぞ」

と又八郎は言った。気をよくして、おさわ婆さんが熱い茶を一杯運んできたのを馳《ち》走《そう》になって、又八郎は道場を出た。

出て間もなく一人の男と擦れ違った。その男が、この先の飲み屋で、おりんという女と一緒だった男だと気づいたのは、たったいま長江たち浅野浪人の話を盗み聞きしたばかりで、神経が尖《とが》っていたせいに違いなかった。

空は薄曇りだったが、ぼんやりと月のありどころがわかる夜だった。そのために、灯がなくとも人の姿かたちを見誤ることはなかった。男は又八郎には気づかないらしく、急ぎ足にすれ違って行った。

また会ったのは、このあたりに住む人間だからかと思いながら、又八郎はなんとなく男の後姿を見送った。不可解なものを見たのは、すぐその後だった。

男は不意に長江の道場の軒下に、吸いよせられるように近寄って行くと、立ちどまってあたりを見、それから道場と隣の経師屋《きょうじや》の間にすっと入って行った。そこは人ひとり通れるほどの道があり、長江の住居の勝手口につづいているはずだった。

——あの男も一味か。

と又八郎は思った。又八郎は首を振った。急に身の回りに浅野浪人がふえた気がしたのである。

——一杯やって行くか。

又八郎は一度通りすぎた、この前の飲み屋にもどりながら思った。軽い昂《たかぶ》りが心の中にあった。

長江たち浅野浪人が、ご家老と呼んでいた大石が下向して来るのを待って、吉良上《こう》野介《ずけのすけ》を襲おうとしていることは、いまはあきらかだった。その噂《うわさ》をはじめて聞いたのは、江戸城中で刃傷《にんじょう》事件があってから間もないころである。又八郎が住む裏店《うらだな》の連中まで、改易された浅野家の旧家臣が、明日にも吉良の邸《やしき》に斬《き》りこむようなことを言っていたのをおぼえている。

だが、江戸中を駆け回ったその派手な噂は、間もなく下火になった。事件の大きさと、悲運な浅野の藩主とその家臣に対する判官びいきの感情。この二つが生み出した無責任な噂だったのだろうと、又八郎はその当時思ったものである。相手方の吉良上野介の命を狙《ねら》うということは、事件に対して下した幕府の処分に、真向から異議を申し立てることである。幕府に対する一種の反逆と見做《みな》すべき行為だった。そういうことがいまのきびしい幕府政治の下で、しかも将軍家の膝元である江戸で起こるとは思えなかった。

しかしその後、用心棒稼業《かぎよう》の合間に、又八郎は幾度か影のような浅野浪人とすれ違う機会があった。そして彼らが何ごとか画策し、ひそかに行動していることを証拠立てるように、彼らから眼をはなさないでいる一群の人びとがいることにも気づいたのである。又八郎の心の中に半信半疑の気持が生まれた。

その残る疑惑が、今夜気持よく氷解したようだった。事件後一年半、浅野の浪人たちは粘りづよく故主の復讐《ふくしゅう》を心がけて行動し、いまは決起の一歩手前というところまで漕《こ》ぎつけていることは間違いなかった。

——えらいものだ。

と又八郎は思った。自分がその立場に立ったら、やはり復讐の神文誓詞をさし出したかも知れない。だがその後、志を守って微動もしないのはむつかしいことだ、と又八郎は浪人暮らしの間にともすれば安逸に流されやすくなっている自分の日常に照らして思う。

——彼らの志に、一杯献ずべきだな。

又八郎はそう思い、懐《ふところ》の金を心の中で勘定しながら、汚ないのれんを分けた。

七、八人の客がいた。その中からひょいと又八郎を振りむいた顔が、親しげに笑いかけてきた。小唄《こうた》師匠のおりんだった。おりんは、今夜は一人だった。

「旦那《だんな》、いまお帰りですか。遅うござんしたこと」

おりんは身体《からだ》をずらすようにして、そばの腰掛けに又八郎を誘いながら言った。もう酒が入っている上気した顔色で、色っぽかった。

「やあ、師匠。先だってはえらく散財をかけた」

出会ったからには、今夜はおごり返さずばなるまい、ととっさに心を決め、もう一度懐の金を数え直しながら、又八郎は腰かけた。

「時どきここで飲むのか」

「ええ、近くに稽古をつけに来る家があるものですから」

「酒は、だいぶいける口らしいの」

「この前のことをおっしゃっているんでしょ？」

おりんは又八郎を見て笑った。黒眸《くろめ》が濡《ぬ》れたようにいきいきと光り、白い歯がのぞいて、あでやかな笑顔だった。

「とんだうわばみだと思ったんじゃございません？　おはずかしい」

「べつにはずかしがることもあるまい。わしの祖母も酒は百薬の長などと申して、よくたしなむ」

又八郎は、亭主が運んできた徳利を持ちあげて、おりんの盃《さかずき》につぎ、自分の盃にも酒を満たしたが、ふと気づいて言った。

「わしが家へもどる途中だと、よくわかったな」

「あら、この前おっしゃったじゃありませんか」

とおりんは言った。

「この先の町道場に代稽古に通っている。骨折るわりには手間が安いとこぼしていらっしゃいましたよ」

「そんなことを申したか」

記憶がなかった。又八郎は不安になった。

「旦那、つかぬことをうかがいますけど」

おりんが顔を寄せてきてささやいた。むせるような肌の香がした。

「長江という道場の先生がやってらっしゃる頼母子講《たのもしこう》て、どんなひとが集まってくるんですか」

「…………」

「女は入れてくださらないのかしら」

「なぜそんなことを聞く」

「ちょっと金のいることが出来たんですよ。出来たらあたしも入れて頂こうかと思って」

「さあ、そういうことはよくわからんな。わしは道場を見ておるだけでの」

「でも、どんなひとが出入りしているかは、ご存じなんじゃありません？　お武家とか、商人とか」

　――この女、密偵か。

　おれの口から、あの道場のことをさぐろうとしておる、と又八郎は思った。同時に、さっき道場の近くですれ違った男の姿が、あざやかに心に浮かんできた。あの男を、浅野浪人の一味かと思ったりしたのは、とんだ見当違いだったことになる。男は、この女につながっている密偵の一人かも知れなかった。そしてその推測が正しければ、長江の道場は、すでに何者かの手でさぐられていることになる。

「浮かない顔をなさって、もっとお飲みなさいな」

　女は又八郎に酒をすすめた。そしてさらに身体をすり寄せてきた。

「もっとざっくばらんなお話をしましょうか」

　女は一層声を低めた。

「…………」

「あの家に出入りするひとのことを知りたいんですよ。人数とか、顔ぶれとか。知っていらっしゃることをお話頂けば、お礼ははずみますよ」

「悪くない話だ」

と又八郎は言った。だが盃を伏せて立ち上がると、奥の亭主を呼んだ。

「しかしわしは雇われの師範代に過ぎんのでな。あいにくだが、そなたが申すことは何のことやらさっぱりわからん」

「旦那」

「ま、そのうちこういう話ではなく、ぜひとも師匠とさしで一杯やりたいものだ」

茫然《ぼうぜん》と顔を見上げているおりんに構わずに、又八郎は亭主に有り金を渡し、残りはこの師匠の勘定に回してくれと言って、外に出た。

七

朝の光が静かに荷揚げ場を照らしていた。船の姿は見えず、人足たちが焚火《たきび》を囲んでいる。細谷の姿はすぐに見つかった。裾《すそ》短かの布子姿に素草鞋《すわらじ》という恰好《かっこう》で、不景気な顔をして煙草《たばこ》をくゆらしていたが、又八郎をみると、細谷はすぐに焚火を離れてきた。

「どうだ、仕事のぐあいは？」

「きつい、きつい」

細谷は言って、本物の人足のように、掌で器用に煙管《きせる》の火を落とした。

「まさか砂利取りということはなかったが、荷運びは身体《からだ》にこたえる。この次は相模屋をしめ上げて、もそっといい仕事をもらわんことには間尺にあわん」

「いつまでだ？」

「あと十日ぐらいかな。家内がわしの身を案じての。毎晩足腰を揉《も》んでくれるからつづいておるが、長くは勤まらん仕事よ」

細谷はのろけまじりの愚痴を言った。そして気がついたように、改めて又八郎の顔を見た。

「何か、用か」

「うむ。少々確かめたいことがあっての」

又八郎は、うつむいて指先で顎《あご》を掻《か》いた。

「先夜、女と一緒に酒を飲んだろう」

「女？」

細谷は眉《まゆ》をしかめたが、急に元気のいい声になった。

「おお、あの小唄《こうた》の師匠か。なかなかにあだっぽい女子《おなご》だった」

「それはどうでもいいが、あのときおれが何を喋《しゃべ》ったか、おぼえておらんか」

「どういうことだ？」

細谷はきょとんとした顔をした。

「いや、いま雇われている林町の道場のことを、女に喋ったりはしなかったか、ということよ」

「まてまて」

細谷は首をかしげた。しばらく考えこんだが、ようやく顔をあげた。

「そういえば、あの女子がしきりに道場のことを聞いておったな。貴公がそれにどう答えたかまでは、わしゃ知らんが」

「ふーむ」

「面白くもない話をしとるから、わしは横から水をさして、話すより唱えと言ってやったのだ。それがどうかしたか？」

そのとき、差配役らしい肥《ふと》った中年男が、荷揚げ場の隅の小屋から出てきて、横柄《おうへい》な口調で人足を呼びあつめた。

「あれが親方だ」

細谷はそちらを振りむいて、いまいましそうに舌打ちした。

「安手間をいとわずに集まった人足とみてか、体が擦り減るほどこき使いよる。腹が立ってならん。いまは手出し出来ぬが、手間賃を頂いたら、その場で奴《やつ》を張り倒してやろうと、楽しみにしておるところだ」

又八郎は苦笑して、用はこれだけだ、行ってくれと言った。

細谷は行きかけたが、途中で振りむくと大声でどなった。

「何でそんなことを聞く。あの女とデキたか」

「ばかを申すな」

と又八郎は答えた。集まっている大勢の人足から横柄な親方まで、いっせいにこちらを見たので、又八郎は顔から火が出た。早々にひきあげた。

細谷と会ってから数日たった九月二日の夜。又八郎は道場を出ると、東に歩いて徳右衛門町を抜けると、三ツ目橋のそばの河岸に、ひっそりとうずくまって男を待った。

おりんという女と連れ立っていたその男は、あきらかにおりんとひとつ穴のむじなだと思われた。気をつけて見ていると、その男が毎晩のように、道場の回りをうろついていることが知れたのである。

又八郎はいままでは、男が二ツ目橋の方から来て、ひとしきり薄闇《うすやみ》と人通りにまぎれて道場の人の出入りを見張り、時には夜おそくまで軒先や勝手口に忍んで、そのあと徳右衛門町から三ツ目橋を渡り、対岸の緑町に姿を消すことを確かめている。しなやかに、足音も立てず歩きまわる男だった。

橋ぎわの道からやや低くさがっている枯草の間にうずくまっていると、足もとから冷えがのぼってきて身体を包んだ。又八郎は膝《ひざ》の上で手を握り、時どきその手を押し揉んだ。町の灯が、竪川の水面にほのかな光を投げかけ、その反射光の中に、三ツ目橋がおぼろに浮き上がっているほかは、闇だった。

いつもだと、男が姿をあらわす時刻だったが、遅れていた。そのわけはわかっている。夕刻になって、長江の道場に来客があった。旅姿の三人の武士だった。それがこの前話していた間瀬、不破、それに吉田忠左衛門の伜《せがれ》の沢右衛門の三人だということは、又八郎にはすぐわかった。

密偵の男にも、その三人が新たに上方《かみがた》から下ってきた男たちだとわかったはずである。男は、新顔の三人の話を聞きとろうと、長江の住居の羽目板のあたりに、ぴったりと張りついているに違いなかった。

橋の上に人通りは、ほとんど絶えている。男があらわれたら、斬《き》ろうと又八郎は心を決めていた。

長江に雇われたのは師範代としてで、用心棒の役目は含まれていない。また彼らの志に感動はするが、密偵の男を斬ろうとするのはそのためでもない。そこまで踏みこむつもりはなかった。

それにもかかわらず、男を斬らなければなるまいと気持を固めたのは、長江に雇われている間に、ひとつの過失を冒したかも知れないという懸念《けねん》のためだった。酔って、長江の道場のことを、おりんという女に喋ったことである。

　おりんとあの男が、いつごろから長江の道場に眼をつけたのかは不明である。又八郎の推測によれば、彼らは又八郎に会う前から、長江の道場を見張っていて、あの時期から、そこの雇人である又八郎に接触して来たのである。又八郎が喋った程度のことは、あるいは先刻承知だったかも知れなかった。

　しかしそうではなく、彼らはおりんが又八郎から聞き知った事実から、急に長江の道場に対する疑惑を深め、監視を強める一方で、さらに又八郎を抱きこもうとしたということもあり得た。

　おりんに何を喋ったか、又八郎の記憶はない。だが道場のことを喋ったのなら、長江長左衛門という男のことも話したろうし、頼母子講《たのもしこう》のことにも触れ、しかも頼母子講というにはうさんくさい集まりだと、日ごろ思っていることにまで口を滑らせたかも知れないのだ。

　そうであれば、雇われの代稽古《だいげいこ》の仕事が終る前に、その始末をつけねばならなかった。密偵といえども、直接にかかわりのない人間を一人殺すことにはためらいがあったが、復讐《ふくしゅう》を目前にしている浅野浪人の集団に、自分が冒した過失のために生じるかも知れない危険を残して、そのまま去ることは出来なかった。長江たちは、この危険に気づいていない。

又八郎が、もう一度その決心を確かめたとき、道にしのびやかな足音がした。あらわれたのは、あの男だった。男は河岸の通りを来て、又八郎がひそんでいる頭上を通りすぎ、橋の方にむかって行く。

又八郎が道に走り上がろうとしたとき、風のようなものが河岸地を走ってきた。又八郎はあわてて草の中に身体を伏せた。通りすぎたのは男二人だった。

後から来た町人姿の男二人は、橋の手前で密偵の男に追いつくと、吸いつくように左右から男の身体を押さえた。密偵の男が躍りあがって逃げようとしたとき、鈍く光るものが動いた。一人は後から男を組みとめ、片手で口をふさいでいた。一人は胸元に匕首《あいくち》を突き刺したまま、のしかかるようにして二、三度強くえぐった。

そのままの姿勢で、三人はしばらく橋の上り口に立っていた。二度ばかり、刺された男の身体が抱えこまれたままで大きく跳ねたが、やがてうしろの男の腕の中で、ぐったりとなったのが見えた。

二人の男は顔を見あわせると、きびきびした動きで、密偵の死体を橋ぎわの石垣まで運び、そこからすべらせるように水に落とした。微《かす》かな水音がひびいただけだった。

男たちは無言で橋を離れると、さっき来た道をいそぎ足に戻って行った。又八郎の眼の前を通りすぎるとき、河明りで男たちの顔が見えた。一人は相生町《あいおいちょう》に店を持つ、神崎という細身の男だった。もう一人は、上方から来てそのまま長江の家にいる、あの夜岡野と呼ばれた若い男だった。二人の姿はすぐに闇の中に消えた。

又八郎が手を下すまでもなく、長江たちは密偵が嗅《か》ぎまわっていることに気づいていたのだろう。迅速で非情な殺しだった。

又八郎は、しばらく茫然《ぼうぜん》と枯草の中にうずくまっていた。浅野浪人の集団が、吉良方と思われる勢力との闇の中の争闘で潰《つぶ》れもせず、また盟約も解かずに、強靭《きょうじん》な結束をたもってきた秘密を、いまわずかに垣間《かいま》見た気がしていた。

八

最後の稽古《けいこ》をつけ終って門人を帰すと、又八郎は雑巾《ぞうきん》を握って、羽目板に架けてある稽古用の木刀を一本ずつ拭《ぬぐ》った。型をつけるときに使うものだった。これが終れば、あとは手当てをもらって、この道場を去るだけだった。

さっき床をなめていた日暮れの光は、いま向い側の羽目板の腰まで這《は》い上がって、そこを赤く染めていた。

――奇妙な縁だったが、ここの連中ともお別れだ。

又八郎は、木刀を磨きながらそう思った。そのとき入口に人の気配がした。顔をあげると、土間に白髪の瘦《や》せた老武士が立っていた。無言でこちらを見ている。

「何か」

又八郎は木刀を壁にもどすと、入口まで出て行った。立っているのは、垢《あか》じみた衣服をつけ、草鞋《わらじ》がけの老人だった。日焼けした顔に、おびただしい皺《しわ》がきざまれている。

「そこもとが、ここの主《あるじ》か」

と老武士は言った。

「いや、それがしは代理人でござる」

「代理人でもよい。一手ご指南願えぬかの」

陰気な声で、相手は言った。

「試合をお望みか」

老武士は旅の武芸者のようだった。前にもそういう人間が来たが、ことわっている。

又八郎はちょっと首をかしげたが、やはりことわった。

「他流試合はいたさぬことになっておりましてな。気の毒だが、お引き取り頂こう」

「どこへ参っても、しか言う」

老人は、不意に歯のぬけた口を開いて、声を立てずに笑った。

「武芸者も、すっかり当世風に染まって、意気地ないことじゃ」

又八郎は微笑した。

「同感だが、決まりでござってな」

「だが、ほかに人もおらんではないか。そこもとと二人だけの試合じゃ。構わんだろう」

「…………」

「手間はとらせんぞ。どうじゃ？　上がってよいか」

少し執拗《しつよう》な口調で老人は言った。しばらく押し問答した末に、又八郎は根負けして上がれと言った。打ち合う方が早いと思ったのだ。それほどまで言う、相手の技倆《ぎりょう》に対する好奇心も動いていた。

「防具をおのぞみか」

老人は草鞋をぬいで道場に上がると、入口にうずくまって、背負っていた風呂敷《ふろしき》包みと刀を置き、真中まで出て来たが、又八郎がそう言うと首を振った。

「いや、いらん」

では、と又八郎が壁の竹刀《しない》に手をのばしたとき、老人が待たれよ、と言った。

「すまんが、木刀試合を所望したい」

「………」

又八郎は振りむいた。鋭く老人を注視した。木刀を握っての試合は、経過によっては生死にかかわる試合になる。

「年寄は、竹刀など使わん」

老人は少し横柄《おうへい》な口調で言った。

「それとも、お手前は木刀がこわいかの」

あきらかな挑発だったが、ひきさがることは出来なかった。又八郎は老人にむかって無言で木刀を投げた。そして自分も一本持つと中央に出て行った。身体《からだ》がひきしまるのを感じていた。

二人はむき合って、木刀を構えた。そのとき不意に老人が口を動かした。

「青江又八郎か。やはり、よく遣う」

又八郎の総身に冷や汗が噴き出た。国元の大富家老が、ここまで討手を向けてきたのだ。罠《わな》にはまったようだった。

「討手か」

相手は軽くうなずいた。そして軽やかに後にさがって間合をあけた。一分の隙《すき》もない構えだった。又八郎も青眼の構えを固め、そのまま二人は動かなくなった。その間に、羽目板を染める日射《ひざ》しは移って、天井にとどこうとしていた。

すさまじい気合をのせて老人が撃ちこんできた。痩せた小柄な身体が、岩が崩れかかるように殺到して来たのを感じながら、又八郎は摺《す》り上げる太刀《たち》を二度使った。かたりと木刀が触れ合い、老人の木刀はうなりを立てて又八郎の小鬢《こびん》をかすめ、又八郎の一撃は老人の肋骨《ろっこつ》を折った。その音がした。

だが擦れ違い、向き合ったとき老人はすばやい第二撃を又八郎の脇腹《わきばら》に叩《たた》きつけてきた。その木刀がわずかに低く流れたのは、すでに肋骨を折られていたからだろう。

又八郎の長身が高く跳躍した。そのときには又八郎の一撃は老人の額を割っていた。弾《はじ》かれたように老人の身体が後に飛び、のけぞってころぶと床を少しすべって動かなくなった。

又八郎は肱《ひじ》をあげて、顔に流れる汗を拭《ふ》いた。その眼に、道場の隅にひっそりと立ってこちらを見ている長江と岡野たち数人の姿が映った。

「何者だ、その年寄は？　ただの試合とも思えんな」

と長江が言った。落ちついた声だった。

「国元からの討手でござる」

「さようか。いい試合だった」

「道場を汚した。相済まん」

「いいさ。片づけるのはまかせろ」

そう言うと長江は、不意に豪放な笑い声をひびかせた。

「片づけ料を、手当てから引くぞ」

長江と又八郎が話している間に、岡野らはきびきびと動いていた。粗《あら》むしろを持ってきて、老人の死骸《しがい》を包み、どこかに持ち去ると、後のものは膝《ひざ》をついて床の血を拭いた。物馴《ものな》れた動きだった。

長江が言ったことは冗談だった。又八郎は逆に二分上乗せした手当てをもらって道場を出た。

ほの暗い町の底に、竪川の水が白っぽく沈んでいる。二ツ目橋にかかると、又八郎は反射的に水を見おろした。密偵の男が殺されたのを見たあと、おりんという女も、いつかこの川に漂い流れて見つかるのではないか、と思うようになっていた。

だが、川は寒ざむとした光をたたえながら、静かに流れているだけだった。又八郎は、異様な動きに巻きこまれたひと月が、いまようやく終ったのを感じた。裏店《うらだな》に戻って、ぐっすり眠りたいと思った。

内蔵助《くらのすけ》の宿

一

その女が、小唄《こうた》師匠のおりんだとわかったのは、途中からである。

青江又八郎は、霊岸島の浜町にいる細谷源太夫《げんだゆう》をたずねた帰りだった。小網町から入船町通りを横切り、さらに富沢町から村松町へ、堀割を渡ったあたりで、四、五間先を歩いている女が眼にとまったのである。

姿のいい女だった。なだらかな肩、可憐《かれん》なと思われるほどの肉を包みこんだ細腰。そして背筋はすっきりと伸びている。

そう思って眺めた眼が、だんだんその女に惹《ひ》きつけられていったのは、ひとつは女が、又八郎の足がむかっている両国の方に歩いているせいだった。いやでも女が眼に入る。そして、うしろ姿を鑑賞するだけだったら、誰に遠慮もいらないことだった。

だが、それだけで、眼を惹きつけられたわけではない。眺めているうちに、女の足どりに不審な動きがあるのに気づいたのである。

町を歩いているのだから、当然人が混んでいるところもあり、閑散とした場所もある。女は、人混みの場所にかかると、小きざみに足を運び、たくみに人を避けて急ぎ足になった。そして人の姿がまばらな道に出ると、足どりをゆるめて、むしろゆっくりと歩いた。

こういう歩き方をするのは、ただひとつの場合しかない。女は人を跟《つ》けているのだった。そして、間もなく又八郎の眼にも、跟けられている人間が見えてきた。女の前を歩いている白髪、長身のその初老の男は、医者と思える風体《ふうてい》をしていた。お供が一人ついていて、そのお供が提げている箱が、薬箱らしいのも見えてきた。

その三人は、又八郎が歩いて行く矢ノ倉米沢町《よねざわちょう》にむかっている。又八郎にそのつもりはないのだが、白髪の男を跟けて行く女を、さらに又八郎が跟けて行くという形になった。

医者とお供と思われる男二人と、女との間にはかなり距離があった。だが、女と又八郎の間は、四、五間しかない。べつに女を跟けているわけではないから、又八郎は普通の足どりで歩いて行く。

その足音に、女がふり返った。女はちょっと首を回して又八郎を見ただけで、すぐに顔を前にもどした。はたして又八郎と認めたかどうか、と思われるほどの、一瞬の動きだったが、又八郎の方では、女の顔をはっきり見た。

――なんと、おりんだ。

そう思ったとき、又八郎はそれまでのただ怪訝《けげん》だった気持が、急に軽い緊張に変るのを感じた。

閏《うるう》八月のはじめから、九月のはじめごろまで、又八郎は林町五丁目にある堀内流の剣術道場に、代稽古《だいげいこ》に雇われた。そこは堀部と呼ばれる浅野浪人がやっている道場で、その母屋《おもや》は、浅野浪人たちの密会に使われていたのである。おりんは、その会合をさぐるつもりらしく、道場の雇われ人である又八郎に近づいてきた女だった。

だが、又八郎が道場をやめる直前、おりんと一緒だった密偵の男は殺され、その後又八郎はおりんの姿を見かけることもなかったのである。

おりんが、自分に気づいたかどうか、又八郎にはわからなかった。だが、今度ははっきり女のあとを跟ける気になっていた。足どりをゆるめて少し遅れ、それから見えがくれについて行った。細身で、すっきりしたおりんの後姿は、人混みの中に入っても、見失う心配はなかった。

前方の男二人が、通りから不意に横の路地に入ったのが見えた。女はどうするかと見ていると、これもためらわずに角を曲った。

そこは真直《まつすぐ》の細い路地で、傾いた日が射《さ》しこむ奥の方で、二、三人の子供が遊んでいるのが見えるだけだった。町裏に抜ける道なのか、袋小路なのかは、わからなかった。

——行きどまりだと、ぐあい悪いな。

前を行く三人が遠ざかるのを、又八郎は角に立ちどまって、ちょっとの間見送ったが、すぐに腹を決めて路地に踏みこんだ。人に見とがめられようと、そこでおりんと顔を合わせようと、そのときはそのときという気持になっていた。

又八郎を、そこまでひっぱってきたのは、おりんという女に対する懸念《けねん》のようなものだった。

堀部という名の浅野浪人の道場に雇われたりしたものの、又八郎は浅野浪人の味方というわけではない。彼らが、亡主の復讐《ふくしゅう》を心がけているらしいことは、又八郎にもわかり、彼らの信念と、時おり眼にする彼らの固い結束ぶりに感動もするが、彼らのなかに踏みこんで行く気はなかった。三日一分の安手間で雇われただけの縁であり、その縁はその雇われ仕事が終ったときに切れたと、又八郎は思っていた。

又八郎自身、明日をも知れない身だった。国元で、藩主毒殺の密事を知ったことから、人を斬《き》って脱藩し、国元の家老大富丹後がさしむけて来る刺客に狙《ねら》われていた。

刺客は、又八郎が代稽古をしていた堀部の道場まで押しかけてきて、又八郎はそこで死闘を演じている。

浅野浪人の動きに対する関心は押さえがたいが、それで一肌ぬいで彼らのために役立とうという気持はなかった。彼らもまた、それを望んでいるとは思えなかった。

同様に、浅野浪人の様子をさぐっていると思われるおりんに対しても、格別の気持があるわけではない。一度おりんのおごりで、細谷源太夫と二人、したたかに酒をくらったが、その借りは、次に居酒屋で会ったとき、一応返している。

だが、堀部の道場をやめたあと、又八郎にはしばらくの間、吉良《きら》方の密偵と思われるおりんに対する一種の気がかりのようなものが残った。

それは、堀部の道場を嗅《か》ぎまわっていたおりんの連れが、神崎と岡野という二人の浅野浪人に、凄惨《せいさん》な殺されかたをしたのを目撃したためである。

浅野浪人たちは、やがて上方《かみがた》から、企ての首領である大石内蔵助《くらのすけ》をむかえるという、大事な時期にさしかかっているようだった。身辺を嗅ぎまわる密偵のたぐいを見つければ、容赦なく闇《やみ》から闇に葬《ほうむ》る手段に出ることは、目撃した殺しにてらしてもあきらかだった。

密偵とはいえ、おりんのような女を死なせたくない、と又八郎は思ったのである。

だが、おりんにそう伝える機会はなかった。連れの男が死んだことから、おりんが危険をさとって、堀部の道場に近づかないことを、ひそかに望んだだけである。

だが、その気がかりも、堀部の道場の仕事が終って、数口して虎《とら》ノ御門外にある旗本屋敷に、夜番で雇われると、間もなく薄れた。その屋敷は、八月と閏八月のふた月にわたって夜盗に襲われていて、その屋敷の警護はかなり気骨が折れる仕事だったのである。

そのおりんに、ひょっこりと町で出会ったのである。声のひとつもかけたくなるのは当然だったが、おりんが人を跟けているとわかっては、なおさら見過ごし出来ない気持になっていた。おりんが跟けている人間といえば、浅野浪人しか考えられない。危ないことをしている、と又八郎は思っていた。

医者とお供は、途中のしもた屋に入った。むろん、おりんは立ちどまらずに、その前を通り過ぎて行った。そして突き当たって右に曲った。

又八郎が、少し足をはやめて歩いて行くと、さっき医者が入った家の戸が開いて、一人の老人が半身をのぞかせて道をのぞいた。髪はやはり真白だったが、さっきの医者ではなかった。医者より、いくらか丈《たけ》が低く、そのかわりに頑丈な肩幅を持った老人だった。赤ら顔の老人は、又八郎を一瞥《いちべつ》した。鋭い目つきだった。袴《はかま》もはかず小刀も帯びず、袖《そで》無しを着て少し腰が曲っていたが、あきらかに武家の老人だった。

軽く眼をあわせただけで、又八郎はその前を通りすぎた。そして角を曲ったところで、眉《まゆ》をひそめた。曲ると、道はその先はいくらもなく、行きどまりになっていた。人の姿はなかった。

又八郎は、並んでいる家の軒下をのぞくように見ながら、ゆっくり路地を歩いて行った。右に三軒、左に四軒家がならび、突きあたりは黒板塀《べい》で、塀のむこうの家の屋根だけが見えている。

夕日も射しこまない路地は、少し薄ぐらく、ひっそりしていた。おりんが、どの家に入ったのかは皆目知れなかった。あきらめて又八郎が足を返そうとしたとき、不意に女の声が呼んだ。

「青江さま。ここ、ここ」

顔をあげると、眼の前の家の、玄関わきの出窓が少し開き、格子《こうし》の奥からおりんが呼んでいるのだった。おりんは白い歯をみせ、ひらひらと手を振っていた。

二

半刻《はんとき》後。又八郎はおりんの家の茶の間で、長火鉢をへだてたさしむかいで、おりんと酒を飲んでいた。

又八郎を家に入れると、おりんは台所に立って、かいがいしく干魚を焼いたり、酒をあたためたりして出したのである。又八郎は黙って飲んでいた。後を跟《つ》けたつもりがまかれて、間の抜けた顔で帰ろうとしたところを呼びこまれては、出された酒でも飲むしかなかった。

「あの方は、どうなさってます？　ひげの旦那《だんな》は？」

とおりんは言った。おりんも飲み、ほんのりと頬をそめている。うるんだような眼を、又八郎にむけていた。

「今日会って来たところだが、麻布《あざぶ》の方でドブさらいの人足をやっておると申したな。春までは楽をしたが、やつもその後は仕事に恵まれんようだ」

「おもしろいお方」

おりんは手で口を押さえて笑った。くったくなげな様子だった。だが、このおりんが、さっき医者と思われる長身白髪の男のあとを跟けていたことは間違いないのだ。

そして前には、堀部の道場にいた又八郎に、それと知って近づいてきたことも。

こんなことをしていて大丈夫なのか、という懸念《けねん》に、兆《きざ》してきた酔いがからんで、又八郎はずばりと言った。

「今日のようなことをしていると危ないぞ」

「あら、何のことですか」

とおりんは言った。まだ微笑を消していない顔で、又八郎を見た。

「人のあとを跟けたりすることだ。あの医者は、浅野の浪人かの」

「さあ、どうかしら」

おりんはとぼけて、細い指で盃《さかずき》を持ち上げると、酒を飲んだ。それから銚子《ちょうし》を傾けて、又八郎の盃にも酒を満たした。

「そなたに会ったら言おうと思っていたのだが、じつはわしはそなたの連れが殺されるところを見ておる」

「…………」

おりんは、自分の盃に注ごうとした銚子を、猫板の上にもどした。だが、又八郎の言葉に驚いたというふうではなかった。静かな眼を又八郎に据えただけである。

「浅野の連中は、たとえ女でも、身辺を嗅《か》ぎまわるものは容赦せんと思うぞ」

「まさか」

女は探るように又八郎を見た。

「朝次を殺すのに、旦那も加わったというのじゃございませんでしょ？」

「いや、違う」

あのとき、神崎と岡野という二人が来なかったら、朝次とかいう男はおれの手で殺していたはずだ、と思いながら、又八郎は首を振った。

「殺したのは浅野浪人だ」

「そのことなら、わかってました」

「それでも、性こりもなしに、連中のあとを跟け回しているというわけか。女子《おなご》の仕事とは思えんがの」

「旦那」

おりんは微笑した。そしてゆっくり酒を注ぐと、いさぎよい飲みっぷりで盃をあけた。

「あたしを何だと思ってらっしゃるんですか？」

「…………」

今度は又八郎が絶句した。そう言われてみると、おりんがどういう女なのか、べつにわかっているわけではない。

「心配して頂くような女じゃないんですよ。小唄《こうた》の師匠というのは世を偽る仮りの姿……」

そう言って、おりんは自分で笑い出した。

「いえ、三度のおまんまは小唄を教えて喰べてますけど、でもあたしのほんとうの仕事は違うんですよ、旦那」

「…………」

「慣れてますから、危ない真似《まね》など、しやしません」

「ふうむ」

又八郎はうなって、改めておりんを見た。素人《しろうと》が、吉良に頼まれて浅野浪人のまわりを嗅ぎ回っているわけではない、とおりんは言っているようだった。だが、眼の前にいるのは、少し痩せた頰と、黒眼がちの美貌《びぼう》をもつ町の女だった。

「しかし、吉良に頼まれてやっている仕事だろう？」

おりんは黙って首を振った。

「すると何か、米沢藩にかかわりのある者かの？」

おりんは、その問いにも首を振った。そして銚子を取りあげると、小首をかしげて又八郎をのぞきこむようにした。眼が笑っている。

——幕閣につながっているとでもいうつもりか、この女。

盃をつき出しながら、又八郎もおりんの眼に笑いを返した。その想像は、あり得ないことではなかった。浅野浪人の動きは、幕府の上の方にも知られていて、幕閣の一部の人間を捲《ま》きこんでいることは、又八郎も知っている。

「旦那は、浅野浪人の肩を持っていらっしゃるんでしょ?」

「いや、そういうわけでもない」

「でも、あのときあたしが教えてくれと言ったことに、ちっともいい返事をなさらなかったじゃありませんか」

「あのときは雇われておったからの。雇われて手間を頂いている者が、主《あるじ》の秘事を外に洩《も》らすわけにはいかん」

「いまは、いかがですか?」

「やはり言えんなあ。やめたからぺらぺらしゃべるというのは味が悪い」

「ほら、やっぱり肩入れしていらっしゃるんですよ」

又八郎は苦笑した。

「そなたはどうだ? 吉良の肩入れをしておるのかの?」

「いいえ」

おりんは首を振った。

「そうじゃないんです。ただあたしの仕事だからやっているだけですよ」

「わしも似たようなものだ。仕事につながるところにつくだけでな。本来どちらに味方するわけでもない」

「似た者同士ね、旦那」

「ところで、今日そなたが後を跟けていた老人は、やはり浅野の者か」

「知りたいんですか？」

「うむ」

「ようござんしょ。言ったからどうという旦那でもないんですから」

女はちょっとうつむいて、小声になった。

「あのお医者は、六日前に上方から下ってきた浅野浪人で、原惣右衛門《そうえもん》というひとですよ。新麹町《しんこうじまち》の六丁目に、田口一真という兵学者が住んでいますけどね。このひとは吉田忠左衛門と言って赤穂《あこう》で足軽頭と郡奉行を兼ねていたひとです。原というひとは江戸に来ると、まっすぐにそこに行って、吉田というひとと一緒に住んでいるんです」

「…………」

「お供がいましたでしょ？　あの薬持ちが、吉田の息子の沢右衛門というひと」

「さっき、医者が入っていった家に、年寄がいたな。がっちりした身体《からだ》つきの。あれは何と申すご仁《じん》かの」

「見ました？」

おりんはおかしそうな顔をした。

「うむ。前を通ったら、にらまれた」

「堀部弥兵衛《やへえ》というひとですよ、あの爺《じい》さまは」

「堀部？」

「そう。旦那が雇われたという林町の長江、長江というのは嘘《うそ》で、堀部安兵衛《やすべえ》というひとですが、そのひとのお舅《しゅうと》です。あたしがここに移って来たのは、あの家にいろいろな人が集まってくるからですよ」

「………」

「昨日は吉田というひとが来て、半日も話していました。何かあるんだな」

おりんは火鉢のふちに肱《ひじ》をつき、額をおさえた。ここ四、五日、人の行き来がはげしいのだとおりんは言い、そこまで言ってしまったのを悔むように、はっと顔をあげて又八郎を見た。

「さて、そろそろ」

と又八郎は言った。美貌の女と飲むのは楽しいものだが、夜が更《ふ》ける気配に気づいたのである。

「あら、お帰りになるんですか」

「うむ。あまり遅くなってもいかん」

「待ってくださいよ、旦那」

不意におりんは立ち上がって、あわただしく火鉢を回ってくると、身体をぶつけるようにして又八郎のそばに坐《すわ》った。

「ほんとにお帰りになるんですか」

「まさか、ここに泊るわけにもいくまい」

「泊ってください」

おりんは、又八郎の手をさぐって握った。

「それとも、どなたか待ってらっしゃる方がいらっしゃるんですか」

「いや」

「それなら泊ってください」

おりんは、又八郎の手を握りしめ、じっと眼を見つめた。

「さっき旦那にお会いして、どんなにうれしかったか。あたし今夜は、ひさしぶりに女に返ったような気がしていたんです。このままお帰しするのはいや」

「…………」

「それとも、正体も知れない女なんかは、嫌いですか。それだったら、何もかも打ち明けてもいいんですよ」

「いや、それは聞くまい」

おりんの連れの男の死体は、竪川《たてかわ》を流れくだった。大川に出る河口のそばで見つかり、町の評判になった。そのころ、次には女の死体が同じ川筋に漂って見つかるのではないかと思ったことを、又八郎は思い出していた。

その女は生きていた。そして又八郎が考えたように、ひ弱な女でもなかったようだったが、それはそれで祝福すべきだった。

――明日のことを、誰が知ろう。

国元からの刺客は、明日また現われるかも知れないし、自信ありげな女にしても、相手は剽悍《ひょうかん》な浅野浪人なのだ。明日何が起きるか、誰が知るか。

又八郎は、酔いのために、少し感傷的になっている自分を認めながら、その感傷に身をまかせた。

女がきつく握りしめている手をほどいて、女の肩を抱いた。思いがけなく丸く実った肉に触れたようだった。女はすぐに身を投げかけてきた。そして又八郎の頸《くび》に腕をからませると、胸もとにはげしく顔をこすりつけてきた。その動きに、女の孤独があらわれていた。

三

口入れの相模屋《さがみや》の戸を開けると、例によって、真正面に戸口を見据える位置に机をかまえて、吉蔵《きちぞう》が坐《すわ》っていた。

人を観《み》るには、はじめにふっと顔をあわせたときの感じが大事ですからな。いい加減な、たとえばですよ、かりにも泥棒ぐせのある人間を商い店に世話するような商売をすれば、相模屋の信用はガタ落ちですからな、と吉蔵は言う。

信用絶大、江都《こうと》にあまねく名を知られている口入れ屋のような言い方が、いつきても閑散としてひまそうな店先にそぐわない気はするが、心がけとしては結構なことだと又八郎は思う。その殊勝な心がけの結果として、相模屋にくる人間は、戸をあけたとたんに、ふっと狸《たぬき》ふうの親爺《おやじ》と、正面から顔をあわせることになる。

又八郎を見ると、吉蔵は頰杖《ほおづえ》をはずして坐り直した。そして胸をそらした。

「昨日はいらっしゃいませんでしたな。青江さま」

なじるように吉蔵は言った。ははあ、いい仕事が入ったな、と又八郎は吉蔵の様子から判断した。いい仕事をくれるとき、吉蔵の物腰は少し尊大になる。うしろにそっくり返る感じになる。

依頼人がありがたがるのが眼に見えているからだが、また依頼にこたえていい仕事を周旋出来る自分に、満足もしているのである。満足感で、吉蔵はそっくり返っている。

「いらっしゃる約束でございましたよ」

「さようであった」

数日前、吉蔵に仕事を頼み、吉蔵は昨日までに何とか間にあわせようと約束していたのだ。細谷をたずねた帰りに寄るつもりだったが、おりんを見かけたことから、とんだ寄り道をしてしまった。

「お待ちしてましたがいらっしゃらないから、お家をおたずねしました。そう戌《いぬ》の刻(午後八時)ごろでしたな」

「それは相すまんことをした」

「今朝、また行って見ました。お家にはいらっしゃいませんでしたな、昨夜も、今朝も」

「……………」

「いい仕事ですよ、青江さま。ひさしぶりに一日二分、二日で一両という仕事が出ました」

吉蔵は富くじにあたったような言いぶりをした。

「しかし先方さんも期限のあることだし、青江さまが見つからなければ、誰かに回さなければならないかと気を揉《も》んでいたところですよ。いったい、どこにいらしってたんですか」

吉蔵は、ますますそっくり返り、ほとんど威丈高にそう言った。

どこへ行ったと言われても、又八郎は答えようがない。ついさっきまで、おりんという女と、ひとつ夜具の中にいたのだ。昼になって女がやっと起き出し、小まめに昼飯の支度をしたのを、色男然と馳走《ちそう》になって出てきたばかりである。又八郎はひたすら恐縮するしかない。

「いや、よんどころない用があってな。昨夜はほかに泊ったのだ。心配かけて済まなんだな、相模屋」

「お仕事は用心棒です」

「ほほう」

吉蔵に対する義理もあって、又八郎は上り框《かまち》から部屋の中へ、身を乗り出す。吉蔵は机の上の帳簿をとりあげ、眼鏡をかけた。大きな眼鏡で、吉蔵の顔は珍妙な感じになった。

「場所が、ちと遠ございますが、構いませんな」

吉蔵は眼鏡越しに又八郎を見て、そう言った。そのおかしな顔をしみじみと眺めながら、又八郎は、「いっこうに構わん。どこへなりと参るぞ」と言った。

行先は川崎宿《しゅく》の北にある平間村。そこに、江戸の新麴町《しんこうじまち》五丁目に住む山本長左衛門というひとの隠宅がある。山本には江州に住む親戚《しんせき》があるが、今度その親戚のものが所用で江戸に来るので、当座の宿に隠宅を貸すことにした。その者は、江戸に家が見つかるまで、しばらく平間村に滞在するので、その間身辺を護《まも》ってもらいたい、というのが、依頼主の言い分だと、吉蔵は帳面を眺め眺め言った。

「すると、わしの役目は、その者が江戸に出るまでということになるな」

「さようでございます」

「何日ぐらいかの」

「ざっと十日もあれば、家が見つかるだろうという、お話でございましたな」

十日か。すると一日一両で五両の稼《かせ》ぎになる。なるほどいい手当てだった。そろそろ暮にむかう時期に、五両の金は大きい。

——だが、少しよすぎないか。

これまで身体《からだ》を張って用心棒を勤めた経験から言えば、大きな報酬は大きな危険をともなうものなのだ。望ましいのは手当てが多くて、仕事が楽なことだが、世間はそんなふうに甘く出来てはいない。

又八郎は、微《かす》かな危険を嗅《か》ぎつけた気がした。このところ人足仕事、道場の代稽古《だいげいこ》、泥棒防ぎの夜番と、比較的危ない仕事と縁遠く、いささかナマっていた用心棒の嗅覚《きゆうかく》が、突然に目ざめたようでもあった。

「少し聞いていいか」

「はい。どうぞ」

「その山本とか申すひとの親戚だが、何のために用心棒がいるのかの？」

「それは、です」

吉蔵は、一たん閉じた帳面をまた開いて、のぞきこんだ。

「垣見《かけひ》五郎兵衛と申されますな、そのご親戚は。もとはさる藩に勤めておられたが、いまは勤めをひいて、江州の在で暮らしておられる、と。金がおありなさる方で、居喰いをなさっている結構な身分の方で、はい」

「…………」

「今度江戸に下って来られるのは、公事《くじ》のためだそうで。その公事の相手と申すのが、もう江戸に来ておられるということですな。その相手方が、この垣見さまを襲ってくるご心配があると、山本さまはおっしゃっていましたな。公事争いというのは、これはあなた、こじれると大変なものですからな」

「わかった。誰かが暴れこんでくるかも知れんというわけだ」

「それと、こんなこともおっしゃっていました。垣見というひとは、その公事のために大金を持って来られるはずだと。平間村というと、あたしはお大師さままでしか行ったことがありませんが、そこからずっと西北に行った辺鄙《へんぴ》なところなそうですからな。そんなところで泥棒に狙《ねら》われたりしても困ると、そういう口ぶりでございましたよ」

公事の相手が、どういう人間かは、吉蔵も聞いていなかった。用心棒としては、そこまで調べをつけたいところだったが、仕方ない。平間村というところに行けば、そこで山本とか垣見とかいう頼み主に聞けるだろう、と又八郎は思った。

格別の危険はなさそうだった。ありふれた仕事で、うまく行けば何の危ないこともなく、五両の金が手に入るかも知れなかった。戸口を出る又八郎の足もとが弾《はず》んだのを見咎《みとが》めたように、うしろから吉蔵が念を押した。

「先方がいらっしゃるのは二十六日ですよ。青江さまは前の日に行って頂きます。そこをお忘れにならないように」

「わかっておる」

「ご用心なさいましよ」

四

品川までは、江戸。川崎宿は、江戸を離れて東海道筋最初の宿だった。

又八郎は昼すぎ、寿松院裏の裏店《うらだな》を出たが、日がかたむくころには、六郷川の渡しを船で渡った。江戸の外に出るのははじめてである。裏店の者に、旅支度がいるかとたずねたら、川崎のお大師さまは、日帰りで行ってくるところですぜ、と笑われた。

それで、いつものなりに袴《はかま》をつけただけの雪駄《せった》履きで街道を歩いてきたが、裏店の連中の言うとおりで、渡し船を上がったところが川崎宿だった。

街道ぞいに細長く続く川崎宿は、さして人が立てこむようでもない、ありふれた村にちょっと毛が生えた程度の宿駅だった。東海道を上る者は、朝江戸をたてば、昼前には川崎宿を通り抜けるだろうし、また江戸に来る人間なら、眼の前に江戸をのぞんで、そこに泊るということもしないだろうと思われた。

ただ品川をはずれたところに鈴ヶ森の刑場がある。街道をくだってきて、川崎近くで日暮れを迎えたら、急ぎの旅でなければ、この宿に泊るかも知れなかった。

ひっそりした宿に見えたが、なかに入ると旅籠《はたご》もあり、休み茶屋もあった。又八郎は、笠《かさ》をとって休み茶屋の軒をくぐった。日が暮れるまで、まだ間がある。ここまで来れば、もうだいじょうぶだと思うと、急に喉《のど》が乾いてきたのである。

又八郎は、寄ってきた若い娘に茶をたのみ、腰かけに休んだ。茶屋の中はちらほらと人がいるだけで、空《す》いていた。大部分は旅支度の人間だった。ここでひと休みしているということは、彼らはこれから品川なり、あるいは川崎の先の神奈川宿まで足をのばそうと考えているのかも知れなかった。どちらも二里半の道である。

「平間村と申すところは、遠いか」

茶を運んできた娘に聞いた。細い手足をした十五、六の小娘で、このあたりに住む娘が手伝いにきている、といった様子に見えたからである。

娘は声をかけられるとは思っていなかったらしく、棒のように突っ立って顔を赤くした。

「遠いか」

又八郎が微笑してもう一度聞くと、娘は今度は懸命に首を振った。そしてくるりと背をむけると、奥の方に小走りに去って行った。裾《すそ》短かの着物の下から出ている足が、意外に太かったが、その足も浅黒く、男の子のような挙措に見えた。

——あれにくらべれば、いまの娘は男の子と変らんな。

又八郎は、通る人もまばらな街道に眼を投げながら、ふとおりんのことを思い出していた。

あの一夜きりで、今日出かけてくるまで、おりんには会っていなかった。また会うつもりもなかった。そう思う気持の底に、悔恨のようなものが含まれているのは、一夜の情事が底知れない愉悦にいろどられていたためだろう。すっきりと痩《や》せぎすに見えた着物姿の下に、おりんは男を狂わせる見事な裸身を隠していたのである。白く、鞭《むち》のようによくしなう身体《からだ》だった。

悦楽にも、踏みこんではいけない領域があるかも知れなかった。おりんを抱きながら、又八郎はその夜、恐れなければならないその領域に、しばしば足を踏みこんだのを感じたのである。男を破滅させる女がいるとすれば、それはおりんのような女だろうと思われた。

——近づかぬ方がいい。

近づけば、男は地獄を恐れぬ者になる。又八郎はいまもそう思った。

茶屋を出ると、又八郎はもう一度、人に平間村に行く道をたずねた。村は川崎大師と反対の方角に、半里ほど行ったところにある、と教えられた。

又八郎は、さっき来た道を渡し場にほど近いところまでもどると、六郷川に沿って左に行く道に入った。

冬近い日暮れの空を映した川は、間もなく北に遠ざかり、水辺を埋める枯れ葦《あし》の原も遠のいた。道は、だだっ広い畑の中を、まがりくねってすすみ、ところどころに木立に囲まれた村落や、雑木林が点在するだけになった。その広い野のむこうに、青黒い稜線《りょうせん》をきわ立たせているのは、相模の大山という山だった。又八郎は、そのことを渡し船の中で、人が話す声で知ったのである。

山は、又八郎が歩いて行く道の左手、はるかな空に、動かない翼のように横たわり、時どきは雑木林や村落の陰にかくれるが、すぐにまた野のむこうに姿を現わすのだった。

歩いているうちに日が落ちたが、又八郎はどうにかまだ夕明りが残っている間に、平間村の目ざす家についた。

「やあ、お待ちしていた。上がってくだされ」

出迎えた男が、もの柔らかな口調でそう言い、山本長左衛門だと名乗った。筋骨たくましい長身で、三十半ばの男だった。髪を総髪にし、着流しに羽織を着ているだけだったが、前身は武家だとすぐわかった。瘦せた頰と、ややしゃくれた顎《あご》をもち、眼に精悍《せいかん》な光がある。その眼を、薄ぐらい土間に立つ又八郎に、じっと注いだが、山本はすぐに微笑して、丁寧に上がってくだされとくりかえした。そこに、中年の女が、すすぎを持って出てきた。近くの百姓家の人間でも頼んだかと思われる、武骨な手足をした女だった。

又八郎が通された部屋には、ほかに二人、人間がいた。どちらも五十近い年輩に見える、浪人ふうの男たちだったが、山本と同じように、きちんとした身なりをしていた。又八郎が名乗っても、二人は口を濁して名乗らなかった。

「仕事の中味は、ご承知ですな」

さっきの女がお茶を運んできて去ると、山本は如才なく又八郎の前に茶碗《ちゃわん》をすすめてから、そう言った。又八郎は、相模屋からあらましを聞いて参ったと言った。

「異な頼みと思われたかも知れんが、今度の公事《くじ》は、われわれ一族にとって大げさに申せば生死にかかわる大事でござっての。念には念を入れておるわけでござる」

すると、ほかの二人も縁戚《えんせき》の者かと思いながら、又八郎はたずねた。

「つかぬことをお聞きするが、相手方はどういう人間でござるかな」

「相手？」

「つまり、ここを襲ってくるような、凶暴な人物かということでござるが……」

山本とほかの二人は、当惑したように顔を見合わせた。そして山本が、ま、そのような心配はあるまいと思うが、とあいまいなことを言った。もう一人は、飯はまだかの、と言って、部屋を出て行った。

——妙な連中だ。

又八郎は何となくそう思った。襲ってくる心配がなければ、用心棒を頼むこともあるまい、と思ったのである。要するに、その相手という人物については、言うをはばかるということらしかった。それならそれで、せいぜい気を配って勤めるしかなかろう、と又八郎は思い直した。

五

垣見《かけひ》五郎兵衛という人物が、その家についたのは、翌日の朝、辰《たつ》の刻（午前九時）ごろだった。

垣見はやや丈が低く、小肥《こぶと》りに肥った四十半ばと思える人物だった。武家のくせにと思われるほど色白で、眠たげな細い眼をし、出迎えた山本たちに、にこにこ笑いながら、低い声で何か言っている。

少し離れて、又八郎はその様子を見ていた。覇気《はき》にとぼしい人間だな、と思った。垣見のことである。あれでは暴漢に襲われたりしたら、ひとたまりもあるまい、という気がした。

ほかに三人、人がついてきていた。一人は六十を過ぎたかと思える老武士で、背も高く身体《からだ》つきもたくましいが、白髪は薄く、張った頬骨の下に、おびただしい皺《しわ》が集まっている。ほかの二人は、この二人が連れてきた下僕だと思われた。

「平間村はすぐそこだと申しあげたが、太夫は泊ると申してきかぬ」

白髪の老武士は、ひびきのいい声でそう言っていた。

「夜道は寒いなどと申されてな。だが内実は、関東の女子《おなご》の酌で一杯やりたかったらしい。いや、昨夜はそれがしも、思わずつき合い酒を過ごした。それで川崎に泊ってきたわけよ」

「それはようございましたな」

と山本が言った。

「ここにも酒はございましたが、酌取りは男しかおりませんでしたからな」

男たちは、そこでどっと笑うと、玄関に姿を消した。その姿を見とどけてから、又八郎は門まで出て、道を窺《うかが》った。男たちを跟《つ》けてきたような人影は見当たらなかった。明るい日射《ひざ》しが道をくまなく照らしていたが、日の光はやはり十月も末近い冷たさを含んでいた。家のむかい側にある境内から、大きな銀杏《いちょう》の木が降りこぼした葉が、道いっぱいに散って日を浴びているだけで、人通りはなかった。

又八郎は、自分も家にもどり、昨夜からあたえられている玄関脇《わき》の三畳に入った。用心棒が挨拶《あいさつ》するものかどうかはわからなかったが、必要なら誰か呼びにくるだろうと思いながら、又八郎は行儀悪く畳に寝そべった。

外の空気は寒かったが、障子をいっぱいに染めている日射しにぬくめられて、部屋の中は火鉢もいらないほどあたたかかった。肱枕《ひじまくら》の姿勢で、又八郎は奥から聞こえてくる話し声や笑い声に、ぼんやり耳を傾けていた。

男たちはよく笑った。大事な訴訟事を前にしているというのに、男たちの様子にはどこか浮き浮きした様子が窺われた。

いつごろから、その声に気づいたかは、又八郎にもわからなかった。不意にがばと起き上がると、又八郎は坐《すわ》り直して、男たちの話し声に耳をすませた。また、その声が聞こえた。

一度は、日比谷《ひびや》町の備前屋という呉服問屋の内儀の用心棒を勤めたとき、大養寺という寺の中の襖《ふすま》越しに、次には本所の長江長左衛門こと、浅野浪人堀部安兵衛の道場で、やはり襖越しに聞いた声だった。

——吉田忠左衛門だ。

又八郎は、部屋の中を照らす光が、不意に暗くかげったような気がした。多分、あの老人だろう、と又八郎は白髪で、頑丈な身体つきをした老武士を思いうかべた。さっき外で喋《しゃべ》っているときは気づかなかったが、こうして家の中で、襖をへだてて聞いていると、同じ声だということがよくわかった。

いま、この家にいるのは、一族の公事《くじ》で集まった男たちなどではなかった。ここは新しい浅野浪人の巣だった。そして男たちが、こんなに浮き浮きして迎え、身辺に用心棒を雇うほど大事にしている人物といえば、それは一人しかいない。

——あれが、大石か。

さっき見た、眠たげな眼をし、小肥りに肥っていた男の姿を、又八郎はもう一度思い返した。警護する相手が大石内蔵助《くらのすけ》だとすると、又八郎はいまもっとも危ない場所に、用心棒としてはめこまれたようだった。又八郎は腕を組んだ。

そのとき足音がして襖が開いた。部屋をのぞきこんだのは山本だった。もっとも、それも本名かどうかはわからない人間だった。

「垣見どのに、貴公をひきあわせたいが、よろしいか」

山本は少し紅潮を残している顔で、そう言った。よほど話がはずんだ気配が顔に出ていた。

奥座敷に入ると、山本はすぐに二人に又八郎をひき合わせた。

「このご仁でござる。青江どのと申して、一刀流をよく使われる」

又八郎は黙って頭をさげた。すると山本は、今度は二人を又八郎に引きあわせた。

「こちらが垣見どのだ。貴公に身辺を護《まも》ってもらいたいと申したのは、このおひとだ」

「よろしゅうにな」

垣見は、やわらかい上方言葉で言った。ほとんど女性的に聞こえる、細くやさしい声音だった。又八郎はそれにも黙って頭をさげた。

「それから、こちらが田口一真どのと申してな。やはりわれらの一族だが、江戸の麹《こうじ》町《まち》で兵学を教えておる」

「長江が申していたのは、このご仁かの」

不意に田口がそう言った。山本は一瞬困ったような顔をしたが、あいまいな微笑をうかべて、このおひとでござる、と言った。

そして又八郎に顔をむけると、言いわけめいた口調で言った。

「じつは、本所に住む長江長左衛門とは、つき合いがござっての。垣見どのの身辺警護ということで相談をかけたら、貴公を推薦された。そこで相模屋を通して、貴公をお頼みしたわけでござった」

吉蔵め、と又八郎は思った。間にあわなければ、ほかの人間に回そうかと思ったなどと言ったが、はじめから先方は又八郎を指名してきていたのだ。そう思うと、相模屋を出るとき、お気をつけなさいましよと言った言葉も、何となくいい加減なものに思えてくるようだった。

引きあわせはそれで済んで、又八郎は部屋に引きとった。だがすぐに刀を持ち出して、目釘《めくぎ》のぐあいを調べたり、外に出て、家の戸締りや、塀のぐあいを見て回ったりした。

これまでと比較にならない、重い責任がかぶさって来たのを、又八郎は感じている。襲ってくるかも知れない相手は、公事の相手方などという、やわな人間ではない。大石がここにいると知れば、必ず襲ってくる連中だった。浅野浪人の動きに神経を尖《とが》らせている連中にとって、党首の立場に位する人間をつぶすことは、浅野党に対する最善の攻撃になるはずだった。げんに彼らは、一年ほど前に故主の墓参その他で江戸に来た大石を狙《ねら》い、失敗している。

そこまで考えたとき、又八郎はふと庭の中で足をとめた。浅野浪人の動きを探っているおりんが、原や吉田、堀部弥兵衛らの動きが活発なのをみて、何かあると言っていたのを思い出したのである。

襲ってくるのは、吉良の雇人とは限らなかった。ほかにも、大石を狙っている人間はいる。一日二分の手間は、さほど高くないかも知れないという気がした。

六

江戸にいる同志は、芝、本所、新麹町そのほかと、各所に散在している。麹町の方は、一昨日吉田が帰ったからいいとして、ほかの場所にいる同志に、平間村についたこと、また復讐《ふくしゅう》の細かい指示をあたえなければならない。

そう思いながら、内蔵助は何となく億劫《おっくう》な気分にとらわれて、火鉢にしがみついていた。山科《やましな》の寒さも相当なものだが、このあたりの寒さもまた格別だと思う。日があるうちは、春先と変わりなくあたたかいが、日が落ちたとたんに、寒さはめりめりと四方から押し寄せてくるように感じる。

——よく遊んだ。

ぼんやりとそう思った。祇園《ぎおん》や伏見、島原で遊んだ女たちの顔。身籠《みごも》ったかも知れないと言っていた若い妾《めかけ》の顔などが、水に流されるように、脳裏を通りすぎて行く。妾に子供が生まれたらどうするか、それも誰かに頼んでやらないといけない、と思いながら、その手紙を書くのも億劫だった。せっかくすった墨が、硯《すずり》の中で乾きはじめている。

事件が報じられ、つづいて城明け渡しの命令が伝えられたとき、相手の吉良上野《こうずけの》介《すけ》が生きているのか死んでいるのかは、まだ分明でなかった。内蔵助はあちこちにそのことを問いあわせた。城明け渡し、家臣離散は一大事である。相手方が死に、その上で内匠頭《たくみのかみ》が切腹させられたということであれば、万やむを得ないことであった。だが、万一相手が生きているということになれば、処分を納得しない者が出るかも知れない。

そのために家中騒動したりすれば、内匠頭の死をふくめて、赤穂《あこう》藩は天下の物笑いになるだろうと内蔵助は考えたのである。

そして上野介の健在が確かめられたとき、内蔵助は、ひそかに書物役の中村勘助を呼び出して、これまで江戸城中であった刃傷《にんじょう》事件の記録を調べさせた。結果は、刃傷を仕かけた方は必ず処分をうけ、相手方は構いなしとなっていた。それが城中刃傷に対する、一貫した幕府の処置だった。

——しかし、それでは殿が浮かばれまい。

と内蔵助は思った。事件の中味がおいおいわかるにつれて、刃傷沙汰《ざた》の原因が、多分に内匠頭の度をすごした潔癖感、またこらえ性のない癇癖《かんぺき》にあることも知れてきた。そのどちらも、日ごろ内匠頭が持っていたものである。幕府の処分は正当なものに思われた。

そのことが、内蔵助にはやり切れなかった。人はやがて、内匠頭を一時の短気に身をまかせて、五万石を潰《つぶ》した人間として物笑いの種にするだろう。そしてそういう主君に仕えて禄《ろく》を食《は》んでいた浅野家中も笑われるかも知れない。その印象は、相手方の吉良が、何ごともなく生きていることで一そう鮮明になるはずだった。

死んだ内匠頭をはじめ、浅野一藩を、世間の物笑いから救うためには、城明け渡しをこばんで恥の上塗りをしたりしてはならないことはむろん、その後死んだ内匠頭、ひいては浅野藩の面目が立つような処分を幕府にもとめて行くか、あるいは内匠頭の一種の失態の生き証人である吉良を抹殺《まっさつ》するか、そのどちらかしかないと内蔵助は考えたのであった。

しかし吉良を抹殺するということは、万策つきた場合の手段だった。その前に、内匠頭の弟大学を立てて浅野家再興を願い、一方で婉曲《えんきょく》に吉良の処分を願う工作を内蔵助はとった。江戸にいて、悲劇を目《ま》のあたりに見た堀部安兵衛、奥田兵左衛門、高田郡兵衛らは、悲憤してしきりに故主の復讐を言いたてたが、内蔵助はなだめた。浅野家が再興され、それに見合うほどの吉良の処分が行なわれれば、浅野一藩の面目は立ち、故主に対する予想される世の譏《そし》りも消えるのである。復讐の前に、その工作の結末を見るべきだった。

無事に城を明け渡して、家臣を解散させ、後始末も終って山科に引っこむと、内蔵助は早速京の祇園や、伏見の撞木《しゅもく》町にある遊廓《ゆうかく》にせっせと通いはじめた。山科に移ったときは、むろん妻子と一緒だったが、若いころからの放蕩《ほうとう》ぶりを見ている妻女のりくは何も言わなかった。内蔵助は国元でも、家老としての責任が重くなって遊びもままならなくなると、妾を囲ったのである。

——仇討《あだう》ちの気持をさとられまいと遊んでいる、などと言われたものだな。

これだから世間というものは面白い。内蔵助は火鉢のそばにいぎたなく寝そべると、薄笑いをうかべた。

亡《な》き主君をふくめて、潰れた浅野一藩の面目を立て、後世の譏りから救うという気持は微動もしていなかった。浅野家再興については、一族の浅野美濃守《みののかみ》、戸田采女正《うねめのしょう》、また浅野家の祈願所である遠林寺の祐海、江戸の祈願所である鐘照院などを頼み、精力的に工作をすすめていた。また一方では、堀部ら江戸にいる連中の気の逸《はや》りを押さえながら、あくまでも盟約を解かずに、最後の手段である復讐にそなえてもいたのである。

だが、それと遊びは別だった。じっとしていると好色の血がざわめき立ってきて、いても立ってもいられなくなるのだ。世間の誤解は、いい隠れ蓑《みの》になった。内蔵助は連夜、駕籠《かご》を伏見、島原まで走らせた。太夫《たゆう》も買い、安女郎も買った。今年の春、長男の主税《ちから》だけを残して、妻女のりくとほかの子供を但馬《たじま》豊岡《とよおか》の実家石束家に帰すと、内蔵助の遊びはさらにとめどもないものになった。

はじめは笑って見ていた同志も、しまいには心配するようになった。世間も、仇討ちのことなど忘れたらしいと噂《うわさ》するようになった。

——世間の眼は鋭いな。

事実あのころは、そういうことも時どき忘れた、と内蔵助は思った。だが、その遊びも終りだった。浅野大学は、閉門はとけたがそのまま広島の本家にお預けとなり、再興の望みはつぶれた。残されたのは復讐だけだった。吉良には気の毒だが、復讐をとげることで、故内匠頭はいい家臣を持ったと言われ、また浅野家にも人がいたとも言われることになろう。殿様の短気で潰れた藩に対する軽侮は、やがて賞讃《しょうさん》にかわるだろう。

——吉良だって、そのぐらいのことは知っておるさ。

内蔵助はそう思いながら、日に赤らんでいる障子をじっと見つめたが、不意に考えをそこで切り捨てた。

大きなあくびをひとつして起き直ると、内蔵助は抱いた膝《ひざ》を、火鉢にこすりつけるようにして、背をまるめた。部屋の中は炭火であたたまり、障子には日があたっているのに寒かった。

白くあたたかかった女たちの肌が、また眼の奥を過ぎて行った。内蔵助は白足袋をはいた爪先《つまさき》で拍子をとりながら、いい声で唱《うた》った。

逢《あ》う夜は明けて
逢わぬ夜の長きよの
鳥も鐘も
ひとり寝る夜は
さわらぬものを

隆達節のひと節だった。唱いながら、内蔵助は遊びに倦いた遊冶郎のような、もの憂《う》い顔になっていた。

その声を、青江又八郎は庭を見回っているうちに聞きとめた。声は、ぴったりと閉まった障子の奥から聞こえてくる。むろんそこが内蔵助がいる部屋だとわかっている。だが、武家とも思えぬ、艶《つや》のあるいい声だった。

――上方の武家は、粋《いき》なものだの。

又八郎はそう思い、頭領がこんなぐあいで、だいじょうぶかね、とちらと思った。だが、そこまで考えることはなかった。いま美声で唱っている男を警護するのが、又八郎の役目で、そのさきのことはかかわりがない。

――今日で、一両二分か。

葉が落ちた欅《けやき》の枝を見上げながら、又八郎は金を勘定した。雑木林のように、欅や小楢《こなら》が立つ庭に、傾いた日がさしこみ、幹の半分をうす赤く染めていた。日があたらない半分は、少し離れた場所からは黒く見える。その陰の部分に、もう夜の寒気がまつわりついているようだった。

七

みしりと廊下の床が鳴ったとき、又八郎は反射的に刀をつかみあげていた。又八郎はここへ来てから夜は眠っていない。音はすぐにわかった。

「幸七か、左六か」

又八郎は声をかけた。二人とも大石について来た下僕である。ほかにもう一人、大石の部屋の近くに山彦嘉兵衛という、すぐに偽名とわかる名を名乗る男が寝ているはずだった。山彦は、一昨日又八郎が来たときに、この家の持主である山本と一緒にいた、五十近い男である。

返事はなかった。そして不意に廊下の戸が庭に落ちた音がした。又八郎は襖《ふすま》を開けて、三畳から廊下にとび出した。すると出合いがしらに刀がひらめいた。その隙《すき》に黒い影が二つ、奥に走りこむのが見えた。

斬《き》りこんできた刀をはね上げながら、又八郎は大声で叫んだ。

「出合え、みなの衆。賊だ」

左六、幸七起きろ、とさらにわめいた。又八郎の大声は、家の隅ずみまでひびきわたったらしく、台所の方にも奥座敷にも人の気配が動いた。

よし、と又八郎は鍔《つば》ぜり合いになっている相手を、廊下の戸がはずれている方に押した。奥に走りこんだ二人が気がかりだったが、とりあえず眼の前の敵を片づけるしかなかった。相手は一人ではなく、その後にも一人おり、さらに外から廊下に片足をかけている黒い影がいたが、又八郎が相手を押して行くと、後の二人はあわてて外に降りた。

台所の方から走ってきた二人の従僕に、又八郎は奥に行け、とどなった。そしてひと押しして相手を地面に落とすと、自分も後からとび降りた。

又八郎が地面に降り立つと、三人はすぐに又八郎を囲んで白刃をむけてきた。連繫《れんけい》がとれた自信ありげな動きだった。黒い頭巾《ずきん》をかぶり、履いている草鞋《わらじ》まで黒い、異様ないでたちの者たちだった。

霜が降りたように地面が光っているのは、高い空に月がかかっているせいだった。正面の黒い影がいきなり斬りこんできた。だが、その動きは擬態だった。刀をあわせようと、又八郎が一歩踏みこんだとき、黒い影は、すっと体を横にすべらせて行った。そして左右から無言の斬りこみが襲ってきた。一刀をかわし、一刀を強くはねあげると、又八郎はもう一度踏みこんで来る気配の正面の敵に、すばやい一撃を送った。

切先に肉の手ごたえがあった。肩を斬ったと思われた。だが相手は声も立てず、軽がると後に飛んだ。そしてすぐに右手から一人が踏みこんできていた。三つの黒い影は、瞬時もじっとしていなかった。たえず動いていた。そういうつながりがとれた攻撃に自信を持っている連中のように見えた。

だが彼らの動きのつながりぐあいが、ようやく見えてきた。又八郎は反撃するのをやめて、じっと正面の敵に構えをつけたまま、動かなくなった。又八郎の動きがとまったのを、敵は疲れたと見たかも知れなかった。無造作に、又八郎が待っていた型を演じた。

正面の敵が斬りこんできたとき、又八郎はその斬りこみには眼もくれず、不意に身体《からだ》を沈めて左から斬りこんできた敵の胴を撃った。倒れかかる敵を蹴倒《けたお》してふりむくと、眼の前に右側にいた敵の白刃が落ちてきた。すり上げるように刃を合わせ、横にとびながら、又八郎は相手の肩を斬りさげた。

それを見て、それまでたえず正面にいた敵が、構えをたて直して迫って来た。又八郎も改めて体勢を固めた。そのとき、虫の音のようなものが、短く二度庭のどこかで鳴った。

又八郎が冷や汗をかいたのは、次の瞬間だった。相手がいきなり刀を又八郎に投げつけてきたのである。ただ投げたのではなかった。刀は正確に、矢が走るように又八郎の顔面に飛んできたのである。顔を傾けてよけるのが精一杯だった。又八郎の出足がとまった一瞬を、黒い影は見のがさなかったようだ。滑るように庭を走ると、塀にとびつき、そこでとんぼを切るように身体を宙に投げあげると、あっという間に屋敷の外に姿を消した。

——追っても無駄だ。

又八郎はすぐに家の中に走りこんだ。物音はやんで家の中はしんとしていた。奥座敷に行くと、抜身の刀をさげた男が四人、黒いいでたちの人間の死体を見おろしていた。座敷は、障子は破れ、火鉢はころがって無残に荒れている。ただ部屋の隅の行燈《あんどん》と机がそのままで、机の上に書物が開かれていた。起きて書見をしていたらしい。それがこのひとを救ったかと思いながら、又八郎は改めて大石の姿を眺めた。怪我《けが》をしているようには見えなかった。

「ご無事でしたか」

と又八郎は言った。大石はうんとうなずいた。そして刀を下僕の幸七に渡すと、寒いから火を持ってきてくれと言った。まだ書見をつづけるつもりらしかった。

机にもどる大石を眺めながら、又八郎は山彦にそっと聞いた。

「これは、誰が斬りましたかな」

だった。

「ご家老だ」

と山彦は言った。落ちついているように見えたが、自分の失言には気づかないよう

「わしの方は、傷は負わせたが逃げられた。うむ、後を片づけねばならんな」

山彦は左六に、死人を庭に運んで埋めろ、と言った。死人は、前庭にもう二人いま

す、と言い残して、又八郎は玄関に回り、そこから庭に出た。逃げたというもう一人

が、屋敷の外に出たかどうか心もとなかったので、見回る気になっていた。

前庭に出ると、白い月の光の下に、横たわっている死体が二つ見えた。仕事とはい

え、いい気持はしなかった。眼をそむけて横手に回った。そこにも植込みがあって、

青木やつげが暗い陰をつくっている。

そこまで行ったとき、不意に呼ばれた。声は女の声で、「旦那《だんな》」と呼んでいた。又

八郎はぎょっとしてあたりを見回した。声に聞きおぼえがあったからである。

「旦那、ここですよ」

白い手が、つげの樹《き》の陰で動いた。又八郎が寄って行くと、うずくまっていた黒い

影が、頭巾をむしり取った。おりんの顔があらわれた。

「そなたか。手傷を負っているか」

「足をやられちまって、塀を越せないんですよ」

おりんは囁《ささや》いて、苦笑した。又八郎は、茫然《ぼうぜん》と女の顔を見つめたが、われに返って囁き返した。

「どうすればいい？　送ってはいけぬぞ」

「塀の上に押しあげてもらうと有難いんだけど。そうしたら外に仲間が待ってますから」

「待て。それでは門から出してやる」

又八郎はうずくまって背をむけた。無言でおりんは背につかまって来た。幸七と左六が庭に降りたらしく人声がしているが、それは裏庭の方だった。

又八郎はそっと立らあがると、植えこみの中を歩いて門にむかった。閂《かんぬき》をはずして外に出ると、背中からおりんが左に、と言った。そして笑いを含んだ声で言った。

「正体がばれちまいましたね、旦那」

「…………」

「こんな女、もういやになったでしょ？」

言いながら、おりんは不意に又八郎の襟首《えりくび》に顔を伏せた。熱いものが、又八郎の首を濡《ぬ》らした。そんなことはない、と又八郎は言った。おりんはそのまま、しばらく無言で背負われていたが、寺のはずれまで来ると、ここでおろしてくれと言った。その先は空地で、枯れた芒《すすき》や雑草が、白白と月にかがやいていた。

「ここでいいのか」

「ええ、もう大丈夫ですから」

おりんは気丈に言い、又八郎がおろすと、もう帰ってくれと言った。数歩又八郎がその場所を離れたとき、さっき斬り合いのときに聞いた虫の音に似た音が後でした。そして、どこからか、それに答える同じ音が聞こえてきた。二匹の虫が呼びかわしているように聞こえた。

そのころ、大石内蔵助は部屋の隅で、江戸の同志に送る指令の手紙を書いていた。

一、拙者宿所は平間村に相きわめ候《そうろう》間、此所《ここ》より同志の衆中へ、自身、諸事申し談じべきこと。

一、打ち込みの節、衣類は黒き小袖《こそで》を用い申すべく候。帯の結び目は、右の脇《わき》しかるべく候。下帯は前さがり、はずれざるように御心得これあるべく候、もも引脚半、わらじ用い申すべく候事。

附　相印、相言葉は追って申し談じ……

書きながら、内蔵助の細い眼は、沈着な光を加えていくようだった。内蔵助の眼は、吉良邸に討ちいる日の光景を見ていた。その日は目前に迫っていたが、内蔵助がそれを決めたのは、さっきの斬り合いで、命を狙《ねら》ってきた者を斬ったときである。復讐《ふくしゅう》まで失うことは出来ない、と内蔵助は思っていた。

両国橋を、むこうから歩いてくる女がおりんだった。きれいな女が歩いてくるな、と又八郎は見ていたのである。おりんは前からみても、後から眺めても美しい。

「あら、旦那」

おりんは立ちどまると、なぜかきまり悪げな笑い方をした。どこから見ても町の女だった。

「足の傷はどうなったかの?」

と又八郎は言った。大石は十一月五日に平間村を引きはらって、日本橋石町の小田屋に移ったので、又八郎も江戸にもどった。だがおりんに会うのは、あの事件以後ははじめてだった。

「おかげさまで」

おりんは身体をくねらせた。なまめかしいしぐさだった。

「なおりましたけど、あたしあの家にずっと一人で寝てたんですよ。一度ぐらい来てくれるかと思ったのに、いらっしゃいませんでしたね」

「うむ、川崎から帰ってからいそがしかった」

「うそおっしゃいな」

おりんはぴしりと言った。だが顔は笑っていた。

「気味が悪い女だと思ったんでしょ。わかってますよ」

「そのうち参る」

「もういいの。旦那の薄情なのはわかりましたから」

おりんは声を立てて笑った。道を行く人が、おりんを振り返って行った。

「それはうそ。あたし、しばらく上方へ行ってきます」

「上方？」

又八郎は驚いて言った。

「何のために」

「仕事ですよ。小唄《こうた》でない方の仕事。浅野の一件からは手をひいて、別の仕事です」

又八郎は黙って女を見つめた。見たところ屈託なげな女が、過酷な生き方を強《し》いられているようだった。不意におりんは、又八郎の胸に身体を傾けるようにして囁いた。

「上方から帰って来たら、一度会ってくれますか」

「そのときは会おう」

と又八郎は言った。その答えで、おりんは満足したようだった。会釈《えしやく》を残して去って行った。歳末にむかう、どこかあわただしい人の歩みの巾に紛れて、小さく遠ざかるおりんのうしろ姿を、又八郎は欄干によりそって立ちながら見送った。

後を追いたい気持が動いたのを、又八郎はこらえた。追わない方がいいと思ったのだが、それは重い気分になって胸に残った。

吉良邸の前日

一

――さて、こうしてもおられまい。

青江又八郎は、さっきからそう思っている。だが思うだけで、夜具の中にじっと横になっていた。煤《すす》けた天井を見つめている眼に、いつもの光がない。

それもそのはずで、朝起きて粥《かゆ》を一杯すすっただけで、昼飯を抜いている。昼飯を抜いたのは今日はじめてではなく、三日前からそうしている。

米も炭もなくなっていた。むろんそれを買う金がないためである。起きても、喰うものもなく、身体《からだ》をあたためる火もないとなれば、寝ているしかない。だが、こうしてはいられないと思うのは、外がまだ明るいうちに、口入れの相模《さがみ》屋に行って来ようと考えているのである。時刻は未《ひつじ》の刻（午後二時）を回るころだと思われた。

――しかし、また無駄足になるかも知れんなあ。

又八郎は、もそりと身動きすると、そう思った。窮迫すると、考えることまで小さくかじかんでくる。相模屋には、ここ十日ばかり、ひんぱんに通ったが、何の仕事もなかったのである。暮にさしかかって、手間取り仕事のようなものがありそうなものだが、相模屋吉蔵《きちぞう》の店は、いつ行ってもすでに正月三ヶ日のようにしんかんとしている。

素わらじでもっこを担《かつ》いだときは、落ちるところまで落ちたという気がしたが、何もないとなると、その人足仕事までなつかしかった。

「いや、こうしてはおられんぞ」

又八郎は、今度は声に出してそう言い、夜具をはねのけて起きあがると、爪先《つまさき》が破れている足袋をはいて、腰に刀を帯びた。尾羽打ち枯らした感じの浪人者の姿が出来上がった。

台所に出て、柄杓《ひしゃく》から水を一杯飲む。冷たい水が腹にしみた。次に台所の隅の米びつをのぞく。暗い光の中で、底に散らばっている米を手で掬《すく》ってみた。

——ざっと二食。

と又八郎は目算した。それも粥にして二食である。事態は急迫しているという気がして来る。家の中によどんでいる寒気が、よけいにその気分を強めた。

隣近所に借りるという手はまだ残っている。それぐらいの信用はある。だがそうたびたび借りるのも気がひけた。そして返すあてがあってこそ借りられる。あてもなく借りるのは、詐欺《さぎ》にひとしい所業ではないかと、裏店《うらだな》で旦那《だんな》と呼ばれている又八郎は考える。

外へ出ると、寒気が身体を包んできた。灰色のいまにも雪でも降り出しそうな寒空が、江戸の町の上にひろがっている。裏店の路地はひっそりして、いつもさわいでいる子供たちの姿も見えなかった。

——師走《しわす》か。

と又八郎は思った。暗い顔になった。江戸へ来て、三度目の正月をむかえることになると思ったのである。

家老大富丹後の藩主毒殺という陰謀を知ったことから、又八郎は許婚《いいなずけ》の父平沼喜左衛門を斬《き》って脱藩し、江戸に来た。むろん何かのあてがあって来たわけではない。ここはただ国元をのがれて、隠れ住むために来ただけの町だった。

あてもない日日の、かすかな気がかりと言えば、残して来た祖母と、許婚の由亀《ゆき》のことだけだった。由亀が、いつかいま住んでいる場所をたずねあてるかも知れなかった。そのときに、ただ糊口《ここう》をしのぐために生きているような日日に、何らかの形でけりがつくだろうと、又八郎は思っていた。そして由亀がそのとき親の敵《かたき》と名乗りかけるなら、斬られてやるしかあるまいと覚悟を決めていた。

そう思うのは、由亀という娘をあわれと思うからだった。早く母を失った由亀から、さらに父を奪った男に出来ることは、それぐらいのことしかないようだった。二人の縁は、又八郎が平沼を斬ったときに、ぷつりと切れている。かつての許婚として、してやることはほかに何もない。

ともあれ、その日までは生きのびなければならなかった。そのために又八郎は、大富丹後が国元から送ってくる刺客と、幾度となく死闘をくり返して今日まで来ている。だがその緊張に、いつからか倦怠《けんたい》がしのびこんで来たようだった。近ごろ又八郎は、時どき刺客に対する用心を忘れていることがあった。のみならず、由亀の白い顔さえ、おぼつかなく遠く思われる日がある。生きのびるために人を斬ってきた歳月に倦《あ》いたせいかも知れなかった。

こういうことが、いつまでつづくのかと思いながら、又八郎はゆっくりと足を運んだ。疲れていた。喰う物を十分に喰っていないというだけではない。疲れは心の中にあった。

蔵前の千住街道に出ると、そこは裏通りのひっそりしたたたずまいが嘘《うそ》のように、人が混んでいた。行きすぎる人の足どりに、師走のせわしさがあらわれている。又八郎はいそがしく通りすぎる人の群に、もの憂《う》い眼を投げた。

浅草御門から神田に入り、橋本町の相模屋の前に来ると、中から細谷源太夫《げんだゆう》の声が聞こえて来た。嚙《か》みつくようなけわしい声だった。

二

戸を開くと、吉蔵と細谷が言いあわせたように口をつぐんで又八郎を見た。細谷はようと言った。相変らず頬ひげふさふさの、たくましい男ぶりだが、全体に心なし憔《しょう》悴《すい》した感じがある。

細谷は今年の春先深川の妓楼《ぎろう》の用心棒にやとわれ、女たちに囲まれて、ウハウハと結構な日を過ごしたが、そのあとはいい仕事にめぐまれなかった。そのままずーっと年の暮まで来てしまったことが、もひとつ冴《さ》えない顔色にあらわれているようだった。

「いいところにおいでなさいました、青江さま」

と言ったが、吉蔵は気づかわしげに又八郎の顔をのぞいた。

「お元気がございませんな。どうなさいました？」

「うむ、ここ三日ほど昼飯抜きでな。朝晩は粥《かゆ》だ。元気があるはずはない」

ふむ、飯を喰っとらんのか、と細谷はつぶやいたが、人のことにはかまっていられないといった様子で、また大きな声になった。

「その話はいかん。喉《のど》から手が出るようではあるが、それはいかん。ほかに、仕事はないのか」

「だから申しあげましたでしょ？　いま来ている話はこれだけ、ほかには人足仕事ひとつありませんと」

「なかったら探して来い。口入れの看板をあげている男が、何もないで済むか。世話する仕事が何もなかったら、看板をおろすべきだ」

「ご無理をおっしゃっちゃいけません、細谷さま。あたしはこれでも、これまでずいぶんとみなさんのお役に立ってきたはずですよ。しかしな。ないときは、不思議にふっつりとないのです」

「商家の掛け取りなどという仕事がありそうなものだがな。去年小舟町の遠州屋に頼まれたときは、こわもてしてえらく金が集まっての。遠州屋に喜ばれたものだ」

「それはまだ先のことでございますよ。師走もまだとば口でございますからな。そういう仕事はまだ来ておりません」

「こらいよいよ、願人坊主《がんにんぼうず》の真似《まね》でもやるしかないか」

細谷は頭を抱えた。

「細谷がだめだと申している仕事は何かの」

と又八郎が聞いた。すると吉蔵は、そのことでございますよ、ま、お坐《すわ》りなさいましと又八郎に上り框《かまち》の席をすすめた。

「用心棒のお話がありましてな」

「ほう、ほう」

又八郎は身体《からだ》を乗り出した。

「手当ては？」

「一日一分。このテの仕事にしては少々吝《しわ》いとお思いかも知れませんが、青江さま。そのかわり住まいとあごつきでございます。お引きうけになれば、お粥などめしあがることはありませんよ」

吉蔵は人の弱みをつくようなことを言った。又八郎はそばの細谷を見た。細谷はむっつりした表情で、又八郎を見返したが何も言わなかった。

一日一分という手当ては、用心棒の手当てとしてはそう高いものではない。この前川崎の平間村に、もと赤穂《あこう》の首席家老をした大石内蔵助《くらのすけ》を警護に行ったときは、二日で一両という手当てだった。だがあの手当ては破格だったので、一日一分に飯を先方で出してくれるとなれば、この際は願ってもない仕事と言ってよい。細谷はなぜ引きうけないのかと思った。

「頼み先はどちらかの」

又八郎は、幾分用心する気持になって聞いた。すると、吉蔵が机ごしに身を乗り出してきて、それがな、とささやき声になった。

「よそにお話いただいては困ります。おふくみ置き願いますよ」

「…………」

「先方は一ツ目の吉良《きら》さまのお屋敷です」

又八郎は、反射的に細谷を見た。すると細谷が軽くうなずいた。

「ご依頼は二人。だからあたしは細谷さまとあなたさまに、ちょうどうってつけのお仕事が出たと思いました。ほかには仕事がなくて、お二人さまには先ごろから迷惑をかけておりますからな」

「…………」

「ことに細谷さまは、お子が多うございますからな。娘を使いにやって、来て頂きました。ところが、このお話は気にいらないとおっしゃる。青江さまはどうなさいますか」

「…………」

「細谷さまは、こうおっしゃるのです。浅野浪人の中には、細谷さまがご浪人なさった森家の同僚がおられる。その浅野浪人が斬《き》りこむかも知れん屋敷に用心棒で勤めるなどはまっぴらだ、とこうです。ごもっともです。お気持はよくわかります。だが細谷さまのお考えには、失礼ながら穴がございますな」

「穴なんぞあるものか。間違っておるのはお前の方だ」

「な。あのように申されていますが、あたしの考えは違いますな」

吉蔵は、今日はいやに能弁だった。口から泡《あわ》を吹かんばかりの勢いでしゃべっている。吉蔵にしても、ひさしぶりに舞いこんだこの話を、早くまとめて周旋料にありつきたいという気持かも知れなかった。

「世間には、いまにも浅野のご浪人さんが吉良さまに斬りこむように噂《うわさ》する方がございます。でもあたしに言わせれば、そんなことはそれこそただの噂にすぎませんな、はい」

「…………」

「浅野のご浪人で、いま江戸で暮らしていなさる方は沢山いらっしゃいます。あたしも商売柄二、三お近づき頂いている方がおりますよ」

吉蔵は又八郎にむかって、意味ありげに片眼をつぶって見せた。年経た狸《たぬき》に秋波を送られたようで気味が悪かった。

「あたしが存じあげているぐらいですから、むろんお上《かみ》もあのひとたちのことはお知りのはずでしょう。仇《あだ》討ちなどという気配があれば、お上が捨てておくはずはないじゃありませんか」

「………」

「それにな」

吉蔵はいよいよ声をひそめた。

「大石さまという、もとの赤穂のご家老が、ご浪人衆を動かしているなどと、世間では言っておりますが、これがとんだ買いかぶり。これはよそで聞いた話ですが、その方がご家老のころに昼行燈《ひるあんどん》と呼ばれて、物の役に立たなかったのはあなた、ご家中の間では知らぬものがないそうです。とても一党を束ねるというおひとじゃないということでございますよ」

だがその大石が、平間村の仮宿で、襲ってきた刺客を斬り捨て、平然と書見にもどる姿を又八郎は見ている。そして吉蔵がどう言おうと、浅野浪人が緊密な連絡をとり合って、仇討ちの機会をうかがっていることは、間違いない事実なのである。そのことは細谷も知っている。

吉蔵が、そのことを承知でいまのようなことを言っているのか、それとも知らずに正直なことを言っているのかはよくわからなかった。吉蔵には、商売のことでも、人物の点でも不明なところがある。

吉蔵は乗り出していた身体をもとにもどして、又八郎を見た。

「そういうことですから、ご心配はいらぬことですと細谷さまに申しあげたのですが、お聞き入れなさいません。あなたさまはどうなさいますか、青江さま」

「しかし、用心棒をもとめているということは、吉良の邸でも、浅野浪人の斬りこみがあるかも知れんと考えているわけではないかの」

「それはですな、青江さま」

吉蔵は手を振った。

「世間に噂があるからには、一応の用心をなさっているということです。ご自分のお屋敷はご自分で守るのがしきたりでございますからな」

「もひとつ合点《がてん》行かぬところがある。聞いていいか」

「どうぞ」

「用心棒として屋敷に入れるからには、よほど身もと確かな者でなければ雇うまいと思うのだが、わしや細谷で構わんのか」

「相模屋吉蔵を見くびって頂いては困ります」

吉蔵は胸を張って後にそっくり返った。吉蔵がとくいになったときに見せる恰好《かっこう》である。

「あたしはこう見えても、あちこちに信用されておりましてな。吉良さまのご家老で、左右田《そうだ》さまとおっしゃる方などは、ごく昵懇《じっこん》にして頂いております。あたしが折紙をつければ、お二人とも大丈夫でございますよ、はい」

又八郎はまた細谷を見た。まったくさっき細谷が言ったように、喉から手が出るような話だった。だが細谷は黙然としている。

「せっかくの話だが」

立ち上がりながら、又八郎は言った。

「どうも気がすすまぬ。なにか、人足仕事でも出たら取っておいてくれんか」

三

「わしに気がねすることはなかったぞ」

相模屋を出て、二人はしばらく黙って肩をならべて歩いたが、やがて細谷がぼそりとそう言った。

「よしんば浅野の連中が襲って来たとしても、貴公とはかかわりのない連中だ。遠慮はいらんことだ」

「遠慮はしないが、気がすすまん」

と又八郎は言った。浅野浪人に、とくべつ肩入れしているつもりはなかった。しかしこれまで時どき接触した浅野浪人の誰かれを思い出し、彼らがやろうとしていることを考えると、その前に刀を握って立ちふさがるような真似《まね》は出来ないという気がした。

彼らはそのことの成就《じょうじゅ》に命をかけてくるだろうが、それを防ぐこちらは金のために働くのである。そこのところが、いかにもおぞましかった。事情を知らなければどうということもない。だが知ってしまった以上は、武士としてやるべきことでないと思われてくるのである。

「しかし、こう腹がへってはかなわんな」

と細谷が言った。元気のない声だった。

「貴公も喰っておらんのか」

「いや、貴公のように昼飯を抜くところまではいっておらんが、毎日雑炊だ。青物の葉っぱ、大根のしっぽ。みんなぶちこんでな。それも、日ごとに水っぽくなる」

「ふむ。貴公のところは喰う口が多いから、大変だの」

「だが家内も何も言わん。子らも何も言わん。わしに全幅の信頼をおいている。そこがまことにつらいところだ」

細谷は泣きごとを言った。男二人が不景気な話をしながら歩いて行く道は、もう薄暗くなっていた。近ごろは、日暮れというものもないほど、あっという間に暗くなる。寒いせいか、人も歩いていなかった。数間ほど前を、頭巾《ずきん》をかぶった武家が歩いているばかりである。その後姿が黒く見えた。

「では、ここで別れるか」

細谷が立ちどまってそう言ったのは、橘町《たちばなちょう》から浜町にわたる千鳥橋の前を通りすぎたときだった。

「金があれば、そのあたりでちくと一杯やりたいところだが、かなわぬ夢だな」

「…………」

「どうした、青江」

又八郎は、前を歩いていた頭巾姿の武士が、足早にもどってくるのを見ていた。そして不意に細谷の身体《からだ》を突きとばした。

　細谷が戸を閉めた町家の軒下にしりぞいたとき、又八郎はもう刀を抜いていた。二間の距離まで来たとき、頭巾の武士の腰が低く沈んだ。そのまますべるように、又八郎に殺到してくる。刀を打ち合う音がひびき、薄闇《うすやみ》の中に火花が散った。

「見たぞ新田宮流。三浦道場か」

　とび違えて構えながら、又八郎が言った。だが向き直った相手は無言のまま、じりじりと間合いをつめてくる。少しずつ又八郎は後にさがった。押されていた。強烈な居合の一撃をかわしただけで、総身にどっと汗が吹き出し、口が乾きはじめていた。地を踏む足もとが心もとない。飯を喰っていないからだと思い、又八郎はぞっとした。

　青眼に構えて動かない相手の姿が、巨人のように黒く大きくかぶさってくるのを感じる。黒い影が変化した。一歩しりぞいたと見えた。その一瞬後に、敵は八双から斬《き》りこんできていた。身体をひくのと、構えを八双に変化させるのが同時だった。そして斬りこんできた刃先には、しりぞいただけの距離をのせた勢いがこめられていた。

　刃を合わせるゆとりはなく、又八郎は刃先から、横ざまに身体を倒してのがれたが、そこでたたらを踏んだ。足の送りが思うように行ってなかった。斬り裂かれた袖《そで》が垂れさがった。

又八郎の変調に気づいたらしく、細谷がどなった。

「どうした、青江」

「手をかすか」

「いらん。手を出すな」

又八郎は強く言った。斬り合いは私闘だった。細谷を巻きこむことはない。だが又八郎はそう言ったあと、口で喘《あえ》いだ。

敵がまた斬りこんで来た。今度は又八郎が迎え撃って、二本の刃はまた夜色の中に火をこぼした。そして身体が入れかわったとき、又八郎は浜町堀を背にしたことに気づいた。

敵は間合をはかっていた。又八郎を倒す最後の一撃を手さぐりしているように見えた。青眼の剣が、するすると上段にあがった。そのときには敵は一挙に間合をつめてきていた。又八郎は同時に、文字どおり地を這《は》うように前に出ていた。擦《す》れ違ったとき、膝《ひざ》でいざった。

又八郎が振りむいて片膝を立てたのと、堀ぎわまで疾走した敵が、踏みとどまってこちらを向いたのがほとんど同時だった。そして敵は又八郎の頭上から、又八郎は下から逆胴斬りの剣を放った。遅速を見わけがたい動きに見えたが、わずかに又八郎の剣が速かった。走った勢いを殺しただけ、敵の動きに遅れが生じたのである。又八郎の剣が、深ぶかと敵の左胴を斬っていた。

敵の身体が、はじかれたように横ざまにのめるのを見とどけると、又八郎はまた地面にうずくまった。背をまるめて吐いた。だが嘔吐感《おうとかん》があるばかりで、胃の腑《ふ》から出てくるものは何もなかった。

「おい。だいじょうぶか」

細谷が、肩に手を置いてそう言ったのに、又八郎はだいじょうぶだと答えて立ち上がった。だが足もとがふらついた。

又八郎は倒れている男のそばに膝を折ると、頭巾を剝《は》いで、鼻に手をあてた。息は絶えていた。

「火打ち石を持っておるか」

と又八郎は言った。細谷は時どき莨《たばこ》を吸う。莨は切れているが、石は持っている、と細谷は言った。

又八郎は斃《たお》した敵の上で、二度、三度と火打ち石を鳴らした。立派な身なりをした武士だった。そして面長《おもなが》で端正な眼鼻だちをした中年の男の顔が、闇の中で明滅した。

「曾部どのだ」

又八郎は細谷に石を返しながら呟《つぶや》いた。

「何者だ、この男」

「国元の藩で、物頭《ものがしら》を勤めておる曾部という男だ」

「物頭だと？」

細谷が驚いたように言った。だが、又八郎も驚愕《きょうがく》していたのである。物頭の曾部が、平藩士にすぎない又八郎を討ち果しに来るというのは異常だった。曾部はかつて城下の三浦道場で、剣名が高かった人物だが、曾部が来たのはその剣の技倆《ぎりょう》だけのためではあるまい。

――国元に異変が起きている。

と思った。胸騒ぎがした。残して来た祖母と由亀の上に、凶事が起きているという気がした。

又八郎は、曾部の顔に頭巾を置き、そのままいっとき思案したが、やがて立ち上がると細谷に言った。

「おれは相模屋にもどる。貴公はどうするな？」

「もどる？　引きうけるつもりか」

「そうだ。空《す》き腹を抱えては、刺客も防ぎかねる。きれいごとは言っておられん」

「そうか」

細谷はしばらく沈黙したが、やがて心を決めたように言った。

「貴公が行くなら、わしも行こう。そうと決まれば、吉蔵に少し前借を頼みこまないといかんな」

細谷と肩をならべて、さっき来た道をもどりながら、又八郎はまだ物頭の曾部孫太夫が自分を討ち果しに来たわけを考えていた。

曾部は人を間違えたわけではむろんない。細谷は気づかなかったようだが、曾部は二人が橋本町の相模屋を出るところを見ていて、それから先に立って歩き出したのである。おそらく大富丹後の手は、近ごろ又八郎の身辺まで探りを入れて来ていて、又八郎がひんぱんに相模屋に出入りしていることも突きとめていたに違いなかった。

曾部が大富派に属していることはあきらかだが、なぜ役持ちで身分のある曾部が、直接に出むいて来なければならなかったのか。

それは、ぜがひでも又八郎を抹殺《まっさつ》しなければならないような、切迫した事情が国元に生じたとでも考えるほかはなかった。それはあのことか、と又八郎は思った。今年の春に、日比谷《ひびや》町の通りで、同藩の土屋清之進に会ったときのことを思い出したのである。

土屋が言ったのは、藩内に藩主の家督争いが起き、家老の大富丹後と中老の間宮作左衛門が対立しているという話だったのだ。間宮派が、大宮派の前藩主毒殺一件を嗅《か》ぎつけたのではないか。

「しかしさっき」

と細谷が思い出したように言った。

「あの男がもどって来たとき、よく刺客だと見破ったな。しじゅう命を狙《ねら》われていると、自然そうなるかの」

「うむ。こっちを振りむいたときに、もう殺気が見えたからな」

と又八郎は答えた。答えながら、またひとしきり胸が騒ぐのを感じた。祖母と由亀の身の上に、よくないことが起こっているのは間違いないという気がしてくる。

又八郎は足をはやめた。疲れと空腹を忘れていた。

四

相模屋吉蔵《きちぞう》が、二人を残して帰ると、鳥居という吉良家の用人は、改めて二人に顔をむけた。

「そこもとお二人には長屋を用意してある。飯は女中にそこまで運ばせるゆえ、心配せんでもよろしい」

　鳥居は、そこで軽く手を叩《たた》いて人を呼んだ。鳥居は白髪で、品よく痩《や》せている。そういうしぐさひとつにも、高家《こうけ》の用人らしいみやびた感じがあった。

「さて、そこもとらにこれから屋敷を守ってもらうわけだが、いろいろとやかましいきまりがあっての。それに従ってもらわねばならん。いま、清水一学《いちがく》という男が来るから、聞くとよい」

　そう言ったとき、廊下に軽い足音がして、襖《ふすま》があいた。そしてまだ二十半ばと思える若い武士がしきいぎわに膝《ひざ》をついた。

「お呼びでございますか」

「これが、左右田どののから話のあったお二人だ。長屋に案内してさしあげるとよい」

　かしこまりました、と言って若い男はうながすように二人を見ながら立ち上がった。

「広い屋敷ですな」

　庭を横ぎりながら、細谷が言った。

「坪でどのぐらいござろうか」

「さて、六百坪くらい」

　清水と呼ばれた若い武士は、ちらと細谷を見返って、ぽつりとそう言っただけで、先に立って歩いて行く。無口なたちのようだった。

広大な母屋《おもや》をはさむように、左右の塀《へい》ぎわにずらりと長屋が並んでいる。寒い季節なので、どの家も戸を閉め切っていたが、三人が前を通ると、中から男たちの話し声や、低い笑い声が洩《も》れてきた。

清水は、二人を裏門に近い一番端の長屋に案内した。六畳二間に台所がついて、造りはまだ新しい。窓の障子もまぶしいほど白かった。火鉢にはぜいたくに炭が焚《た》かれ、そばに茶道具と煙草《たばこ》盆が用意してある。

「これはいい部屋だ」

どかりと坐《すわ》りながら、細谷が言った。

「まるで、客に来たようじゃ」

「それでは少々聞いて頂く」

清水は細谷の言葉には取りあわずに、きっちりと坐ると口を切った。

「すでにご承知と思われるが、われわれの役目は大殿様、若殿様を、浅野の浪人から守護したてまつることでござる。世間では、浅野浪人の当屋敷襲撃はあるとも言い、ないとも申しておるが」

清水の浅黒い細面に、ゆっくりと血の色がのぼった。

「当屋敷では、襲撃は必至と考えておる。彼らは必ず来ると、まずさように腹を固めて、油断なくそなえられたい。次にきまりを申しあげる」

「………」

「本日以後、外出《そとで》はご遠慮ありたい。買物そのほか用事があれば、小者が日に二度長屋を回るゆえ、言いつけてもらえば彼らが足してさしあげる。次に邸内での喧嘩《けんか》口論と私闘を禁じる。この禁を犯したものは、当屋敷警護の資格なき者とみなして、即刻邸を出て頂くことになる」

「前にそういうことがあったのか」

「さよう、二度ほど。長屋には当家の家臣のほかに、おてまえ方のように外から雇った者がおる。率直に申しあげるが、二度の刃傷沙汰《にんじょうざた》はいずれも雇入れの浪士がひき起こした。あえて、厳重に注意申しあげたい。いまひとつ」

「………」

「不義はお家の法度《はっと》でござる。軽い気持で邸内の女子に手出しなされぬよう、お気をつけあれ。それと、酒は禁じはせぬが、量をつつしんでもらう。以上はいずれも当屋敷を油断なく警護するために、守って頂くきまりでござる」

「心得た」

と又八郎が言った。清水は鋭い眼を又八郎から細谷に移して、さらに言った。

「この長屋は自由に使って頂く。ただし、飯は運ばせるが、炭も自分でおこしてもらうし、部屋のごみも掃き出して頂く。客に迎えたわけではござらんので、さよう心得られたい」

清水が最後にちょっぴり皮肉を言って出て行くと、又八郎と細谷は顔を見合わせて苦笑した。

「固苦しい男だの、清水というのは」

「しかし、あの男はかなり遣うぞ」

「そのようだな。それにしても、喧嘩はまかりならん、女子に手を出すなと、若い者が逆に説教して行きおった」

「貴公を見て、とくに言う必要ありと認めたかも知れんな」

「バカを申せ」

二人は笑った。そしてくつろいだ姿勢になると、又八郎は茶を淹《い》れる支度にかかり、細谷は懐《ふところ》から莨《たばこ》を出した。

「酒もいかぬ、女子もいかぬでは寺に入ったようなものだの」

莨をくゆらしながら、細谷がぼやいた。

「もっとも吉蔵から前借をせしめて、女房子どもがひと息ついていると思うと、ぜいたくも言えぬか」

「ま、そういうことだの」

又八郎は細谷にお茶をすすめ、自分もすすったが、ふと思いついたように言った。

「ここの連中は、浅野浪人は必ず襲ってくるとみておるようだの。少なくとも清水という さっきの男は、そのことを信じて疑わぬらしい」

細谷は答えなかった。お茶にも手をつけず、浮かない顔で莨のけむりを眼で追っていた。

五

飯は配ると言ったが、むろん長屋には所帯持ちの家臣も住んでいる。小者と女中たちが飯を持ってくるのは、又八郎たちのように、外から雇われた者がいるところだけだった。ひとり身の家臣もいるが、彼らは飯刻《めしどき》になると母屋《おもや》のどこかに入って、そこで飯を済ませてくるらしかった。

飯はたっぷり喰わせたし、提げ重に入れて運んでくる馳走《ちそう》も、焼き魚、田楽《でんがく》豆腐、酢うどといったぐあいに手をかけたものを喰わせる。酒も、三合までなら小者に頼めば買ってきてくれる。

　はじめて長屋に来た日、細谷は客に来たようだと言ったが、あながち見当違いのことを言ったわけではない。吉良家の待遇はよかった。

　飯を配ったり、椀《わん》を下げに来たりする女たちは、受け持ちは決めているとみえて、又八郎と細谷がいる長屋に来るのは、いつもさえという小女である。

　まだ十四、五だろう。大人になるにはもうひと息という年ごろで、色も浅黒く、手足も細い。だが気さくで物怯《ものお》じしないたちで、くるくるとよく働く子だった。二日もすると、さえは二人と親しい口をきくようになった。

　細谷はさえが気にいったらしく、器物をさげにくると、よくつかまえてからかっている。

「肴《さかな》を残したのはどなたですか、もったいない」

　と、さえが言っている。

「それはおれだ。おさえ坊を思うと夜も眠れなくてな。食も細うなった」

「まあ、気味のわるいことを言わないで」

　そんな二人のやりとりを聞きながら、又八郎は長屋を出た。ゆっくり長屋の前を通りすぎて表門の方にむかう。

――さて。

又八郎は腕組みした。いつものように、そのときが来たらどうしようか、という考えがもどって来たのである。

空腹に責められながら、刺客の曾部と斬《き》りあったときは、浅野浪人もへちまもあるものかと思ったことは事実である。だがここ数日、飽食してあたたかい部屋にごろごろしていると、そうして待っているのが、ほかならぬ浅野浪人の襲撃だということが、次第に気を重くするようだった。

細谷だって、小女を相手にあんな冗談口を叩《たた》いているが、内心ではそのことを気にしているはずだった。気がむかないままに、むかしの同僚と斬り合う羽目になるのは、誰だって避けたいに違いない。口に出さないだけで細谷がそう思っていることは、だんだん口数が少なくなり、さっきのように食がすすまない様子を見せることでわかる。

頭上には水色の空がひろがっていたが、邸《やしき》の中はもう暮れいろに包まれている。歩いて行くと、庭のむこうにある母屋の居間や書院に、赤赤と灯がともっているのが見えた。

玄関の近くまで来たとき、又八郎はそこに清水一学と山吉新八という男が立っているのを見た。山吉は米沢《よねざわ》藩から附人《つけびと》として吉良邸に来ている武士で、身分は上野介《こうずけのすけ》の養子左兵衛義周《よしちか》の中小姓になっている。

左兵衛義周は、米沢藩主上杉弾正大弼《だいひつ》綱憲の次男であり、左兵衛の養父上野介義央《よしなか》は、綱憲の実父なので、米沢藩の吉良家に対するこうした手配りは当然のものだった。

山吉は大柄で頰ひげをたくわえている。細谷に似ていた。時どき清水や同じ米沢藩から来ている新貝弥七郎などと組んで、邸内を見回っているので、又八郎も来る早々に名前を知ったのである。

清水と山吉は、密談でもしているように、低声《こごえ》で話していたが、又八郎が近づくとぴたりと口をつぐんでこちらを見た。又八郎は目礼してそのそばを通りすぎた。数歩離れたとき、山吉が「いっそ藩屋敷にずっと滞在してもらう方が、こちらは気が楽だが」と言い、清水が、されぱと言って茶の会をやめろとも申しあげられまい、と言ったのが聞こえた。上野介のことらしかった。

――逃げ出すわけにもいかんしな。

表門から屋敷の裏手に回りながら、又八郎はまた、さっきの物思いにもどった。わけも言わずに、急に用心棒をやめるなどと言い出せば、うろんな人間と怪しまれそうだった。

吉良では、一たん中に入れた抱え浪人を外に出さないほど、邸内のことを外部に固く秘しているのである。何もかも見てしまったものを、簡単にやめさせるかどうかもわからなかった。又八郎は、考えているうちに、高い塀に囲まれている吉良の邸の中に、体《てい》よく閉じこめられ、餌《えさ》をあたえられて飼われているような気がして来た。

――おや。

裏手の物置きの近くまで来たとき、台所の出口から、女が一人外に出て来たと思うと、小走りに物置き小屋の陰に走りこむのが見えた。薄闇《うすやみ》の中で着ている物も顔もはっきりしなかったが、身ごなしが若い女だった。美しい物の怪《もののけ》を見たような気がした。又八郎は立ちどまると、そこにある長屋の軒に身体《からだ》を寄せた。次に何が起こるのか見とどける用心棒の習性が働いたようである。

だがさほど待つ必要もなかった。裏門の方角から一人の若い武士が来て、無造作に物置きに近づくと、その陰にかくれた。

――ほう、色模様か。

苦笑して又八郎が歩き出そうとしたとき、うしろから低い声がした。

「見られたかの、いまのを」

振りむくと、長身の痩《や》せた男が立っていた。近づいて来ると、男は低い声で笑った。男の身体から強烈に酒が匂《にお》ってくる。黒木左門といい、やはり外から来ている浪人だった。庭で会ってこちらで目礼しても、ろくに挨拶《あいさつ》も返さない、どこか無気味な感じがする男である。

「女は台所女中できよと申す女での。台所で働いておるが、上野介や左兵衛のそばにはべっている女連中にくらべると、数倍美しい女子だ」

「さようか。よく知っておるな」

「男の方は誰かわかったか」

「新貝という男のように見えたが」

「そのとおり」

男はまた低い声で笑った。かなり飲んでいるらしく、話しながらたえず身体が揺れている。

「けしからん話だとは思わんか。不義はお家の法度《はっと》だなどとぬかしおるくせに……」

黒木は口をつぐんだ。頬がくぼんだ痩せた顔に、不意に凶暴な怒気があらわれた。

黒木は、新貝にかきよという女にか、何か含む気持があるように見えた。

「よし、行ってじゃましてやる」

「よせ」

と又八郎は言った。ひとの恋路をさまたげることはあるまい、と軽い気持で言った。

邸内に百人からの人間がいるのである。男女の秘めごとのひとつや二つあっても、少しもおかしくはないと思ったのだった。

だが、黒木は異常な反応を示した。不意にするすると後にさがり、腰をおとして身がまえると、黒木は陰鬱《いんうつ》な声で言った。

「青江とか言ったな。顔をあわせたときから気に喰わんやつだと思っていた。おれがやることをとめるというなら、やってみるか」

「おい、おい」

と又八郎は言ったが、すぐに一歩しりぞいて身構えた。相手が本気で言っていることに気づいたのである。

二人がにらみ合っているとき、不意に小さな下駄《げた》の音がした。足音は台所の方にむかっている。見るまでもなく、束《つか》の間《ま》の恋の逢瀬《おうせ》を済ませたきよが、母屋にもどって行くところだとわかった。

ひそやかに戸をあけ閉《た》てする音が聞こえてきたとき、黒木の身体からふっと力が抜けるのが見えた。

「め郎が！」

黒木は低く罵《ののし》ると、地面につばを吐いて背をむけた。黒い長身が、そこから三軒先の長屋に近づいて行った。そこが黒木の住居だった。

六

十一日の夜に雪が降った。日が照りわたればすぐにも消えるほどの雪だったが、翌日は朝から曇りで、強くはないが北風が吹いた。又八郎と細谷は、火鉢にかんかんに炭をおこしてごろごろしていた。

午《うま》の刻（正午）を回ったかと思うころ、長屋の戸があいて、青江はいるかという声がした。出てみると、杉山という家臣が立っていた。

「土屋清之進というおひとを知っておるか」

「同藩の者でござる」

又八郎は驚いて言った。

「そうらしいな。おてまえをたずねて来られた。会うとよろしい。ただし長話は無用にいたせ」

杉山はそう言うと、後を振りむいて手招きした。すると、戸の外から土屋清之進が顔を出して、ようと言った。常人より耳が大きく、顎《あご》が細い土屋の顔は、外から鹿《しか》がのぞきこんだように見える。眼は屈託なく笑っていた。

「よう、上がれ」

と又八郎は言った。土屋は杉山三左衛門に礼を言って中に入った。

細谷に土屋を引き合わせると、又八郎は火鉢のそばに誘って茶を淹《い》れた。

「よくここにいるとわかったな」

「ふーん、こういうつくりになっておるのか」

土屋は又八郎の言ったことには答えずに、じろじろと部屋の中を見回した。又八郎は面はゆい気がした。この前土屋に会ったときは、何で喰っているとも言わなかったのだが、いまは吉良家の雇人という、しがない世渡りをしていることが、これであらわれたわけだった。

「なかなかいい家ではないか」

「何かいそぎの用があるのではないか」

又八郎が言うと、土屋はそうそうと言い、懐《ふところ》をさぐると一通の封書を取り出して、ぽんと又八郎の膝《ひざ》もとに投げてよこした。

拾いあげて裏をみると、そこには由亀《ゆき》の署名があった。又八郎が顔をあげると、土屋は茶をすすりながら、まあ読んでみろと言った。封を破って、又八郎はすばやく手紙を読みくだした。

「何と書いてあるな？」

読み終って、困惑した顔になった又八郎に、土屋が言った。細谷も興味をそそられた眼で又八郎を見ている。

「由亀どのは、どういう事情か知らぬが、わが祖母と一緒に暮らしているらしい。ところが、二人ともに何者かに命を狙《ねら》われている、と書いてある」

土屋はうなずいた。だが黙ってお茶をすすっている。又八郎は言った。

「どうもわからんな」

「何がだ？」

「この手紙を、貴公が持参した経緯《いきさつ》がわからん。第一わしがここにいると、よくわかったな、貴公」

又八郎は、手紙を巻きもどしながら、鋭く土屋の顔を注視した。由亀が、又八郎にあてた手紙を土屋に託すようなつながりは、何もないはずだった。それにも増して不審なのは、又八郎がここにいると知って、土屋がたずねて来たことである。

家老の大富丹後の息がかかった者は江戸屋敷にもいて、彼らに動きを見張られていることは、又八郎も承知している。土屋はそういう人間ではないと思っていたが、無造作にたずねあてて来たところをみると、これまでの考えは甘かったかも知れない、と又八郎は思っていた。

「まあ待て。それをいまから話す」

「……………」

「その手紙はな。つい十日ほど前に、国元から来た者が持ってきた。手紙だけでなく、貴公を探し出して、ぜひその手紙をとどけろ、という上の方の命令つきだ」

「上の方？　大富か」

「違う。間宮さまだ」

土屋は茶碗《ちゃわん》を下に置いて、正面から又八郎を見ると、薄笑いした。

「じつは打ち明けると、おれは間宮中老の方についておる。べつにそれで張り切っているわけじゃないが、国元の事情というものが、貴公が脱藩したあとで大富派か、間宮派かというようなことになっての。どっちかにつかざるを得ないというありさまになった」

「……………」

「それでやむを得ず間宮派について、こちらに来てからも藩屋敷の大富派の様子を窺《うかが》っているというわけよ。性には合わん仕事だが、仕方ない」

「なるほど性に合わんだろうな」

又八郎は失笑した。土屋が大富派の人間でないとわかって、気が楽になっていた。

土屋は剣術も下手で、又八郎には酒好きの遊蕩児《ゆうとうじ》といった印象しかない。そのかわり土屋は俗っ気がとぼしく、人柄に剽《ひょう》げたところがあるので、又八郎はこの男に好感を持っていた。土屋が間宮派についたとしても、それが立身出世のためでないことはわかる。

「ごくろうなことだ。しかし間宮さまは、なぜこの手紙をとどけろと申されたのかな」

「いや、そう言っただけじゃない。貴公に会って、国元に帰るよう説得しろというご命令だ」

「はて」

「貴公は離れているからわからんだろうが、国元はいま、かなり深刻なことになっておる」

「…………」

「家督相続で家老派、中老派が対立していることは知っておるな？」

「それは貴公からこの前に聞いた話だ」

「うん、そうだったな。いま藩政は三之助君《ぎみ》をいただいた大富家老派が握っている。

ところがその後、大富がやったことに不審が出て来てな。それが、ことはご不敬にわたる陰謀とかで、間宮さまはそこをきびしく追及している」

「…………」

「ところが驚くべし、だ。間宮さまの調べがはじまった直後から、ご城下でひんぴんと暗殺が行なわれている。組頭《くみがしら》の三輪さま、勘定奉行の助川さま、ほかに御小姓組の多田、安野というぐあいだ。これがみな大富派だ」

「どういうことだ、それは？」

「大富派では、間宮派の陰謀だと触れ回っているらしい。だが事実は逆で、大富家老が不敬事にかかわりあった者、つまり真相を知るかつての味方をひそかに始末しにかかっているという見方が有力なのだな」

「それがまことなら、狂気の沙汰《さた》だ」

そう言いながら、又八郎は斬《き》り合いで倒した物頭の曾部を思い出していた。人の上に立つ物頭が、平藩士を討つ刺客として江戸に来たというのも、狂気の沙汰ではないか。大富派は自壊をいそいでいるらしい。

「貴公を帰国させろ、という命令も、そこにつながりがあるのじゃないか。おれにはよくわからんが」

「…………」

「とにかく伝えた。あと、貴公がどう考えようと、それはそちらの勝手だ」

「しかし帰るにしても、すぐというわけにはいかんな。おれはいま、こうして雇われていて身動き出来んありさまだ」

「そのことでちと話がある」

　土屋は不意に声をひそめて言い、ちらと細谷の顔を見た。

「おれがこうしてたずねあてて来たのを、貴公不審に思うだろう」

「むろんだ。だからさっきもそれを聞いておる」

「貴公を探せと言われたが、じつはおれは弱った。春ごろに一度会ったきりで、そのときも住む家は聞いておらん。どこから探したらいいかわからん。そう思っているうちに、昨夜ひょんなことから貴公の消息が知れた」

「昨夜？」

「そうだ」

「…………」

「おれが国元で俳諧《はいかい》に凝っていたことは知っているな？」

「うむ」

「で、江戸に来ると早速に、さる宗匠に束脩《そくしゅう》をおさめて入門したのよ。本場で修業出来るなどということは、めったにないことだからな。宗匠は水間《みずま》沾徳《せんとく》というひとだ」

「…………」

「談林の内藤風虎というひとは、磐城平《いわきだいら》七万石の殿さまだが、沾徳宗匠はこの流れでな。江戸では蕉門《しょうもん》の宝井其角《きかく》が有名だが、この其角と親しい。おれは江戸へ来てから、ずっとそこに通っているわけよ」

又八郎は黙って土屋の顔を見まもった。俳諧のことは何もわからず、土屋は何を言い出すつもりかと思っていた。

「ところで昨夜だ。宗匠から呼び出しがかかって、雪を肴《さかな》に句会を開いたのだ。ま、それはいい。その後で、同席した仲間と町で一杯やったのだ」

「…………」

「貴公、山本長左衛門という男を知っておるだろう」

土屋は不意に人の名をあげた。

「山本？」

「先方は知っていたぞ。新麹町《しんこうじまち》に住む町人だが、前身は武家だな」

「おお」

と又八郎は言った。平間村に大石を警護しに行ったとき、その家で最初に出迎えた男を思い出していた。筋骨たくましい、長身の三十男。むろん浅野浪人である。

「思い出した」

「一緒に飲んだのは春帆、これが山本だが、彼と子葉、竹平、おれの四人でな。子葉は脇屋新兵衛、竹平は美作屋《みまさかや》善兵衛といって、二人とも商人だ。句は子葉がうまいな」

「………」

又八郎は、黙然と土屋を見つめた。

「むろんおれの身分はみんなが知っている。で、山本が突然に、脱藩して浪人している青江という男を知っているかと聞く。急に貴公の名が出てきたのには、おれも仰天したな。知っているどころではない、と申したら、妙な笑い方をして、ここにいると教えてくれたのだ」

「………」

「貴公だけでない。こちらのご仁《じん》」

土屋は細谷を振りむいた。

「細谷どのも一緒にいると申した。そう言ったのは美作屋だが、二人のことをよく知っていたな。前からの知りあいかの」

「まあ、そうだ」

と又八郎は言った。すると土屋は一たん入口を振りむいて、人の気配を確かめてから、ぐいと膝を寄せた。

「青江。すぐにもこの屋敷を出た方がいい」

「………」

「明後日、十四日の晩に、浅野浪人がここを襲う」

「確かか」

「まず間違いない」

と土屋はささやいた。

「春帆は、確かな筋から聞いた話だから、昵懇《じっこん》ならひそかに貴公に知らせてやれと言ったのだ。そちらのご仁にもな」

他言するな、おれがそう言ったと洩《も》らすことも無用だと念を押して、土屋清之進はそそくさと帰って行った。

「おい。いま言ったことは確かかね」

と細谷が言った。

「間違いないな。土屋が一緒に飲んだという、子葉とか春帆とか言う連中は、みな浅野浪人だ」

「なんだと？」

「山本という男に、おれは一度会っているし、美作屋善兵衛というのは、これまで黙っていたが、貴公が知っている神崎という男だ。ついそこの相生町《あいおいちょう》で小豆屋の店を開いておる」

「…………」

細谷は喉《のど》の奥で、意味不明の声を立てた。

「脇屋新兵衛というのは何者かわからんが、むろん浅野浪人の一人に違いあるまい。連中はおれたちに、ここを出た方がいいと警告してきたわけだ。旧知のよしみという意味かも知れんな」

「しかし、どうしてわれわれのことを知っておるかな？　ましてここに来てからは、一歩も外に出ておらんぞ」

二人はじっと顔を見合わせた。

やがて又八郎が、あれかなと言うと、細谷もうなずいて「親爺《おやじ》だな」とつぶやいた。

二人の脳裏に、同じなに喰わぬ顔の狸《たぬき》づらが映っていた。二人を吉良屋敷に送りこみながら、片方で浅野浪人につながっているような人間は、相模屋吉蔵のほかには考えられない。吉蔵は二人を吉良に入れたあと、やはり二人を気遣って浅野側の誰かにそのことを知らせたのかも知れなかった。

「むこうから知らせて来たからには、踏みとどまって斬り合うというわけにはいかんぞ」

と細谷は言った。

「どうする？」

「待て。なにか手段を考えよう」

と又八郎は言った。

七

台所の裏口で、男女が何か言い争っている。男は黒木左門で、女はきよだった。きよが中に入ろうとしているのを、黒木が袖《そで》をつかんでひきとめている。

黒木は、又八郎たちを世話している小女のさえの話によれば、黒木の長屋に飯を運ぶきよに言い寄って、手ひどくはねつけられたのである。そのきよに新貝という相思の男がいるのを知りながら、黒木はあきらめ悪くつきまとっている様子だった。

黒木が女の頰を打ち、それまで無言で争っていた女が声を立てたので、人が集まりはじめた。十人あまりの人間が、まわりを取り巻いた。誰かが、黒木しっかりやれとやじり、男たちがどっと笑い声をあげた。

男たちは退屈していて、思いがけない見物を喜んでいた。吉良家の人間は、まだ姿を見せていなかった。黒木は男たちに白い歯をむき出して笑いかけ、つかまえていた女の腕を強くひいた。

男の胸に抱えこまれたきよが、腕をつっぱってのがれようとしている。男たちがはやす声が高くなった。そのとき表門の方から男が一人走ってきた。若く美貌《びぼう》と言ってよい顔だちをした武士は、新貝弥七郎だった。

新貝が、男たちの輪をかきわけて前に出たとき、長屋の前で騒ぎを見ていた又八郎が、細谷に眼くばせした。

片腕で女を抱えている黒木の前に、新貝が青ざめて身構えている。その間に、細谷がのっそりと割りこんだ。

「長屋一番の助平というのはこの男かね」

細谷がそう言うと、又八郎は無表情にそうだ、と言った。

「このつらで、女子《おなご》をものに出来ると考えているなら、お笑いぐさだ。な？」

黒木は女を放し、ゆっくり後にさがった。瘦《や》せた頰に、嘲笑《あざわら》うようないろが浮かんでいる。

と、又八郎も言った。男たちがしんと静まり返った。

「確かに、お笑いぐさだ」


でいる。

「貴公ら、喧嘩《けんか》を売る気か」

「喧嘩？　とんでもござらん」

細谷はくるりと眼玉を回してみせた。

「柄に似合わんことは、やめた方がおためではないかと、ご忠告申しあげただけだ」

「さよう、さよう。つつしんでご忠告申しあげたわけだ」

無表情に又八郎が応じた。

黒木の顔が、怒気で赤黒く染まった。そして黒木は一気に二間ほど後にさがると、刀の柄《つか》に手をかけて、抜けとどなった。

「つらはだめだとわかって、腕で来いというわけだ」

と細谷が言った。

「だがああ怒ってしまっては、腕のほうもどうかな」

「斬《き》り合いはならんぞ。双方とも静まれ」

新貝が言って前に出ようとしたのを、又八郎が軽く胸を押してとめた。

「細谷、刀はまずいぞ。お屋敷を血で汚しては恐れ多い。そのへんに薪《まき》ざっぽうでもないかな」

又八郎がそう言うと、男たちの一人が長屋に駆けこんで木剣を二本持ち出してきた。黒木も木剣を受け取った。

「代るか」

又八郎がささやくと、細谷はいいと言い、無造作に木剣に素振りをくれると前に出た。男たちがさっと後にひいて、二人だけが残された。

又八郎は、細谷の斜めうしろから、木剣を構えた二人を見まもった。黒木は思ったよりも遣い手だった。下段に構えた木剣には隙《すき》がなく、なみなみならぬ自信が秘められているようだった。それに対して細谷は、ゆったりと上段に構えている。微動もしないその巨軀《きよく》が、意外に軽捷《けいしよう》な動きを隠していることを又八郎は知っている。

——まず互角か。

と又八郎が思ったとき、黒木の下段の木剣がすっと身体《からだ》の陰に消えた。同時に、黒木の痩せた長身が、鞭《むち》のようにしなって前に走る。摺《す》りあげる木剣が、一本の黒い線となって、細谷の胴を襲った。細谷は振りおろすひまがなく、胸の前にまっすぐに立てた木剣で、その撃ちこみをはじいていた。二度、三度と木刀がふれあう乾いた音がひびいた。細谷は押されていた。

だが細谷は、軽がると斜め横に飛んで、一度間合をはずすと、そこから流星のような八双斬りの木剣を黒木の肩にふりおろした。当たれば骨が砕けただろう。黒木は木剣を上げて受けたが、一瞬おくれた。

黒木の木剣が半ばから折れ、細谷の木剣の先が、ぴたりと黒木の肩を押さえた。それまで静かだった男たちが、急にざわめいた。

「まず、こんなものか」

と言って細谷が又八郎に木剣を渡した。そして細谷は肱《ひじ》をあげて額の汗を拭《ふ》こうとした。そのとき細谷の背後に、黒い風のようなものが動いた。

無意識のうちに、又八郎は前に出て木剣をふるっていた。片腕を押さえ、苦痛の声をあげて黒木がきりきり舞いをしている。その手から白刃が地面にころがり落ちた。

屋敷に灯がともったころ、又八郎と細谷は邸内の、はじめて来た日に通された部屋に呼び入れられた。部屋には用人の鳥居と清水一学がいた。

「黒木はさっき邸《やしき》を出した。台所の女中にたわむれかかるとはもってのほかだ」

細面で品のいい顔をした鳥居が怒っていた。

「しかしそこもとら二人も、見のがすというわけにいかん。新貝がしきりにかばう口をきいたが、大方の見る目は喧嘩口論だ。黒木にわざと喧嘩を売ったそうだな」

「は。まことに申しわけない次第で」

と、細谷が大きな身体を曲げて詫《わ》びた。又八郎もそれにならった。

「邸内私闘の禁がある。見のがせば、あとの者のしめしがつかん。ゆえに二人とも本日かぎりで暇をあたえる」

「これまでの分のお手当ては、いかがなりましょうか」

間髪を入れずたずねた細谷の声には、用心棒稼業《かぎょう》のいやしさと切なさが出ていたが、又八郎も同じ気持だった。

「手当てか」

鳥居はにがにがしそうに清水を見、払わぬわけにはいかんだろうなと言った。

「よろしい。日割で払ってつかわすゆえ、邸を出るときに清水から受けとれ」

そう言うと、鳥居はさっさと部屋を出て行った。清水が、長屋にもどるようにと言った。

二人が吉良家の門を出たとき、あたりはもう暗くなっていた。暗い空から、ちらちらと雪が落ちてきて、ふるえ上がるほど寒かった。

「これで無罪放免だな」

首をちぢめながら、細谷が言った。声に吉良家に入る前の活気がもどっていた。わずか十日あまりだが、吉良家に雇われた日日は、細谷にとって気が滅入《めい》るものだったのだろう。

「二両なにがしの金では、正月を迎えるというわけにもいかんだろうが、これでひと息つける」

「吉蔵からの借りがあるぞ」

「なに、あれはうまく言って踏み倒すさ」

「それがよかろう」

「貴様は国元に帰るのか」

「うむ」

そのつもりだと言おうとしたとき、又八郎は背後に殺気を感じた。細谷をつきとばして振りむくと、刀を振りかざした黒い人影が眼に映った。片腕がだらりとさがっている長身の黒木左門だった。執念深く二人を待ち伏せていたらしい。

「細谷、逃げろ」

言うなり又八郎は、相生町の町屋の方に一散に駆け出した。細谷が息をはずませてうしろにつづいた。十三日の夜は濃い闇《やみ》で、雪は次第に勢いを増した。二人の姿はたちまち闇にまぎれた。

吉良邸内のざわめきは、さほど大きな物音ではなかった。だがその物音はとぎれずにつづき、その中に、時どき肺腑《はいふ》につき刺さるような矢声《やごえ》のようなもの、絶叫する人の声などがまじった。戸が倒れるような音もした。

だがそういう物音はすぐにやんで、また得体の知れないざわめきのようなものが外に洩《も》れてくる。つい鼻先の塀の内に、不意に荒荒しい人の呼吸がひびき、それもすぐに遠ざかったりした。時どき金属の触れあう音がした。だが門はぴったりと閉まったままだった。

邸の中に異常なことが起こっていることは確かだった。それは吉良家と境を接している旗本の土屋家の塀内に、高張提灯《ぢょうちん》が三つ、赤赤と立てられていることでもわかった。

「喧嘩かの」

土屋家と吉良家の境目の塀ぎわに集まっている人びとの中で、首に襟巻《えりまき》をまいた年寄の武家がそう言った。火事ではありませんか、と中年の町人風の男が言った。集まっているのは十人ばかりの人だった。彼らは雪が残っている道の上で、明け方の寒さに足踏みし、手をこすりあわせた。さわぎの正体がつかめぬまま、寒さをこらえかねて家にもどって行く者もいた。

青江又八郎と細谷源太夫も、その中にいた。二人は昨夜誘いあわせて東両国で落ち合い、深夜までそば屋で時をすごしたあと、このあたりをうろついていたのである。中で何が行なわれているかを、正確に知っているのは又八郎たちだけだった。二人は、およそ一刻前、闇の中をしのびやかに来た浅野浪人の群が、一気に吉良邸に押し入ったのを見ている。

「長いの」

細谷が言ったとき、不意に邸内の物音がぴたりとやんだ。そして次に大勢の男たちが泣くと思われる、異様な声がわっと上がった。又八郎と細谷は顔を見合わせた。

「仕とげたらしい」

と又八郎がささやいた。

邸内にふたたび微《かす》かなざわめきがもどった。その中で誰かがりんりんと声を張って、何かの口上のようなものをのべ、その声が終ると土屋家の高張提灯がするするとおろされるのが見えた。

まったく突然に、吉良家の裏門が内側から開き、そこから切れ目なく人が出て来た。おびただしい数に見えた。黒い人影は、一様に火事装束を身につけているようだった。門前に出て来た人数は、およそ五、六十人はいると思われたが、きわめて静かに、黒ぐろと隊列を組み終ると、やがて又八郎たちに背をむけて、ゆっくり歩き出した。元禄《げんろく》十五年十二月十五日の夜が明けようとしていた。そのかすかなひかりの中に、隊列から突き出ている槍《やり》の穂が鈍く光って遠ざかって行った。

「あの中に、神崎も茅野《かやの》もいるかの」

と細谷が言った。細谷はつぶれたような声を出した。又八郎が見ると、細谷は頬に涙をしたたらせていた。細谷は鼻みずをすすった。又八郎も胸が熱くなった。

──堀部も、岡野もいるだろう。そしてやはり一党を指揮したのは、あの大石なのだろう。

堀部にしろ、大石にしろただの男たちだったと思い返すと、命をかけて復讐《ふくしゅう》ということを仕とげた男たちのけな気さが胸にせまってくるようだった。中に知人がいる細谷が感動するのは当然だと思った。

「それで、国元にはいつ発《た》つな?」

と細谷が言った。そして大きなくしゃみをひとつした。感動のあまりに涙をこぼしたが、細谷は寒くもあるらしかった。

二人は町角を曲って行った浅野の一党の隊列を追うように、ゆっくり歩き出した。

「今日発つ。見捨ててもおかれまい」

そう言ったとき又八郎は、由亀が呼びかけている遠い声を聞いたように思った。切れたと思った二人のつながりは、切れていなかった。まっすぐにつながったままだった。

「十分に気をつけろ」

「うむ」

「しかしなごり惜しいな。もう会えぬかの」

「いや、また来よう」

と又八郎は言った。そう出来るかどうかはわからなかったが、細谷との長いつながりがこれで終るとは思えなかった。

町角を曲るとき、二人は言いあわせたように吉良の屋敷をふりむいた。門前のまだ薄闇につつまれている路上に、黒く人影が動いているのが見えた。

——あの連中は、どうしたかの。

又八郎は吉良の邸内で会った男たちを思い出したが、口には出さなかった。細谷も何も言わなかった。白髪の鳥居は死に、清水、新貝は見事に戦ってやはり斃《たお》れ、山吉は重い手傷を負ったのだが、むろん二人は知るよしもなかった。無言のまま踵《きびす》を返した。

雪の道が白くつづき、道はだんだんに青白い朝のひかりを帯びはじめていた。遠い町角を、浅野浪人の黒い隊列の後尾が、曲って消えた。

最後の用心棒

一

帰国する青江又八郎を、細谷源太夫《げんだゆう》と口入れの吉蔵《きちぞう》が、千住宿まで見送って来た。しかもどちらかといえば金銭に吝《しわ》い吉蔵が、千住まで舟をおごり、さらに宿はずれの腰かけ茶屋で、酒までふるまってくれたのだから、破格の見送りというべきだった。又八郎は感激した。

感激したのは又八郎だけでなく、細谷も思いがけなくありついた果報に、すっかり感激して、いそがしく盃《さかずき》をあけている。だが吉蔵は、二人の感激に水をさすようなことを言い出した。

「お立てかえしたお金のことでございますがな、青江さま」

又八郎は盃の手をとめた。吉蔵に金を三両借りた。裏店《うらだな》で借りた米を返したり、北国にむかう旅支度をととのえたりするのに、そのぐらいの借金が必要だったのである。

吉蔵はそのときは快く貸したが、根がけちで、やはりその金が気になる様子だった。

「わずか三両の金でございますからな。飛脚を立てるわけにも行きませんでしょう」

吉蔵はうかがうような眼つきで言った。

「いや、帰国すれば、どうせそなたや細谷に手紙を書かねばならん」

「こうなさいませ」

と、吉蔵は考えていたことを押しつける口ぶりになった。

「江戸屋敷には、お国元からしじゅう人がいらっしゃるかと存じます。お金はそのおついでの方にお預けいただければ、あたしがお屋敷まで頂きに上がります」

「それではそなたに面倒をかけるな」

「いえ、いえ。いっこうにかまいません。そういうことなら、あたしはいっこうに苦にいたしません」

「それでいいのか」

「かまいません。こちらでお金を受けとりなさる方をお決めいただければ、時どきその方のところにうかがいまして、ちょうだい致しますです、はい」

「土屋と申す男がいるが」

土屋は油断ならない飲み助ではあるが、まさかとどいた金で飲みはしまい。

「さようか。では、屋敷に土屋清之進という男がいる。国にもどったら、なるべく早く便をもとめて、その男のところに金を送るゆえ、受け取ってくれるか」

「かしこまりました。では、そういうことに決めさせていただきましょう」

と吉蔵は言った。貸し金を回収する段取りがうまくついて、ほっとしたという感じだった。それがあまり正直に顔色に出ているので、一瞬又八郎は、吉蔵はおれよりも、貸した三両に名残りを惜しんで、千住まで来たかと思ったぐらいである。

だが又八郎はその考えを重おもしく打ち消した。千住まで舟を仕たて、さらに酒までふるまってくれた吉蔵の好意は疑うべくもない。冗談にも、そんなふうに考えるべきではない。

「相模屋《さがみや》。青江の借金など、心配せんでもいいぞ」

からになった徳利を、未練げにさかさに振りながら、細谷が言った。

「いざとなれば、そのぐらいの金はわしがきれいにはらってやる」

「有難いことです」

と言ったが、吉蔵は又八郎にむかって、片眼をつぶって見せた。又八郎は苦笑した。

酒がきれたのをしおに、又八郎は立ち上がった。

「世話になった」

「お名ごり惜しゅうございますな、青江さま」

と吉蔵は言った。飲み足りないらしく、細谷はまだいいではないか、と言ったが、二人が立ったので、白分も不服そうに外に出た。

「これっきりということはあるまいな」

と細谷は言った。

「そんなことはなかろう。またこちらに来るようになる気がしてならん」

「それにしても、手前どもにご用でいらっしゃることは、もうございませんでしょうな」

と吉蔵が言った。

「ねがわくばそうありたいものだが、それはどうかわからんぞ」

又八郎がそう言ったとき、細谷がすっと身体《からだ》を寄せてきた。

「気がついているか」

と細谷は小声で言った。又八郎はうなずいた。

「うむ、わかっておる」

「すぐあとの舟で来た奴《やつ》だ。知っている顔かね」

「いや、知らん」

「気をつけろ」

細谷は、又八郎の眼をのぞきこむようにして言った。なんでございます？　と言って吉蔵が寄ってくると、細谷は手を振って笑った。

「道中、女子《おなご》に気をつけろと忠告したところさ」

細谷が言った男には、又八郎も気づいていた。三人が腰かけ茶屋に入ると、間もなくすっと入って来て、店の奥に行った男だ。旅支度をしていたが、浪人者だった。年恰好《かっこう》は又八郎と似ていて、二十七、八にみえたが、肩はとがり、頬はやせて病気持ちのような男だった。だが顔色は日にやけて黒く、眼には無気味な光がある。

その男は、三人を一瞥《いちべつ》もせずに奥に入って、酒を注文したが、その場所から、時どき三人に静かな視線を送って来た。静かだが、刺すような視線だった。又八郎も振りむかず、細谷も男を見なかったが、男がこちらを注視しているのは、気配でわかっていたのである。男が顔をあげると、そこから冷たい風のようなものが走ってくるようだった。

「ではな。気をつけろ」

細谷はもう一度言った。そして三人は別れた。少し歩いてから、又八郎が振りむくと、昼近い師走《しわす》の薄日の下を、大きな細谷と小さな吉蔵が並んで遠ざかるところだった。

細谷が立ちどまって何か言っている。道わきの店を指さしているのは、もう少し飲ませろと掛けあっているらしい。吉蔵が手を振ってずんずん歩き、細谷があわてて後を追って行くのが見えた。

又八郎は微笑した。そしてさっき出て来た腰かけ茶屋をちらと見た。男が出てくる気配は、まだなかった。

二

佐久山《さくやま》宿を出て箒川《ほうきがわ》を渡り、村をひとつ通りぬけると、道は閑散としてしまった。一丁ほど前を、旅姿の女が歩いていて、うしろに千住からずっと後についてきている浪人者が見えるだけで、ほかに人影はなかった。眼に入るのは、荒涼とした那須野《なすの》の雑木林と、枯れすすきだけである。林は葉が落ちつくし、すすきも穂絮《ほわた》を風に吹きちぎられて、針のように直立する茎を日に光らせていた。

江戸を出てから天気にめぐまれていた。日は佐久山宿の背後に落ちようとしていたが、野をてらす日ざしには、昼の間のぬくもりが残っている。だが、やがて山を越えれば、と又八郎は思った。

――そこは、もはや冬だろう。

そして国元の城下に入るまでに、うしろから来る男と、結着をつけることになるだろう、とも思っていた。

瘦身《そうしん》の陰気な顔をした浪人者が、自分の後をつけてきていることは間違いなかった。それは千住の腰かけ茶屋で見かけたときからわかっていたことだが、昨夜はそれがはっきりした。

又八郎は昨日、夕刻近く宇都宮城下についたが、試みにそこを素通りした。次の白沢宿までは二里半を越える行程である。途中から夜道になった。そして白沢について宿《やど》をとると、男はやはりそこに姿を現わしたのである。

又八郎が江戸を離れて故郷にむかうことを知っているのは、土屋清之進しかいない。その土屋にしても、又八郎がいつ発《た》つとは知らなかったはずである。むしろ身辺近くさぐりを入れてきていた大富丹後派の者が、又八郎の旅立ちを知って、国元に入る前に屠《ほふ》るべき最後の刺客を放ってきたとみるべきだった。

その男は、又八郎のうしろ二丁ほどのところを、ゆっくりした足どりで追ってくる。だが、又八郎はふりむかなかった。仕かけて来る時と場所は、むこうが選ぶだろう。

又八郎の眼は、前を行く女のうしろ姿を見ている。どこまで行く女かと思っていた。その女は、又八郎が白沢から氏家《うじいえ》につき、そこで道ばたの茶店に入ったとき、入れちがいに店を出て行ったのである。二十すぎの、身体《からだ》つきにまだ若さを残す女だった。そして武家の女だった。一瞥《いちべつ》しただけだが、ややきつい顔だちながら美貌《びぼう》だったのが記憶に残った。

女は氏家《うじいえ》から喜連川《きつれがわ》、さらに佐久山と六里の道を来る間に、次第に男の足に追いつかれて、いまは一丁ほど前を歩いていた。しかし女にしては達者な足だった。うしろ姿にも疲れは見えない。

そう思ったとき、又八郎はその女が不意に道ばたにうずくまるのを見た。女は杖《つえ》を投げ出し、地面に膝《ひざ》をつくと、胸を抱くようにして前にしゃがんだ。

又八郎はちらとうしろを振りむいた。男の姿がまだ遠いのをたしかめると、小走りに女に駆け寄った。

「いかがされたな、お女中」

又八郎は女の肩に手をのばしてそう言ったが、次の瞬間、はっとしたようにその手をひっこめた。だが、女の身体が、くるりと反転して伸び、斜め下から又八郎を襲った動きの方がはやかった。又八郎は手首を浅く斬《き》られた。

とびのいた又八郎に、女は刀を抜く間合をあたえず、短剣をふるって肉薄してきた。又八郎は、二度、三度と辛うじて鋭い突きをかわした。

襲ってくるのは短剣だったが、その短剣に、軽視できないわざが秘められているのを又八郎は感じた。女は男のように足を踏みひらき、その足くばりから、小きざみに適確に踏みこんでくる。十分に鍛えぬかれた身動きだった。又八郎は胸もとをかすられ、左袖《そで》をもぎ取られた。

——この女も、刺客か。

冷静にこちらの隙《すき》をうかがっている女の眼を見かえしながら、又八郎はそう思った。女が狂っているわけではなかった。女の眼には、抑制された意志が、静かな光を沈めている。

女がまた小さく踏みこんで来た。そして次にたたみこむように大胆な跳躍を見せた。首筋をかすめた白い光を、一髪《いっぱつ》の差でかわしながら又八郎は腰をひねって手刀を使った。その手刀が女の手首を打った。

はじめて、女が後に跳んだ。その一瞬の隙に、又八郎は刀を抜いた。

だが女は又八郎の剣を恐れなかった。短剣を構えたまま、じわりと間合をつめて来た。そして一挙に懐《ふところ》にとびこんで来た。又八郎はその短剣を、受け流したが、しりぞいたときには、脇腹《わきばら》をかすられたことに気づいた。

——斬るしかない。

又八郎は腹を決めた。強敵だった。斬りに行くしかふせぐ手段のない相手だった。それに、刺客はもう一人いる。又八郎は、すばやく後にさがった。女は又八郎のその動きに足を送ってついて来たが、不意に立ちどまると、そこで前後に足を踏みひらき、やや腰を落として身構えた。女は左腕を額の前にあげ、短剣を右腰にひきつけている。又八郎の殺気を読み、斬らせて斬る意志を示したのである。

女の胸が、はげしい喘《あえ》ぎに起伏するのを、又八郎は見つめた。疲労が、女に捨て身の構えをとらせたのかも知れなかった。

又八郎は青眼の構えのまま、前に出た。女は動かない。前にかざした腕の下から、射るような眼を又八郎にそそいでいる。胸の喘ぎはそのままだった。

又八郎は踏みこんで斬りおろした。だが一瞬の判断で、短剣を握っている方の右肩をねらっていた。女がはっと短い気合を吐き捨てた。

又八郎の切先を見事にはねあげて、女はそのまま又八郎の手もとに飛びこんできた。又八郎は体《たい》をかわしてすり抜けると、すり抜けざまに剣をふるった。肉を斬ったにぶい手ごたえがあった。

女は斬られた左腕を押さえて、大きく後に跳んだ。その女の足が、道に出ていた木の根につまずいたのは偶然にすぎない。だが、女の身体が、跳んだ勢いをのせて、そこで一回転するように転んだのは、やはり疲れのせいだったろう。

予期しない出来事が起きた。女は起き上がらなかった。低いうめき声を洩《も》らして、膝を起こそうとしたが、起き上がれずに倒れた。用心ぶかく近づいた又八郎は、女の短剣が、深ぶかと腿《もも》のつけ根に突きささっているのを見た。

女の手が、ふるえながら短剣をひき抜こうとしている。その手を、又八郎はひざまずいて押さえた。

「待て。手当てしてやる」

そう言ったとき、又八郎は背後から殺到する剣気を感じて、振りむきざま剣をふるった。

剣と剣がふれ合う音がひびき、片膝を立てた又八郎の頭上を、黒い影が鳥のように翔《か》けすぎた。軽く降り立ってこちらを向いたのは、あとをつけて来た浪人者だった。

その男を忘れていたわけではない。又八郎は、女と斬り合っている間に、眼の隅で男の姿をたしかめていた。男は近づいても、なぜか手を出さずに、少しはなれたところにじっと立ったまま、斬り合いを眺めていたのである。

だが女の傷を見たとき、一瞬男を忘れた。不覚の空白が生まれたようだった。その隙を見やぶって、男はすかさず斬りこんで来たのだ。男がいつ、うしろまで来たのか、わからなかった。

又八郎は刀を構えたまま、ゆっくり膝を起こして立ち上がった。新しい緊張が、身体を走り抜けた。だが男は、だらりと刀をさげたままだった。それだけでなく、前に踏み出そうとした又八郎の動きを、手でとめるようなしぐさをした。

「まあ、待て」

「………」

「青江又八郎という男が、どれほど遣うか、試してみただけだ。いま斬り合うつもりはない」

「しかし、いずれは斬り合わねばならんのだろう」

「いずれはな」

男はにやりと笑った。沈みかけている赤い日が、まともに男を照らしていた。男の白い歯が見えた。

「だが、いまじゃない。やれば、貴公かおれか、どっちかが死ぬことになりそうだ。こんな人気《ひとけ》もない野っ原で死ぬのはごめんだ。貴公にしてもそうだろう」

「貴公、何者だ？」

又八郎は、これまで襲って来た刺客には、言ったことのない言葉を口にした。尋常の刺客ではなく、この男と次に剣をまじえるときは、生死を分ける闘いになろう。そういう予感にうながされて出た言葉だった。

「見るとおりの浪人だ。名は大富静馬」

「大富？　御家老の身内か」

「ま、そんなものだ」

大富は、刀を鞘《さや》にもどした。

「ま、いずれまた会おう」

「女を連れて行かんのか。手当てすれば助かるぞ」

又八郎が言うと、大富は手を振った。

「その女のことは知らん。おれにはかかわりのない人間だ」

「知らぬと？」

「さよう、聞いていない。いや、聞いていても、おれならうっちゃっておく。やれと言われたことをしくじった女だ」

大富という男の、冷酷な一面が顔を出したようだった。

「相当の山猫だが、女の腕はしょせんこの程度のものさ」

大富は、手をあげるとあっけなく背をむけた。そのまま速い足どりで遠ざかって行った。

又八郎はいそいで女のそばにもどった。女はえびのように身体をまげたまま気を失っていた。

気絶したのがさいわいして、腿に突きささった短剣はそのままだった。

又八郎はほっとして、羽織をぬぐといそいでひき裂き布を作った。それから女の上体を押さえて、一気に短剣をひき抜いて捨てると、着物の前を腰まで開いた。白い二布《ふたの》の中から、さらに白い腿があらわれ、恥毛がのぞいた。だが、腿はすぐにあふれ出る血に濡《ぬ》れた。

気絶からさめた女が腹をそりかえらせてあばれた。腕をのばし、異常な力で着物の前をあわせようとする。又八郎は、女の頰を力まかせに二つ、三つ殴った。

「動くな。いま手当てするところだ」

又八郎に一喝されて、女はぴたりと動くのをやめた。喰いしばった歯の間からうめき声が洩れ、閉じた眼がこまかくふるえているのは、激痛をこらえているのだった。

傷口をしばり終ったとき、又八郎は全身に汗をかいていた。女の顔にも、汗が流れている。又八郎が、着物の前をあわせ、女の顔の汗を手でぬぐってやって、これでよしと言ったとき、女ははじめて眼を開いて又八郎を見た。だがすぐに、はじかれたように顔をそむけた。

抱き起こして背負うとき、女はまた苦痛のうめき声を立てたが、又八郎の背に乗ると、ひっそりとなった。

「大田原までは無理だろう。とりあえず途中の村まで参る」

「……………」

「名は？」

「佐知」

「大富家老とは、どういうつながりかの？」

女は答えなかった。無言のまま、又八郎の背に顔を伏せた。首筋にふれた額が熱かった。熱が出て来たようだった。

日が落ち、野は闇《やみ》に包まれようとしていた。女の身体はずしりと重かった。又八郎は黙って歩きつづけた。

三

昼すぎに城下近くの村まで着いたが、又八郎は村はずれの地蔵堂にもぐりこんで、夜になるのを待った。

　問宮中老に内密に呼びもどされたといっても、又八郎は一度藩を捨てた人間だった。脱藩者は、城下にもどれば、立ち帰り者として即座に捕えられるきまりである。がたついているといっても、藩政をにぎっているのは大富家老のはずだった。油断は出来ない。

　捕えられた場合、問宮が口を利《き》いてくれるかも知れないという気はするが、それも保証のかぎりではなかった。かりにそういう段取りになっても、問宮が動く前に、大富は捕えた又八郎を早速に始末してしまうに違いなかった。

　——おとくいの毒を盛られちゃ、かなわんからな。

　埃《ほこり》だらけの床に仰《あお》向けに横になりながら、又八郎はにやりと笑った。

　その上、城下には無気味な敵がいる。大富静馬と名乗ったあの男だ。大富は、佐久山宿の北の街道で、ただ一度刃《やいば》をあわせただけで、そのあと又八郎の前に姿をあらわさなかった。先をいそいで国入りし、城下に入ったことは間違いないと思われた。

　あのあとの道中で、大富がふっつりと姿を消したことについて、又八郎には新しい推測が生まれている。

　あの男が大富家老から請負った仕事は、必ずしも又八郎を抹殺することだけでなかったろうということだった。那須野《なすの》から奥州《おうしゅう》街道を北上して仙台領に入り、さらに奥羽山脈の脊梁《せきりょう》を横切って出羽《でわ》街道に出る長い道である。その気になれば男は途中自分の好むところで又八郎を待ちうけ、斬《き》り合いをいどむことが出来たはずだった。

それをしなかったのは、男がほかに使命を持っていたと考える方が、辻《つじ》つまが合うようだった。たとえば大富家老の身辺を守るとか、反対派の中心人物である間宮中老を暗殺するとか、いう仕事である。そのために、男はとりあえず先をいそいだに違いない。

――おれとの斬り合いを恐れて、避けたということはあり得ないな。

それははっきりしている、と又八郎は思った。背後から斬りかかって来た大富静馬をむかえうった又八郎の剣は、危急の場合に、相討ちを覚悟で遣う必殺剣だったのだが、男は寸前にその剣をかわしている。非凡な遣い手であることは明らかだった。

その男は、これから帰ろうとする家を見張っていて、そこで又八郎を待ちうけているかも知れなかった。あるいは間宮中老に連絡を取ろうとする途中を襲ってくるつもりかも知れなかった。

――どっちみち、いま会ったらやつに勝てん。

又八郎はくもの巣がかかっている暗い天井を見上げながら、そう思った。空腹と疲労に苛《さいな》まれていた。

佐知という名前だけがわかった女刺客を、又八郎は八木沢という村まで運び、一軒の百姓家にかつぎこんで、そこでもう一度応急の手当てをした。そして実直そうなその家の者に、大田原の城下まで女を運んで、医者にかけてくれるように頼むと、そのまま先を急いで来たのである。そのとき駄賃と医者代を置いたので、路銀はにわかに心細くなった。

昨日は一日一食。今日は路銀がつきて朝から喰っていなかった。途中の村で百姓家に立ち寄り、白湯《さゆ》を一杯ふるまってもらっただけである。その無理がいまあらわれて、又八郎は、疲労のあまりうとうとと眠気に誘われていた。眠ってはならんと思いながら、瞼《まぶた》が重くなった。

外はみぞれだった。その寒気に刺されて、又八郎は時どき身ぶるいしながら目ざめたが、やがてあらがい難い眠りに引きこまれて、こんこんと眠った。

目がさめたとき、あたりは暗くなっていた。又八郎ははね起きてお堂のとびらを開いた。みぞれはやんでいたが、地面がうっすらと白くなっていた。みぞれを降らせた雲は、去りぎわに少し雪をふりまいて行ったらしかった。いまは空が晴れて、星が出ていた。硬く、寒ざむとした光だった。

又八郎はわらじの紐《ひも》をしめ直し、菅笠《すげがさ》をかぶると外に出た。歩き出すと、空腹のためか、身体《からだ》がこごえているせいか、一歩ごとに足もとの地面が傾くような感じがした。暗い森を迂回《うかい》すると、不意に視界がひらけて町の灯が見えてきた。

町に入ると、又八郎はにぎやかな通りをさけて、裏通りをたどった。そして五十騎町の家にたどりついた。たどりつくまでに、幾人かの人とすれ違い、その中には武士もいたが、又八郎を見とがめた者はいなかった。

家の門が見えるところまで来ると、又八郎は道ばたに身体を寄せ、注意深く様子をうかがった。武家町は、夜は早く人通りがとだえる。わずかな雪に、ぼんやりと道が浮き上がって見えたが、その路上にも、生垣のあたりにも人の気配は感じられなかった。

又八郎は道を横切って門の前に行くと、潜《くぐ》り戸を押した。戸は動かなかった。予想していたことなので、又八郎は横の生垣に回った。馬廻《うままわ》り組百石取りの又八郎の家は、屋敷の周囲に生垣をめぐらせただけである。だが父祖の代から、屋敷を守ってきた垣は、密生する枝がからみ合って、頑強に外からの侵入者をこばんでいた。

生垣は又八郎の背丈《せたけ》をわずかに越えるほどの高さである。又八郎は、垣を内と外からしめつけている竹を足がかりに、乗りこえようとした。爪先《つまさき》を横にわたした竹にかけ、一気に垣の上に身体をのり上げたとき、縄が腐っていたらしく、竹が落ちた。一瞬の差で垣根の内側に転げこんだが、又八郎は腰を打った。ひどい音を立てた。

——主人が留守だと、垣根もこのていたらくだ。

腰をさすって立ち上がりながら、又八郎はそう思った。家の中で、あわただしく灯の色が動くのが見えた。いまの物音を聞きつけたらしかった。

ほとほとと又八郎は戸を叩《たた》いた。それからしりぞいて静かに刀の鯉口《こいぐち》を切った。

家の中にいるのが、祖母と由亀《ゆき》だという確かな証拠はなかった。由亀の手紙には、又八郎の祖母と、この家に住んでいると書いてあったが、又八郎はそのことを十分納得出来たわけではない。

又八郎が脱藩したあと、祖母一人の家は藩命で潰《つぶ》されたかも知れない、と又八郎は長い間考えていたのである。藩内に久野という遠縁の家がある。屋敷を取りあげられても、気丈《きじよう》な祖母はその家を頼って行ったろう。そう思っていただけに、由亀の手紙は意外だったのである。まだ信じ難い気持がある。

中にいるのは、女二人かも知れなかったが、藩が手配りした男たちであってもおかしくはない。だが、入口の戸のすき間に灯のいろがさし、中から又八郎をとがめたのは、女の声だった。

「どなた？」

鋭く張りつめているが、由亀の声だった。戸の向う側から、緊張した息づかいが伝わってくる。その声を聞いたとき、又八郎の胸にいきなり溢《あふ》れ出て来たものがあった。それは長い間いましめられていた感情が、縄をとかれて走り出たようであった。又八郎は凝然と立ちすくんだまま、信じ難いものを聞きとったように由亀の声を聞いた。ようやく言った。

「又八郎じゃ」

すると、戸の向うの気配がひっそりとなった。だが、それはわずかの間だった。すぐにあわただしく戸を開ける物音が起こった。よほど厳重な戸じまりを施しているらしく、由亀は戸を開くのに手間どった。鉄《かね》のもので、どしどしとどこかを叩いたりしている。

戸が開いて又八郎が土間に踏みこむと、一瞬由亀はうしろにさがって又八郎を見た。だがすばやく上体を傾けて、式台の灯を吹き消すと、どっと身体をぶつけて来た。闇《やみ》の中で、又八郎はしっかりと由亀を抱いた。

由亀の身体はひどくふるえた。そしてふるえがおさまったとき、由亀は身体をはなして、お帰りなされませとささやいた。

茶の間に入ると、又八郎は眼をみはり、次いであやうく吹き出しそうになった。老いた祖母が坐《すわ》っている。背がまるまって小肥《こぶと》りの姿は前のままで、しわだらけだが血色もいい。だが祖母は襷《たすき》がけ、白鉢巻という恰好《かっこう》で、膝《ひざ》もとに脇差《わきざし》をひきつけている。

「これは、ばばさま」

又八郎は正座して挨拶《あいさつ》した。

「ただいまもどりました。ご無事で何よりでござった」

祖母は耳に手をあてがって、又八郎の言葉を聞きとり、うなずくともぐもぐと言った。

「そなたも無事で何よりじゃの。よう帰れたの」

「は。少し事情が変りましてな。しかしそれにしても……」

又八郎は微笑した。はばかりに行くにも、時どき手をひいてもらっていた祖母の物ものしい恰好が、やはり滑稽《こっけい》にみえた。

「勇ましい恰好でございますな」

「そなたが、ことわりもなしにどこぞへ行ってからは、家を守る者がおらん」

「ごもっともです」

「それに藩の者だとかいう男どもが来ての。この家を出ろとか、ごちゃごちゃ申す。

容易ならぬことじゃ。ばばは出ぬと申した」

「この前は刺客らしい者が参りました」

と由亀が横から言った。由亀の顔は少し青ざめていた。

「布で顔をかくした男二人です。狙《ねら》われたのはわたくしだと存じます。その前にも、町の行きずりに斬りつけられたことがございましたから」

「なぜだ?」

「わたくしが、父から何かを聞いたと考えているらしゅうございます」

由亀は、又八郎の眼をじっと見た。又八郎はうなずいた。組頭《くみがしら》の三輪や、勘定奉行の助川を消した大富家老の仲間討ちの手が、こんな娘にまでのびたということなのか。そこまでいけば、大富はもうおしまいだ、と又八郎は思った。

「この間は、覆面でおどしに来よった」

祖母が、もぐもぐと言った。由亀が気づいてうしろに回り、鉢巻と襷をはずしてやった。

「人が来ると、いつもこうして支度させるのでございますよ。気丈なばばさまです」

「作法をわきまえぬ男どもでの」

祖母は眼をいからせた。

「青江の家はわずか百石ながら、いまの殿のご先祖が家をお立てになって以来の、古い家柄じゃ。刀を持ち出しておどすというなら、ばばが勝負してくれようと思ったが、そのときは由亀どのが追いはらってくれた」

「苦労かけましたな、ばばさま。しかしもう安心でござるぞ。今夜からは、ゆっくりおやすみなされ」

口になじんだ科白《せりふ》だと思ったら、江戸であちこちの用心棒をひきうけたとき、胸を張って言った言葉だった。が、考えてみれば、これで祖母と由亀の用心棒についた形だと言えなくもない。

顔をあげて由亀が言った。

「夜のお喰べものは？」

「路銀がきれての。夜どころか、今日は朝から物を喰っておらん」

「ま、たいへん。ただいますぐにととのえます」

由亀はあわてて台所に立って行った。そのうしろ姿を見送ってから、又八郎は祖母の前に膝をすすめて言った。

「なみはいかがなされた、ばばさま」

なみは、又八郎が城下を出奔するときにいた三十過ぎの女中である。祖母を一人残したといっても、その女中がいたので、又八郎はさほど心配しなかったのである。なみは心利いた女だった。

祖母は耳に手をあてて又八郎の言うことを聞きとったが、急にしおれた顔になった。

「そなたが行ってから、だんだんにたくわえがなくなっての。物を売ったが、やがて売る物もなくなった。そうするとなみが自分の着物を売って、ばばを養ってくれた」

「ほう」

「それでは心苦しくてならぬゆえ、もう十分に見てもらったからよい、となみにひまを出した。その前に、あれに後添《のちぞ》いの話が持ちあがっていたからの」

「さようか。嫁に行きましたか」

「そのあとしばらく一人でいたが、心細くてならん。それで由亀どのに来てもらったのじゃ。あれはそなたの嫁になる女子《おなご》ゆえ、世話させるのに、誰はばかるところもない」

四

食事を済ませてひと休みすると、又八郎は着がえて外に出た。昼の間に十分に眠っておいたので、喰いものを腹におさめると、すぐに身体《からだ》に力がもどって来た。静かな夜で、道で行きあう者も稀《まれ》だった。藩の中に、はげしい政争があるとは思えない、おだやかな冬の夜だった。

代官町にある間宮中老の屋敷は、亥《い》の刻（午後十時）ごろというのに、赤赤と灯がともっていて、訪《おとな》いを入れると、すぐに潜《くぐ》り戸が開いた。客が来ている様子だった。

又八郎は玄関で少し待たされたあと、家士にみちびかれて、奥に通された。小ぢんまりした座敷だったが、家士はすぐに火《ひ》桶《おけ》を運び、次いで女中が来て茶を置いて去った。

そのまま、またしばらく待たされた。そして急に屋敷のどこかでにぎやかな人声が起こった。闊達《かったつ》な笑い声がまじるそのざわめきは、すぐに遠ざかった。客が帰るところだな、と又八郎は思った。

間もなく廊下を踏む足音が近づき、咳払《せきばら》いがひびいて襖《ふすま》が開いた。入って来たのは間宮だった。中老は着流しのなりで、一人だった。

「やあ、青江か。待っておったぞ」

間宮は気さくな口調で言いながら坐《すわ》ると、挨拶《あいさつ》する又八郎に機嫌よくうなずいてみせた。面長《おもなが》で白皙《はくせき》の顔がうす赤くそまり、酒が匂《にお》うのは、客と酒を飲んでいたらしかった。

顔を出した女中に、間宮は手を振って、茶はいらんと言った。そして女中が去る足音を確かめると、又八郎にもっと前に来い、と言った。

「そなたが斬《き》った平沼が、大富の股肱《ここう》だったことはわかっておる。また大富が、江戸にいるそなたに、ひそかに刺客を放っていたこともわかっている。さあ、何があったのか聞かせてもらおうか」

「…………」

「青江は平沼の娘を娶《めと》る約束をしておったそうだの。平沼はつまりは義父になるはずの人間だった。その男を斬って、しかも脱藩せねばならんという事情は何だ？」

間宮は身体をのり出して、又八郎の顔をのぞいた。四十三の間宮の眼には、切れ者の中老と呼ばれている男の、精悍《せいかん》な光がある。

その視線をうけとめて、又八郎は、その前にと言った。

「藩内がどのような事情になっておりまするか、お聞かせ願えませんか」

「土屋におおよそのところを聞いておらんのか」

間宮はそう言ったが、又八郎が黙っていると、身体をもとにもどして、発端は医師の広瀬幸伯が病死したときにはじまる、と言った。

広瀬は町医だが、本道の腕の確かさを認められて、城中にも上がって脈を見ていた。

藩主壱岐守《いきのかみ》が病死したときにも、立ち合った医者の一人だが、暮から病床につき、年が明けると間もなく死んだ。

その広瀬が、死の問ぎわに懇意にしていた徒目付《かちめつけ》の井村という男を呼び、壱岐守の死は毒殺に間違いないと言い残したのである。広瀬は、毒殺の証拠である診立てを五つまであげたので、井村は捨ておかれず、ひそかに間宮に通報して来たのである。

「わしはあり得ることだと思った。大富の気持はわからんでもないからの。申しては何だが、先の殿は暗愚と申してよい方だった。暗愚で、じっとしておられればそれもよいが、ぜいたくがお好きでの。とほうもないぜいたくをなさる。いさめても聞かれなんだ。苦しい藩財政をあずかる大富が手を焼いていたことは、わしもよく知っておる」

「…………」

「大富は、殿に藩をつぶされると思ったかも知れんの。だがお命をちぢめて、あとに自分の都合のいい三之助君《ぎみ》、いまの殿を推すということになると、これは見過ごし出来んのだ。お主《しゅう》殺しの大罪だ。しかもいまの殿の母君お満寿さまは、大富の血筋のひとでの。大富は思い切ったことをやったことになる」

「…………」

「なぜ、先の殿を隠居させなんだかの。わしなら、そうしたな。それでは手ぬるいと見たかも知れんが、わしには大富は、自分の企てに眼がくらんで焦《あせ》ったとしか思えん」

「………」

「それはともかくだ。捨ておけぬゆえ、わしも手を回して調べた。するとだ。大富と腹をあわせて、この陰謀をすすめたと思われる連中が少しずつ浮かび上がって来た。ところがわしが気づいたと知ると、大富はその男たちを消しはじめたのだ」

「三輪さま、助川さまといった方がたでござりますな」

「さよう。次つぎと闇討《やみう》ちしよった。そして言うにこと欠いて、わしの策謀だなどと言いふらしておる。バカな。大事な生き証人を誰が殺すか」

「………」

「だがそのために、調べが一頓挫《とんざ》を来たしておるのも事実だ。そして厄介なことに、誰が毒をすすめたのか、これがわからん。先の殿の病気を交代で診ていた侍医が三人おる。このうちの一人かも知れんが、あるいは小姓かも知れん。またはおそばにいた女子の一人が、大富と気脈を通じておったかも知れん。一応は調べたがわからんのだ」

又八郎は顔をあげた。

「それははっきりしており申す。侍医の村島宗順どのでござる」

「…………」

間宮の眼が光った。しばらく無言で又八郎を見つめたが、小声で言った。

「確かか」

「間違いござりませぬ。それがし、宿直《とのい》の夜に偶然、ご家老と村島どのの密談を耳にしてござる」

又八郎は、宿直明りの翌日、平沼をたずねてそのことを打明けたこと、平沼がいきなり斬りかかって来たことを、くわしく話した。

「さてこそ」

間宮は膝《ひざ》を打った。間宮の顔には、興奮した表情がうかんでいる。

「平沼は息をひき取る前に、小姓組の安野に会っておる。それでそなたにひんぴんと刺客をさしむけたわけが読めた。その刺客を、大富は独断ではからっておった。何かあると思ったが、そういうことか」

「…………」

「そうか、村島か。すぐに、それとなく手配せねばならんな。やがてそなたが帰ったと知れば、大富は村島を逃がすか、消すかするかも知れん」

「それをなさるなら、早い方がよろしいでしょう。それがしが帰国したことは、もはや先方に知れておるかと存じます」

「誰かに見られたか」

間宮は眉《まゆ》をひそめた。

「いや、城下ではまだ人に見られておりませんが、奥羽路《おううじ》をくだる途中、大富静馬という男に会っております。その男は、多分ひと足先に城下に入ったはずでござる」

「大富静馬？　家老の一族だな」

間宮はつぶやいたが、はっと緊張した顔になって又八郎を見た。

「ご存じの男ですか」

「心あたりがある。待て、いま確かめよう」

間宮は手を叩《たた》いた。すると廊下に足音がして、さっき又八郎を案内した中年の家士が顔を出した。間宮は襖ぎわまで立って行って、そこにうずくまると、ひそひそと家士と話し合った。

家士を去らせてもどって来ると、間宮はすぐに言った。

「大富の縁者で、権四郎という家があった。罪があって絶家になった家だ。静馬と中すのはここの三男でな。江戸で東軍流を修業して剣士となり、その後諸国を放浪して行方が知れないと言われていた男だ。非凡の剣を遣ううというわさを、一度耳にしたことがある」

「いかにも、そのように見うけました」

「さっき途中で会ったと申したが、静馬と立ちあったのか」

「いえ、すれ違ったほどのことでござります」

「腕前はどうだ？　馬廻《うままわ》り組随一の評判をとったそなたと、どっちだ？」

又八郎は黙っていた。それは容易に答えられないことだった。間宮は又八郎を見つめたが、答えないのであきらめたように腕を組んだ。

「ふむ。そういう男を呼び寄せた、と。大富は静馬に身辺を守らせるつもりかの？」

「それもござりましょう。また闇討ちをお好みのようでござるから、それがしや、場合によっては御中老を襲わせるつもりかも知れません」

「わしを襲ってくるかの」

中老はそう言ったが、動じたいろは見えなかった。胆《きも》は太いらしい。

「もし先方が、そこまでやるつもりなら、こちらから先手を打ってやる」

どうせあの男、追いつめて腹切らせるまでには手間どろうから、その方が話が早いかも知れん、と間宮はひとりごとを言った。

そして腕組みの上から、ひょいと又八郎を見た。間宮の顔には、奇妙な薄笑いがうかんでいる。

「やってみる気はないか、青江。藩のおためだぞ」

「…………」

「それだと話が早いがな。あっという間にけりがつく」

間宮は腕組みのまま、身じろぎもせずに小声で言っていた。

「ご家老を闇討ちせよと仰《おお》せある？」

「命令ではない。談合をかけておる」

「身分は、脱藩者のままでござりますかな」

又八郎は、ぐいと胸を起こして間宮を見た。二年という歳月を、しがない用心棒で喰いつなぎ、その間にいささか世間の裏も見て、又八郎は用心深くなっている。

——冗談ではない。

と思っていた。証拠を集めて追及しても、大富を追い落とすまでには、かなり手間どると間宮は見ているのだ。大富は老練な執政で、藩内につちかってある勢力は、なお強大なものがある。そこを打ち破って、失脚から切腹までもっていくのは容易でないが、先に大富を片づけてしまえば、後始末は簡単だと言っているのだった。

しかし理由がどうあれ、一藩の家老を暗殺という手段でほうむったとなると、間宮自身も無傷では済まないはずだった。藩内外からの非難をまぬがれ得ない。

だがその暗殺が、脱藩者青江又八郎の手で行なわれたとなれば、事情は変ってくるだろう。間宮中老は、使嗾《しそう》の事実はないと否定するだけで、家老暗殺を自分から切り離すことが出来る。冗談ではないのだ。それに手当てももらわずに、間宮の用心棒役を買って出ることはない。

「それをお命じになるなら、まず高百石、馬廻り組に復帰させて頂きとうござる。次にご家老の処分は、上意を以《もっ》てお命じくだされ」

「わが方《ほう》に与《くみ》せんかという話だがの。むろん加増含みで相談をかけておる」

間宮は一瞬狡猾《こうかつ》な眼つきをした。だが又八郎が黙って見返すと、眼の光を消して腕組みをといた。

「よろしい。いまの話はなかったこととする。馬廻り組復帰のことも、早急に運ぶゆえ、安心しろ」

「ありがとうござります」

「それまでは家に隠れておることだな。さっきの男のこともあるし、大富派が何をしかけるか知れんからの。わが方にとっては、そなたは大切な生き証人だ。自重しろ」

五

旧禄《きゅうろく》のまま、馬廻り組出仕を命じる、という沙汰《さた》があったのは、年が明けて二月に入ってからだった。

暮に間宮中老と会ってから、又八郎はじっと家に閉じこもっていた。その間大富派の者が襲ってくることもなかったし、藩中で誰かが死んだというようなうわさもなかった。一見何ごともなく世の中が推移しているようにみえたが、その間にも藩内の政争は、休みなく続いていたらしかった。

あるいは無理かも知れないと思っていた、馬廻り組復帰の沙汰書がとどいたのが、その証拠だった。藩内で大富は少しずつ後退し、かわって間宮中老が発言力を高めているのだ。間宮は一たんはあんな策略めいたことを口にしたが、その後正攻法にもどって、大富派を圧迫している様子だった。

由亀が赤飯を炊《た》き、青江家ではその夜、沙汰書の下賜《かし》を祝った。又八郎はひさしぶりに酒を飲み、少し酔った。

由亀の部屋をたずねる決心がついたのは、その酔いが残っていたせいかも知れなかった。あるいは窓の外に、降りつもる雪の音を聞いたからかも知れなかった。

又八郎は、寝部屋にしている玄関脇《わき》の三畳を出て、奥座敷に行った。襖《ふすま》のすき間から、まだ灯が洩《も》れている。

「入ってよろしいかの？」

声をかけると、部屋の中から、はいという由亀の声がした。うろたえたような声だった。又八郎が襖をあけると、鏡の前から立ち上がった由亀が、白い寝巻の上から、いそいで花模様の綿入れ半天をはおったところだった。もう夜具が敷いてある。

「や。これは」

今度は又八郎があわてた。出直そう、とつぶやいて、襖を閉めようとした。すると、はっと顔をあげた由亀が、喉《のど》につまったような声で言った。

「お行きにならないで」

その声で、又八郎は襖を閉め、部屋に入って坐《すわ》った。二人はそのまま黙ってむかい合った。由亀は深くうつむいている。

「父御のことだ」

ようやく又八郎は、重い口をひらいた。

「あのことで、そなたとの縁は切れたと覚悟した。江戸まで逃げたが、そなたが来れば、討たれてやるしかあるまいと、思いきわめておったのだ」

「…………」

「だが、そなたは来なかったの。のみならず、もどった家にそなたがいた。正直に申すが、そなたの姿を見て、心おどった。いかんともしがたい、凡夫の心だな。しかしこれで済んだというものでもない。それはわかっておるな」

由亀がうなずいた。由亀はまだ深くうなだれていた。

「武家の掟《おきて》というものがある。このままなしくずしに、そなたと夫婦《めおと》になるということは許されまい」

「家にもどれとおっしゃいますか」

由亀が顔を上げて言った。美しく寝化粧をほどこした顔が、青ざめている。その顔に、とほうにくれたようないろが浮かんだ。

「でも、もう帰る家はありませぬ。ばばさまに呼ばれたとき、捨てて参りました」

いや、と言ったまま又八郎は言葉につまった。平沼の家は、由亀の母が早く死歿《しぼっ》し、父ひとり子ひとりだった。だが五年前に、又八郎と由亀の婚約がととのったとき、喜左衛門はその事情にこだわらなかった。婿《むこ》をとるも、養子を入れるも同じことだと言っていたのである。

だが喜左衛門は、その手続きをせずに死んだ。そして由亀は、いくつかあった縁談を捨てて青江の家に来たとき、事実上平沼の家を廃家にしたのである。その建物が、まだもとのままにあるとしても、そこは由亀がもどる家ではない。由亀はそのことを言っているのだった。

由亀の顔は、不意に赤くなった。まっすぐ又八郎を見つめている眼に、きらきらと涙が溢《あふ》れた。

「それに、わたくしは二十《はたち》になりました。又八郎さまを待って、二十」

由亀の顔は眼もともすずしく、鼻の形もいいが、ひとつだけ武家の娘に似つかわしくない難点がある。こころもち受け唇《くち》だった。その口もとがふるえ、由亀は不意に手で顔を覆《おお》った。

男の建前論が、みじんにくだけ散るのを、又八郎は感じた。又八郎は手をさしのべた。

「ござれ。こっちに来い」

にじり寄ると、由亀は思いがけないほどはげしく、又八郎に身を投げかけて来た。

又八郎は抱きとめて、背をなでた。骨細の、やわらかい身体《からだ》だった。

又八郎の胸に深ぶかと顔をもぐらせたまま、由亀がささやいた。

「父は、息を引きとる間ぎわに、あなたさまを頼れと申したのです」

「わるかった。ゆるせ」

又八郎は誰にともなく、そう言った。又八郎は由亀の顔を胸からひき離すと、おとがいに指をかけた。眼を閉じたまま仰むいた由亀の顔の中で、花びらのような唇だけが、息づいて喘《あえ》いでいる。

その喘ぎを吸いとってやると、由亀の身体はとめどもなくふるえ出した。背から、まるく肉がはずむ臀《しり》に手をすべらせたとき、又八郎は突然に、佐久山宿の北で襲って来た精悍《せいかん》な女刺客と、その青白い腿《もも》を思い出していた。あれはいつでも、一人で自分の身を始末できる女なのだろう。だがここにいるのは、おれが一緒にいるほかはない女のようだ。

又八郎は静かに由亀の身体を横たえ、顔をあげて行燈《あんどん》の灯を吹き消した。

六

大富家老を登城停止に追いこんで、藩政を掌握した間宮中老が、大富の最終処分に踏み切ったのは二月十日だった。

又八郎と小姓組の渋谷甚之丞《じんのじょう》は、処分言い渡しが行なわれている城中、中広間の次の小部屋にいた。

――意外に早かったな。

と思っていた。大目付の調べに、又八郎も何度か呼び出され、侍医の村島宗順とも対決させられたが、最後には村島の自白がものを言ったのである。

大富は一たん謹慎、登城停止の処分をうけたが、今日の夕刻、監察の手で城中に呼び出され、いまは中広間にいた。大富がどう考えているかはわからないが、言い渡される最終処分は切腹と決まっていた。

大富がその処分を受け入れれば問題はないが、抗弁してはねつけるようであれば、上意討ちに切りかえ、席を立たせずに討ちとる手はずがととのっていた。又八郎と渋谷は、そのために次の間に伏せられていた。

ただし正式の討手は、同じ馬廻《うままわ》り組の牧与之助で、彼は中広間の人数の中に加わっている。又八郎と渋谷は控えだった。

鋭く、威圧的な声のやりとりが、襖《ふすま》のむこうから洩《も》れてくるが、やりとりの中味はわからなかった。ただ大富が、言い渡しを承服せず、はげしく反駁《はんばく》している空気は伝わってくる。

その声が、はたとやんだと思ったとき、牧の声が、上意により、と叫んだのが聞こえた。又八郎と渋谷は小部屋から廊下にとび出した。

廊下には、赤赤と懸け行燈《あんどん》がつらなっている。不意に中広間の襖がひらき、廊下の光の中に、大富家老が出て来た。大富は肩衣《かたぎぬ》をはねおとし、小刀を構えて、尻《しり》さがりに広間から出てくると、やがてこちらに向き直った。肩口から血が噴き出ているのは、牧の一撃をうけたのだろう。

向き直った大富は、そこに立ちふさがるように、又八郎と渋谷がいるのを見ると、眉《まゆ》をひそめて足をとめた。だがすぐに、右手に刀をさげたまま、無造作に歩み寄ってきた。落ちついた足どりだった。

ごめん、と叫んで渋谷が斬《き》りかかった。その剣を、大富は十分に心得のあるすばやい動きではねあげると、その勢いを乗せて走り出した。迎えうった又八郎に、大富は叩《たた》きつけるような剣をふるったが、すれちがいざまの又八郎の二の太刀《たち》が、深く頸根《くびね》を斬っていた。

頸から血を噴き出させながら、大富はなおも十歩ほど走った。だが三間ほど走ったところで、つまずいたように前にのめって転んだ。大富はそれでも板の間を少し這《は》ったが、やがてうつ伏しに長く手足をのばしたまま動かなくなった。

廊下に人が溢《あふ》れ、騒然とする中で、又八郎は遠くから間宮に会釈《えしゃく》を送り、襷《たすき》、鉢巻をはずすと足早にその場を後にした。渋谷甚之丞もそれにならった。二人は城門を出たところで、短い挨拶《あいさつ》をかわして別れた。

濠《ほり》を南に曲る角に、常夜燈《じょうやとう》がある。そのそばに、人が立っているのを見ると、又八郎は足をゆるめ、ふたたび刀の鯉口《こいぐち》を切った。

もたれていた常夜燈から背をはなし、雪のない道の真中に出て来たのは、大富静馬だった。静馬は、立ちどまった又八郎をすかしみるようにしてから、声をかけて来た。

「伯父貴の処分は済んだのか」

「終った」

又八郎は短く答えた。

「死んだか」

「そうだ。控えだったが、おれが仕とめた」

「で、疲れているかね、おぬし」

「いや」

「じゃ、あのときおあずけにした勝負をやるか」

よかろう、と又八郎は答えたが、男に対する疑問を押さえかねて言った。

「ご家老は死んだぞ。いまごろおれと立ち合っても意味があるまい」

「そうでもないさ」

「敵討《かたきう》ちということなら、筋違いだな。藩命が出ている」

「べつに、そんなことは考えておらん」

「貴公、いったいこの土地に何しに来たのかね」

「ふむ。伯父貴は貴公と間宮を闇討《やみう》ちさせたかったらしいな。だがおれは、悪あがきはよせと言ってやったのだ。主殺しの罪じゃ、いずればれずに済まないことだ」

「…………」

「大富という家は、潰《つぶ》れるように出来ているのだ。おれは後始末に来たようなものさ」

は、はと男は短く笑った。そして、行くぞと言ってぐいと刀の柄《つか》を抜き上げると、すばやく後にさがった。又八郎も足を配って身がまえた。二人は同時に刀を抜いた。

刀を構えると、男の印象は一変した。気だるげな身動きが、かき消すように消えて、男の痩身《そうしん》は一本の針のように、鋭い緊張をみなぎらせて立っていた。

二人はじりじりと間合をつめたが、どちらも踏みこめないまま、ちゃりと切先を打ちあてると、言いあわせたように後に跳んだ。

男の構えが、青眼から上段に変った。その構えのまま、男はまたじりじりと足を送って来た。だが又八郎は青眼の構えを固めたまま、動かなかった。男の足がとまった。男はそのままじっと又八郎をうかがったが、不意に怒気がこもった声を出した。

「どうした？　やる気がねえじゃないか」

又八郎が黙っていると、男はちぇっと舌を鳴らした。そしてすさまじい一撃を又八郎の肩口に打ちこむと、疾風のようにそばを駆けぬけて行った。男の姿はたちまち闇に消えてしまった。

又八郎は茫然《ぼうぜん》と頬をなでた。そこから血がしたたっていた。受け方をわずかでも間違えば、致命的な傷になったに違いない、一撃のあとを男は残して行ったようだった。かわさずに、反射的に反撃の剣を遣ったのが、命を救ったことに又八郎は気づいていた。

刀をおさめながら、大富静馬という男を、おぼえておこうと又八郎は思った。

庭に出ていると飛脚が来た。細谷源太夫からの手紙だった。庭の中に立ったまま、又八郎は手紙をひろげた。

手紙は、又八郎が送った金がついて、吉蔵が喜んでいると書いたあと自分のことにうつり、正月早々に、手ごろな用心棒の口にめぐまれて、今年は春から縁起がいいと、細谷は書いていた。その仕事というのは、気鬱《きうつ》の病いで別荘にこもっている、大店《おおだな》の娘の番人で、自分はその娘に気に入られている、と細谷は得とくと述べたてている。

又八郎は読みながら、なんとなく情けないような気がした。我がままな小娘に、あごで使われてうろうろと走り回っている細谷の姿が、眼に浮かんで来たのである。

だが、次に眼を走らせた又八郎は、眉をひそめた。浅野浪人四十六人が、二月四日、預けられたそれぞれの屋敷でことごとく腹を切ったと書いてあったからである。

又八郎が会ったことのある山本長左衛門という男は、富森助右衛門正因。赤穂《あこう》浅野藩で馬廻り兼使番を勤め、二百石を頂いていた。彼は細川家で腹を切ったと、細谷の手紙はつづいていた。

細谷の手紙を巻きもどして、懐《ふところ》にしまうと、又八郎は乾いた地面をひろって、庭の中を歩きまわった。まだ庭の半分は、雪を残していたが、雪は黒く汚れ、その上を群をつくって羽虫が飛んでいる。傾いた日射《ひざ》しが、音もないその乱舞を照らしていた。

山本長左衛門、美作《みまさか》屋善兵衛、長江長左衛門、山彦嘉兵衛といった偽名の男たち。大石内蔵助《くらのすけ》、吉田忠左衛門など、顔を知っている浅野浪人たちが、ことごとく腹を切ったという知らせは、やはり胸にこたえた。

——武家勤めも、辛いからの。

と思った。禄《ろく》をもらったがために、そこまで義理を立てねばならぬ。用心棒をしているときも、金をもらうために時に命を張ったが、あれは喰わんがためで、誰に義理立てしたわけでもなかった。多少の金を手にすれば、働きに出ずに家にごろごろしても、それで誰かに指さされるようなこともなかった。

そう思ったとき、又八郎の胸に、江戸ですごした二年の暮らしが、懐《なつか》しくうかび上がってきた。細谷にしても、妻子をかかえて大変そうにしているものの、その自由があるから、娘に気に入られた、などと嬉《うれ》しそうな手紙もよこす。

——こっちも、娘に気に入られたが、これで動きがとれなくなったわけだ。

又八郎は胸の中で、こっそりと悪い冗談をつぶやいた。その冗談に気がさして、家の横手に回ると、誰かが古いわらべ唄《うた》をうたっているのが聞こえて来た。低いが澄んだ声で、唄はとぎれずにつづいている。近づくと、声は台所の中だった。由亀が、晩飯の支度にかかりながらうたっているらしかった。

その声を聞いているうちに、又八郎は胸の中に静かにみなぎって来る、ある感情に気づいた。それはやはり由亀への愛情と呼ぶしかないものだった。考えてみれば、放浪に似た用心棒暮らしのなかで、この娘を忘れたことはなかった。

――やはり、帰って来てよかったのだ。

細谷をうらやんだりするのは、間違いだと又八郎は思った。おれが帰るまで、由亀は唄を口ずさんだりすることはなかったろう。このささやかなしあわせを、やはり守らねばなるまい。

「由亀か」

又八郎は窓の外から声をかけた。びっくりしたように唄がやんだ。しばらくして、はいという小さな返事がした。

「熱い茶を淹《い》れてくれぬか」

「はい。ただいま」

はずむような声で、由亀が答えた。それから少し離れた声で、ばばさま、お茶をいれますが、上がりますかと訊《たず》ねているのが聞こえた。

――きちんと、祝言《しゅうげん》をやらんといかんな。

たどってきたところをもどりながら、又八郎はそう思った。大富と彼の一派の処分で、一時は騒然となった藩内も少しずつ落ちつき、間宮中老を中心にする藩政がかたまって行くようだった。落ちついたら祝言をし、女中を一人頼む。いつまでも由亀に水仕事をさせておくわけにもいくまい。

こうして少しずつ暮らしがもとにもどるのかな、と思ったとき、それを妨げるように、細谷の手紙の結びが思い浮かんできた。吉蔵ともども、来《きた》るべき再会を祈り上げ候《そうろう》。

まだ寒さは残っていたが、春がおとずれつつあることは疑いなかった。又八郎は庭の真中で立ちどまると、もと用心棒に似つかわしい、あごがはずれるほどの大あくびをした。家の中から、由亀が茶が入ったと呼んでいる。

解説

尾崎秀樹

藤沢周平は時代ものの書き手が育ちにくいといわれる現在、一貫して時代ものに取り組んできた作家である。彼は昭和四十六年に『溟《くら》い海』で「オール讀物」新人賞に選ばれて文壇に登場し、その『溟い海』につづいて、『囮《おとり》』『黒い縄』の三作が直木賞候補にノミネートされた後、昭和四十八年に『暗殺の年輪』で第六十九回直木賞を受賞したが、そのおりの記者会見で時代ものを書く理由を質問されたらしい。同年八月六日付のある新聞に、「歴史のわからなさ」と題して載せたエッセイは、その答えをあらためてまとめたものだ。

彼はその中で、歴史を手探りする際に、どんな良質の資料といわれるものでも信じられない部分があり、疑問や不明の箇所が残る、だが一方には動かしがたい歴史的事実が存在することもたしかで、「このように微《かす》かな資料の照明をうけて、なお多くは闇《やみ》に包まれ、ほの白く光る歴史の膨大な量につき当るとき、私の創作意欲が動くのである」と述べている。

歴史のおもしろさは本来わかることのおもしろさだ。調べるに従い、時代や地形、人物像の細部が浮び上がるのは、快い興奮を感じさせるが、しかしそのおもしろさも、まだ埋めつくせない歴史の膨大な領域の実在感につき当ったときの戦慄《せんりつ》には及ばない。そのような不確かで、しかし確かに実在しているものへの想像力が、彼を時代ものの創作に駆りたてるというのだが、この言葉は彼の歴史への関心が、確かめようとしても確かめ得ない無限の空間へ、自由にひろがっていることを意味している。時代もの作家として着実な地歩を築いてきた彼の創作活動をときあかすカギが、ここにしめされているのではなかろうか。

藤沢周平は本名小菅留治、昭和二年十二月二十六日に山形県鶴岡《つるおか》市で生まれ、昭和二十四年、旧制の山形師範を卒業、一時、同市の中学校に勤務したが、昭和三十一年上京。結核で約五年間、療養生活を送ったこともあるが、直木賞受賞当時は日本加工食品新聞という業界紙の編集長をつとめていた。

デビュー作の『溟い海』は、広重《ひろしげ》にたいして複雑な対抗心をみせる晩年の北斎を描いたもので、『囮』や『黒い縄』は世話物ふうな素材をあつかった作品、そして『暗殺の年輪』は、暗い過去につきまとわれ、周囲から疎外《そがい》されている下級武士が、その理由を探ろうとして、父子二代にわたって権力に操られる武士社会の非情さを知るといった内容だ。その手堅い筆致は、新人とは思えないほど時代小説のツボを心得たもので、選者の一人だった柴田錬三郎が、文章といい、構成といい、もはや充分にプロフェッショナルであったと評しているくらいだ。

受賞以後、彼は主として江戸時代の武士や町人の社会に材をとった中短編をあいついで発表したが、候補作や受賞作をもふくめて、暗い宿命を負った主人公が破滅へむかって歩むといったものが多く、その暗さが精緻《せいち》な文体とあいまって重厚な味わいをかもし出していた。彼の小説の暗い色調については、第二作品集『又蔵の火』のあとがきに、そのことにふれたつぎのような言葉がある。

「これは私の中に、書くことでしか表現できない暗い情念があって、作品は形こそ違え、いずれもその暗い情念が生み落したものだからであろう。読む人に勇気や生きる知恵をあたえたり、快活で明るい世界をひらいてみせる小説が正のロマンだとすれば、ここに集めた小説は負のロマンというしかない」

やがて彼は短編だけでなく、雲井竜雄の悲劇的な生涯をたどった『檻車《かんしゃ》墨河を渡る』や、荘内（庄内）藩の長岡転封阻止の一揆《いっき》をあつかった『義民が駆ける』などの長編も執筆したが、その特長は共通していた。彼の文体の精緻さについてはすでに述べたが、井上ひさしも『檻車墨河を渡る』を評した文中で、藤沢周平は数少ない小説職人のひとりだと書いている。

たしかな職人芸を思わせるこの作品が、負のロマンをはらんでいるのは、作者の暗い情念にもとづいているためではあるが、そのことは維新後、不遇な運命にさらされた東北諸藩出身者の歴史の悲劇を、同じ東北人としての目でみつめる作者の姿勢から、必然的にうまれたものに違いあるまい。彼の作品にこめられた情念もまた、その風土が培《つちか》った部分が多分にあるのではなかろうか。

『檻車墨河を渡る』と同様な意識に立つ作品としては、清河八郎を描いた『回天の門』があるが、しかし『用心棒日月抄』や『一茶』をまとめた頃から、彼の作品はそれまでとはややことなる境地をしめしはじめる。

もともと彼の作品には、権力や社会の非情さの中で、わずかな真実をもとめようとする下積みの人々への共感があり、悲惨な現実を凝視しながらも、そこに一脈のあたたかみを手探りするような感触がひそんでいた。数多く書くうちに、そのような要素がおのずから作品の表面ににじみ出したこともあるだろうが、同時にいつまでも暗い作品だけにとどまっていたくないという作者の気持も、反映していたと思われる。

後に藤沢周平は新聞のインタビュー記事で、有吉佐和子の『和宮《かずのみや》様御留《おとめ》』が刊行されたおり、史実との違いをめぐっていろいろと意見がかわされたが、彼は小説は事実も大事だけれど、もっと大事なものがあるのではと感じ、それをきっかけに自分のそれまでの作品について考えた結果、もっとおもしろいものを書くべきだと思ったと語っている。この説明は興味ぶかいが、『和宮様御留』が話題をよんだのは昭和五十三年夏頃のことであり、彼の作品の質的変化はそれ以前にすでにおこっているから、その考えはもっと前から彼の内心でふくれつつあったと思われる。そして、はっきりと意識化されたのが、そのときだったのではないか。

先に引用した『又蔵の火』のあとがきの中で、彼はつぎのようにも述べている。

「だがこの暗い色調を、私自身好ましいものとは思わないし、固執するつもりは毛頭ない。……その暗い部分を書き切ったら、別の明るい絵も書けるのでないかと思っている」

彼の作品から重厚な味わいがなくなったわけではないが、新しいこころみへの意欲も湧《わ》いてきた、といった時点で書かれたのが『用心棒日月抄』の連作であり、俗人的要素を多分にふくむ一茶の屈折した心情を、あたたかい視線でとらえた長編『一茶』だったといえよう。

最近の藤沢周平の活躍ぶりはめざましいが、『用心棒日月抄』はその脱皮をしめす作品として、読むことができるのだ。

この連作は「小説新潮」の昭和五十一年九月号に第一話を発表して以後、同年十一月号、五十二年一、五、七、十一月号、五十三年一、三、五、六月号にそれぞれ掲載された。主人公の青江又八郎は北国のある小藩で、馬廻り《うままわ》組百石の武士だったが、藩主毒殺の陰謀を耳にしたことから、許婚《いいなずけ》の由亀《ゆき》の父を斬《き》って脱藩し、江戸の裏店《うらだな》に住んで、生活のために用心棒稼業《かぎょう》をやるといった設定になっている。

口入れ屋の吉蔵《きちぞう》の紹介で、ある町人の妾宅《しょうたく》で飼っている犬の用心棒をたのまれる第一話にはじまり、さまざまな種類の用心棒をつとめるが、その背景に赤穂《あこう》事件があり、浅野家の浪士たちの動きが巷《ちまた》の風聞をにぎわす中で、又八郎の仕事もいつかそれと結びついてゆく。いわば脱藩浪人の又八郎の生活をとおして、赤穂事件の経過を語るのが、この作品のひとつのねらいといえるようだ。

たとえば第三話「梶川《かじかわ》の姪《めい》」では梶川与惣兵衛《よそべえ》に脅迫状が舞いこみ、さらに襲われるといった事件があって、その身辺警護をたのまれ、第五話「夜の老中」は、浪士の計画をあたたかく見守ろうとする幕府首脳者の姿勢が、用心棒をつとめるうらにわかるといった内容だ。

金で雇われた用心棒だけでなく、何者かにねらわれる夜鷹《よたか》の女を守ろうとする話もあり、その女を殺した犯人をさぐるうちに、そこにも浅野浪人を警戒する勢力の動きが影を落とす。後には市中にひそむ浪士に雇われたり、身分を隠した大石内蔵助《くらのすけ》の身辺を守る仕事をたのまれたり、また吉良邸に雇われて打入りの直前に脱出したりもする。

こうした赤穂事件異聞を構成する話の間に、彼の命をねらって国もとから派遣された刺客が何人かあらわれ、又八郎は死闘を繰り返すが、そのほか用心棒として剣をふるうことも少なくない。その結果、いくつかの事件を解決するあたりには、捕物帳的な味わいもある。

同じ用心棒である細谷源太夫や口入れ屋の吉蔵、それに又八郎をとりまく市井《しせい》の人々の風俗や人情も挿入《そうにゅう》されるが、そういった生活臭がただよっている点も、この作品の特長であろう。いわゆる用心棒というと、人相のよくない悪のイメージをもった浪人者を想像しがちだが、この主人公にはそういった雰囲気《ふんいき》はなく、生活のためにやむなく剣の腕を役立てているものの、ごく正常な感覚の持ち主として描かれているのも、好感をもって読めるのだ。

最後には国もとの状況が好転し、又八郎は祖母や由亀のもとへもどって証人の役割をはたし、政治抗争の解決に一役買った後、もとの身分にもどる。しかしさらにあらたな事情が派生し、ふたたび脱藩して用心棒暮しをする話は、続編の『孤剣』であっかわれている。

それまでの作品にくらべて、筆致に柔軟さが加わっているのは、作品の意図の反映であると同時に、それだけ手なれてきたためでもあろう。時代小説の魅力となる諸要素をもりこみながら、その新しい方向をめざそうとする意欲のうかがわれる作品だ。

(昭和五十六年二月、文芸評論家)

この作品は昭和五十三年八月新潮社より刊行された。

藤沢周平著

孤剣 用心棒日月抄

お家の大事と密命を帯び、再び藩を出奔――用心棒稼業で身を養い、江戸の町を駆ける青江又八郎を次々襲う怪事件。シリーズ第二作。

藤沢周平著

刺客 用心棒日月抄

藩士の非違をさぐる陰の組織を抹殺するために放たれた刺客たちと対決する好漢青江又八郎。著者の代表作《用心棒シリーズ》第三作。

藤沢周平著

凶刃 用心棒日月抄

若かりし用心棒稼業の日々は今は遠い。青江又八郎の平穏な日常を破ったのは、密命を帯びての江戸出府下命だった。シリーズ第四作。

藤沢周平著

竹光始末

糊口をしのぐために刀を売り、竹光を腰に仕官の条件である上意討へと向う豪気な男。表題作の他、武士の宿命を描いた傑作小説5編。

藤沢周平著

時雨のあと

兄の立ち直りを心の支えに苦界に身を沈める妹みゆき。表題作の他、江戸の市井に咲く小哀話を、繊麗に人情味豊かに描く傑作短編集。

藤沢周平著

冤（えんざい）罪

勘定方相良彦兵衛は、藩金横領の罪で詰め腹を切らされ、その日から娘の明乃も失踪した……。表題作はじめ、士道小説9編を収録。

藤沢周平著

本所しぐれ町物語

川や掘割からふと水が匂う江戸庶民の町……。表通りの商人や裏通りの職人など市井の人々の微妙な心の揺れを味わい深く描く連作長編。

藤沢周平著

たそがれ清兵衛

その風体性格ゆえに、ふだんは侮られがちな侍たちの、意外な活躍！　表題作はじめ全8編を収める、痛快で情味あふれる異色連作集。

藤沢周平著

ふるさとへ廻る六部は

故郷・庄内への郷愁、時代小説へのこだわりと自負、創作の秘密、身辺自伝随想等。著者の肉声を伝える文庫オリジナル・エッセイ集。

藤沢周平著

静かな木

ふむ、生きているかぎり、なかなかあの木のようには……。海坂藩を舞台に、人生の哀歓を練達の筆で捉えた三話。著者最晩年の境地。

池波正太郎著

上意討ち

殿様の尻拭いのため敵討ちを命じられ、何度も相手に出会いながら斬ることができない武士の姿を描いた表題作など、十一人の人生。

池波正太郎著

編笠十兵衛（上・下）

幕府の命を受け、諸大名監視の任にある月森十兵衛は、赤穂浪士の吉良邸討入りに加勢。公儀の歪みを正す熱血漢を描く忠臣蔵外伝。

用《よう》心《じん》棒《ぼう》日《じつ》月《げつ》抄《しよう》

新潮文庫　ふ－10－1

昭和五十六年三月二十五日　発行
平成十四年二月二十五日　五十七刷改版
令和六年十月十日　百五刷

著者　藤《ふじ》沢《さわ》周《しゅう》平《へい》
発行者　佐藤隆信
発行所　株式会社　新潮社
郵便番号　一六二－八七一一
東京都新宿区矢来町七一
電話　編集部(〇三)三二六六－五四四〇
　　　読者係(〇三)三二六六－五一一一
https://www.shinchosha.co.jp

価格はカバーに表示してあります。

乱丁・落丁本は、ご面倒ですが小社読者係宛ご送付ください。送料小社負担にてお取替えいたします。

印刷・大日本印刷株式会社　製本・加藤製本株式会社

ISBN978-4-10-124701-4　C0193